TADEUSZ OSZUBSKI

SERIA Z ŁUCZNICZKĄ

MIŁOŚĆ

Redakcja: Artur Szrejter

MIŁOŚĆ

Wkrótce w Serii z Łuczniczką ukaże się:

Młode

Podobieństwo zdarzeń i postaci występujących w tej powieści do zajść, które rozgrywały się w rzeczywistości, oraz do biorących w nich udział realnych osób, jest przypadkowe.

Rozdział 1

Wyjął pistolet z szafki przy łóżku. Wrócił do dużego pokoju. Na stole położył wczorajszą gazetę, a na niej broń. Zabrał się do czyszczenia starej hiszpańskiej astry, na którą miał zezwolenie.

„Bieganie z giwerą dobre jest dla młodych" – pomyślał Jan Wirski. Właściwie zawsze wolał wyzwania intelektualne niż akcje zbrojne, ale stary nawyk pozostał. Skoro ma się broń, musi być gotowa do użytku. Sprawnie wykonał rutynowe czynności, złożył pistolet i na powrót umieścił w szafce w sypialni.

Potem, zamiast zapalić papierosa, włożył do ust tabletkę i zaczął ją ssać. Mała, biała pastylka o miętowym smaku zawierała dwa miligramy nikotyny.

Pozostała jeszcze kwestia trzeciego wpojonego dawno temu przyzwyczajenia – dbania o kondycję fizyczną.

Był ranek, Jan miał już za sobą pierwszą kawę i lekkie śniadanie. Przebrał się w dres i sportowe buty, po czym wyszedł, by pobiegać wokół bloku. Akurat przestało padać. Trening zaczął na schodach, zeskakując ze stopnia na stopień przez trzy piętra.

Pół godziny później wrócił zdyszany i lekko zmoknięty, bo deszcz znów zaczął siąpić. Zaparzył drugą kawę, po czym wziął prysznic. Wytarty do sucha wrócił do salonu. Włączył telewizor, wybrał pilotem jeden z kanałów informacyjnych i słuchając najnowszych wiadomości, zaczął się ubierać. Włożył bieliznę i skarpety, białą koszulę z egipskiej bawełny, szary kaszmirowy garnitur, dobrał jedwabny krawat w fantazyjne wzory. Wyglądał teraz stosownie do profesji, którą od kilku lat się zajmował.

Spróbował kawy. Była taka, jak lubił. Aromatyczna, o głębokim smaku i gorąca, ale nie przesadnie. Zamierzał włożyć buty, gdy odezwał się dzwonek domofonu.

Najpierw zignorował dźwięk. Pomyślał, że to jakiś domokrążca. Będzie zawracał głowę czymś, czego Wirski i tak nie kupi. Domofon znów się odezwał. Czy komiwojażer, zwany teraz *sale managerem*, byłby aż tak natrętny? Westchnął. Pewnie to jednak nie pomyłka ani uparty roznosiciel ulotek reklamowych, domagający się, by go wpuścić na klatkę schodową. Ktoś chciał czegoś właśnie od niego, Wirskiego Jana.

Wziął pilot, ściszył telewizor. Wstał i nie odrywając spojrzenia od ekranu, poszedł do przedpokoju, gdzie siłą rzeczy utracił kontakt wzrokowy z migającą obrazami taflą. Z niechęcią nacisnął guzik domofonu.

– Kto tam? – powiedział ostrym tonem do mikrofonu ukrytego w szarym pudełku z plastiku. To bardziej warknięcie niż pytanie miało poinformować osobę stojącą przed blokiem, że jest niemile widzianym intruzem.

– Otwórz, to ja – zaskrzeczało w głośniku.

Domofon miał kilkanaście lat, pochodził z wczesnej, jeszcze niezbyt udanej generacji urządzeń elektronicznych. Mimo zniekształconego dźwięku Jan rozpoznał głos Zygmunta, swojego starszego brata. Niespodzianka. Zapewne niespodzianka niemiła, i to w poniedziałek rano.

Ze zdziwieniem pokręcił głową i nacisnął czerwony guzik. Usłyszał trzask otwierającego się elektrycznego zamka, który blokował drzwi klatki schodowej.

Wrócił do pokoju, wyłączył telewizor i kilkoma łykami dopił kawę. Sprawa musiała być szczególna, skoro Zygmunt osobiście się pofatygował. Od czasu upadku Peerelu łączył działania biznesowe z polityką i zaczął unikać młodszego brata. Jan rozumiał tę postawę, bo była częsta w polskim ludzie, ale jej nie akceptował. Uważał, że krew jest ważniejsza od podziałów według partyjnego klucza.

Wrócił do przedpokoju i czekał, przyciskając oko do wizjera. Gdy dostrzegł ruch na korytarzu, otworzył drzwi.

- Co się stało, Zyga? Koniec świata? - spytał ironicznie.

- Będziemy tak tu stali czy wpuścisz mnie do środka? - odpowiedział brat pytaniem.

Gospodarz w milczeniu cofnął się w głąb mieszkania, robiąc miejsce wchodzącemu. Potem zamknął drzwi na klucz i gestem wskazał drogę. Zygmunt oparł o ścianę przedpokoju mokry parasol, zdjął prochowiec, rzucił go na wieszak i przeszedł do pokoju pełniącego funkcję salonu.

- Mogłeś zadzwonić. A gdyby nie było mnie w domu? - rzucił Jan.

- Gdyby cię nie było, tobym zadzwonił - nerwowym tonem odparł gość.

Młodszy z mężczyzn rozłożył ręce w geście bezradności. Zygmunt wzruszył ramionami, rozpiął guziki eleganckiej granatowej marynarki i usiadł w fotelu. Milczał. Zbierał myśli, wpatrując się we własne dłonie. Zaplatał i rozplatał palce, poświęcając im całą uwagę. Gospodarz znał te gesty - brat musiał być czymś zaniepokojony, a może tylko skrępowany sytuacją. Jan postanowił przyspieszyć bieg zdarzeń. Po pierwsze, miał plany na ten dzień. Po drugie... Prawdę powiedziawszy, ciekawiła go przyczyna niespodziewanej wizyty.

- Niech zgadnę, Zyga. Kontaktów ze mną nie utrzymujesz, bo jako były oficer milicji jestem plamą na honorze prawicowego polityka. Twoja wizyta oznacza więc, że albo pogrzeb w rodzinie, albo masz kłopoty i tylko ja mogę cię z nich wyciągnąć. A że wszyscy nam już poumierali, zostają kłopoty - powiedział, złośliwie się uśmiechając. - To co cię gryzie? Wal śmiało.

- Janek, przestań - odparł gość ugodowym tonem. - Masz rację, nie chwalę się tobą przed znajomymi. I masz rację, że tylko ty możesz mi pomóc. Ale nie ma z czego żartować, bo sprawa poważna. Chodzi o Justysię.

Jan usiadł na drugim fotelu, ustawionym naprzeciwko. Uważnie przyjrzał się bratu, który wyglądał na zmęczonego, ale i tak był w dobrej formie, jak na ukończony sześćdziesiąty piąty rok życia. Gospodarz co prawda prezentował się lepiej, lecz był przecież młodszy o pięć lat.

- Co z Justyną? - spytał z troską w głosie.

Zygmunt przeczesał palcami zadbane, szpakowate włosy, po czym wolno i w skupieniu zaczął mówić:

- To trochę skomplikowane, ale chcę, żebyś teraz nie wnikał w szczegóły. Obiecaj, że zajmiesz się Justyną, gdyby coś mi się stało.

- Przecież ona nie jest dzieckiem! Sama ma dziecko - żachnął się Jan. Potem uważnie spojrzał bratu w oczy. - Chorujesz na coś poważnego?

- Coś ty! Jestem zdrowy jak byk!

- No to o co chodzi? Ktoś ci grozi, Zyga? Przecież jesteś senatorem, możesz żądać ochrony policji, właściwie każdej służby. Wybrańcowi narodu przysługuje szczególna opieka.

- Tylko bez sarkazmu, Janku, proszę! - rzucił ostrym tonem Zygmunt. Przypomniał sobie jednak, że przyszedł po prośbie, więc złagodniał. - Nie spiesz się z wyciąganiem wniosków, jeszcze raz cię proszę. I, jak mówiłem, nie wchodźmy teraz w szczegóły. Wystarczy, że jak by co, zaopiekujesz się Justysią.

- Dobrze, nie wnikam w szczegóły. A Justyną się zaopiekuję, bo to nasza krew. Poza tym ona mnie nie traktuje jak zadżumionego. Często się widujemy. Uspokoiłem cię, Zyga?

Szpakowaty mężczyzna rozsiadł się wygodniej, sięgnął do kieszeni po papierosy i rozglądając się za popielniczką, wyciągnął paczkę w stronę brata.

- Rzuciłem rok temu - odpowiedział tamten - ale ty pal, jak chcesz umrzeć właśnie na raka.

Nie powiedział całej prawdy. Przed rokiem zaczął palenie rzucać. Rzucał kilkakrotnie. Od ostatniego rzucenia minął tydzień i widok osoby z papierosem go drażnił. Sam z chęcią by zapalił, ale... „Postanowienie to postanowienie - pomyślał - bo co mi zostało na stare lata? Pewnie tylko silna wola".

Wstał i przyniósł z kuchni spodeczek, by pełnił funkcję popielniczki.

- Wiesz co, Zyguś? Zaparzę kawę, bo chyba czeka nas dłuższa rozmowa - zaproponował.

Starszy brat tylko kiwnął głową, że się zgadza. Palił papierosa i milczał.

Gospodarz poszedł do kuchni. Dziesięć minut później znów siedzieli naprzeciw siebie w fotelach. Na stoliku stały filiżanki z kawą.

– To, że coś mi zagraża, to normalka – przerwał milczenie Zygmunt. Wymieszał kawę. Oblizał łyżeczkę i położył ją na blacie. – Wariaci, dziennikarze, wrogowie polityczni, a czasem też polityczni przyjaciele. Wielu by mi chciało dokopać. Ale nie, fizycznie nic mi nie grozi. Martwię się o moją małą.

– O co chodzi? Czego ode mnie oczekujesz?

– Ty wiesz, ile ja teraz jestem wart? Nie, nie chodzi mi o ocenę moralną, możesz ją sobie w dupę włożyć! – Gość zaperzył się, widząc ironiczny błysk, który nagle pojawił się w oczach rozmówcy. – Mówię o wpływach i pieniądzach. Zdejmowałem już ze stołków ministrów i wsadzałem na stołki nowych. Moje dochody to miliony w dowolnej walucie. I żadnych przekrętów! Dla skarbówki jestem czysty jak łza. Fakt, odsunąłem się od ciebie, ale taka jest polityka. Twoja przeszłość jest niejasna i nie możesz na mnie rzucać cienia.

– A ja myślałem, że mnie skreśliłeś, bo masz krystalicznie czyste poglądy – powiedział Jan ze smutnym uśmiechem.

Znał koleje życia brata. Wiedział o jego skuteczności w biznesie. O tym, że z małej firmy w prowincjonalnym miasteczku, przekazanej mu przez umierającego stryja, potrafił po upadku Peerelu stworzyć sieć przedsiębiorstw i zająć liczące się miejsce na rynku. Dziesięć lat temu zajął się polityką i również odnosił sukcesy. Co istotne, nie ożenił się ponownie, więc córka była jedyną ważną dla niego kobietą. Przez ostatnie osiem lat dzielił tę miłość na dwoje, obdarowując uczuciem również wnuczkę, córkę Justyny. Janowi wszystko to było wiadome, bo przecież starszy Wirski, choć bywał łajdakiem, przede wszystkim był i jest jego bratem. A krew to krew, nic nie wiąże silniej.

– Janku, nie proszę o nic dla siebie. To dla Justysi, dla jej dobra – szepnął senator.

Przetarł dłonią czoło. Nagle jakby przybyło mu lat. Obnażył bezradność, do której nie lubił się przyznawać.

– Mów wreszcie! – Gospodarz był już zmęczony przydługim wstępem. – Co trzeba zrobić dla jej dobra i dlaczego to muszę być ja?

Zygmunt wypił kilka łyków kawy, potarł palcami skronie.

– Nie lubisz mnie – stwierdził – bo uważasz, że wyrzekłem się ciebie dla forsy i polityki. Może masz rację. Ja za tobą też nie przepadam i mam po temu powody. Ale wiem, że mnie nie oszukasz. I nie zdradzisz, prawda Janku? Masz mnie za świnię, ale nigdy mnie nie zdradzisz. I Justysi też nie dasz skrzywdzić, bo to twoja krewniaczka. Ani ty, ani ja nie mamy nikogo oprócz Justysi!

Przerwał, znów napił się kawy. Obaj Wirscy przyglądali się sobie z uwagą. Milczeli.

Jan wstał z fotela, podszedł do okna. Nie podziwiał widoków, bo były paskudne. Szare bryły bloków i garaży z betonu, niczym rumowisko historii, która przeszła przez kraj i świat. Historia sobie przeszła, ale w tym miejscu mało co zmieniła. Mężczyzna wpatrywał się w okno, bo chciał ochłonąć. Nagłe pojawienie się brata i jego zaskakująco szczere wyznania poruszyły go bardziej, niż chciał przyznać. Poza tym starszy Wirski nadal nie wyjaśnił, o co chodzi, krążył wokół tematu, jakby się czegoś poważnie obawiał.

- Powiedz mi prawdę, Zygmuś, po prostu prawdę, bez względu na to, jaka ona jest. Powiedz, a ja zrobię, co trzeba - oświadczył po chwili. Odwrócił się od okna, podszedł do fotela i spojrzał gościowi uważnie w oczy. - Niewiele mogę. Emeryt ze mnie - mówił dalej - ale możesz na mnie liczyć.

- Justysia nie miała dobrego życia - zaczął polityk. - To znaczy miała wszystko od strony materialnej, ale, Janku, nowej, dobrej matki przecież dla niej nie poszukałem. Pewnie to był błąd, bo teraz ona powtarza moje życie - wychowuje dziecko w niepełnej rodzinie, bez ojca. W romanse się wdaje, nie może się ustatkować. Samodzielna jest, nie powiem. Dałem jej pieniądze na rozkręcenie firmy reklamowej i ich nie zmarnowała. Zaczęła nawet karierę w radiu. Ale życie prywatne sobie marnuje. Tak bez rodziny?

- Co ja mogę na to poradzić?

- Możesz. Bo ona znowu z jakimś artystą się spotyka.

- Odbiło ci? - Były milicjant aż poderwał się z fotela i zaczął się śmiać. - Zyga! Ona jest po trzydziestce! Może się spotykać, z kim chce.

- Nie śmiej się. Nie chodzi mi o to, żebyś jej absztyfikantowi mordę obił. Chodzi mi o konsekwencje jej nowej znajomości.

Sięgnął do wewnętrznej kieszeni marynarki, wyjął telefon komórkowy. Poszukał w menu, zaznaczył właściwą funkcję i podał aparat gospodarzowi.

– To przesłał mi mój sekretarz, a jemu jego brat, który przy różnych okazjach kilka razy widział Justysię. Na razie tylko oni skojarzyli fakty. To znaczy, mam nadzieję, że tylko oni.

Jan spojrzał na wyświetlacz komórki. Zdjęcia były zrobione przez szybę wystawową i przedstawiały wnętrze jakiejś galerii. W centrum uwagi fotografa znajdowało się kilka realistycznie namalowanych aktów. Na wszystkich widoczna była twarz nagiej kobiety. Justyny Wirskiej.

– Rozmawiałeś z nią o tym?

– Nie i nie zamierzam – zdecydowanym tonem odparł Zygmunt. – Justysia na pewno o tym nie wie. To rozsądna dziewczyna. Rozumie, że właścicielce agencji reklamowej, dziennikarce, a do tego jeszcze córce senatora nie wypada publicznie świecić gołym tyłkiem.

– Myślisz, że to sprawka jej nowego artysty? Że zrobił to dla pieniędzy i bez jej wiedzy?

– To jakiś skurwiel! – warknął szpakowaty mężczyzna. – Nie wiem, o co mu chodzi, no to domyślam się, że o kasę. Ale czy chce zarobić na sprzedaży obrazów, czy mnie nimi szantażować?

– Fakt, tabloidy by się po tobie przejechały.

– I to jak! Przede wszystkim jednak pismaki przejadą się po Justysi. W każdej kolorówce te obrazy wydrukują. Zrobią z niej albo dziwkę, albo idiotkę. Albo jedno i drugie. Janku, pomóż. Tobie ufam. Nie zlecę przecież tej sprawy agencji detektywistycznej, bo mnie gnoje najpierw wydoją, a potem sprzedadzą tabloidom.

– Czego oczekujesz?

– Po pierwsze, obrazy muszą zniknąć. I to zaraz. Kupisz je, Janku. Ja nie mogę się tam pokazać, bo jak ktoś mnie rozpozna, od razu doda dwa do dwóch i będzie klapa. Potem ustal, co to za jeden, znaczy ten artysta, i porozmawiaj z gnojem.

– Zrobi się – odpowiedział zdecydowanym tonem młodszy Wirski. Potem uśmiechnął się złośliwie i dodał cicho: – Porozmawiam z gnojem.

Senator wstał, poszedł do przedpokoju i wrócił z płaszczem. Z wewnętrznej kieszeni prochowca wyjął wypchaną kopertę.

– Tu masz trzydzieści tysięcy. Nie znam się na cenach obrazów, więc jak trzeba będzie zapłacić więcej, zadzwoń. Galeria jest w centrum miasta, nazywa się „Oaza Artystów". Ale niczego nie wiem o tym gnoju, no... o tym niby artyście, a sam rozumiesz, że Justysi nie chcę o niego pytać. W ogóle nie chcę, żeby wiedziała o sprawie. Rozumiesz? Nie może widzieć nic a nic! Znajdziesz gnoja? Załatwisz sprawę?

– Znajdę, Zyga. Znajdę i załatwię.

Rozdział 2

Bolały go plecy na wysokości nerek, a przez pierwszą dobę po pobiciu sikał krwią. Stracił też ząb. Na szczęście żaden z przednich, i tak mocno nadwerężonych przez upływ czasu i tryb życia ich posiadacza.

Marczyk odzyskał przytomność, gdy napastnicy już sobie poszli. Nie do końca rozumiał, co się stało. Pobito go, ale kto, gdzie i z jakiego powodu? Zaczął się nad tym zastanawiać, lecz znów go zamroczyło. Głowa bolała. Dowlókł się do łóżka. Nie wiedział, czy stracił przytomność, czy zasnął. W każdym razie gdy znów otworzył oczy, okazało się, że minęło kilkanaście godzin.

Obudził go telefon. Nie miał ochoty na rozmowę z kimkolwiek, ale aparat stał przy łóżku, więc odruchowo podniósł słuchawkę. Dzwonił człowiek, dla którego pracował, choć słowo „pracował" nie oddawało w pełni tego, czym Tomasz od kilku lat zajmował się trzy albo cztery dni w tygodniu. Zlecano mu malowanie szyldów i dużych plakatów ogłoszeniowych. Głównie z tego się utrzymywał. Roboty było coraz mniej, bo ludzi zastępowały komputery i drukarki laserowe, lecz na czynsz, tani alkohol, papierosy i trochę jedzenia wystarczało, a Marczyk nie miał innych potrzeb. Przecież nie malował już obrazów, nie musiał więc zaopatrywać się w płótno, farby, pędzle, rozpuszczalniki. Nie miał krewnych, a przyjaciół dawno potracił, na co mu więc fundusz reprezentacyjny? Wszyscy, których znał, pomarli albo nie chcieli mieć z nim nic wspólnego.

Człowiek po drugiej stronie kabla telefonicznego powiedział, że oczekuje Tomasza następnego dnia, bo jest robota do wykonania. Odburknął coś i odłożył słuchawkę. Potem z wysiłkiem podniósł się z łóżka i poszedł do łazienki. Stanął przy muszli klozetowej, rozpiął spodnie. Ujrzał mocz czerwony od krwi. Nie rozumiał, dlaczego tak się dzieje, patrzył tylko ponuro na czerwoną strugę.

Nie czuł w sobie energii. Pomyślał, że pewnie powinien coś zjeść. Otworzył lodówkę. Miał jeszcze pół bochenka czerstwego chleba, trochę margaryny i prawie pełną butelkę taniego wina. Wziął kilka łyków alkoholu. Zamknął lodówkę. Nie czuł głodu. Wrócił do łóżka i znów zasnął.

Obudził się następnego dnia rano. Poszedł do kuchni. Wyjął z lodówki chleb i odkroił pajdę. Żuł ostrożnie pieczywo, bo bolało go miejsce po wybitym zębie. Popił winem. Zapalił papierosa. Kiedy skończył, poszedł do łazienki, zrzucił odzież, którą miał na sobie od kilku dni. Wziął prysznic. Gdy gorąca woda popłynęła po włosach, przeszył go ból. Dotknął lewej strony głowy i wyczuł pod palcami opuchliznę. Nacisnął mocniej. Miał wrażenie, że kość w tym miejscu pękła, ale gdyby faktycznie tak było, musiałoby mocniej boleć. Poczuł mdłości i zwymiotował do brodzika, wprost pod nogi.

Zastygł w pół ruchu, usiłując sobie przypomnieć, co chciał zrobić. Zakręcił kurek prysznica, później odkręcił. Opłukał całe ciało, zmył resztki wymiocin w brodziku. Zakręcił wodę. Wytarł się do sucha, włożył czystą bieliznę, spodnie i koszulę. Potem kurtkę, buty. Wrócił do sypialni, gdzie z szuflady stolika nocnego wyjął pieniądze. Poszedł uzupełnić zapasy.

Pół godziny później wrócił do domu z foliową torbą wypchaną pieczywem, kiełbasą, pomidorami. Były w niej też butelka najtańszego alkoholu i kilka paczek papierosów.

Nadgryzł kiełbasę, otworzył wino owocowe, zapalił papierosa. Poszedł do dużego pokoju. Wisiało tam kilka obrazów, portretów przedstawiających tę samą kobietę - piękną, rudowłosą. Ściana kominowa jednak, od dawna nieodświeżana, stanowiła teraz ogromną szarą płaszczyznę poznaczoną nieco jaśniejszymi prostokątami. Śladami po dużych malowidłach. Obrazach szczególnie ważnych dla Marczyka, ale nie tylko dlatego, że przez niego namalowanych. Jedynie ślady pozostały po kilkunastu aktach rudowłosej kobiety - tej samej piękności, której portrety nadal znajdowały się na sąsiedniej ścianie.

Tomasz dotknął głowy. Wciąż w niej szumiało. Namacał wzgórek z boku. Puchł, nabrzmiewał. Mężczyźnie pociemniało w oczach. Zachwiał się. To nie był kolejny atak bólu. Malarz dopiero teraz uzmysłowił sobie, że akty rudowłosej znikły.

Podszedł do ściany, oparł się o nią dłońmi, opadł na kolana. Osuwając się, czuł pod palcami chropowatą fakturę tynku. Zaczął płakać.

Przytulił policzek do ściany. Była chłodna. Martwa. „Jesteś tam?" - spytał bezgłośnie. Patrzył na ścianę, ale w myślach przenikał na wylot cały mur. „Jesteś?". Pewnie, że tam była. Czuł przecież jej obecność. Lecz brakowało jej piękna, znikło bowiem kilkanaście obrazów, na których zawarł całą jej urodę, udokumentował twarz i nagie ciało w ruchu, w rozmaitych pozach. Pomyślał o tym i znów się rozpłakał.

„Co się stało, co tu się stało? Przypomnij sobie, przypomnij" - napominał w myślach samego siebie. W jednej chwili drzwi do jego pamięci szeroko się rozwarły. Zajrzał tam i zaczął odtwarzać wydarzenia fragment po fragmencie. To zaszło w sobotę, a teraz jest poniedziałek.

Zerwał się z podłogi. Wyszedł na klatkę schodową i ruszył do sąsiedniego mieszkania. Nacisnął dzwonek, potem zaczął stukać do drzwi.

- Pani Lutko! Jest tam pani? To ja, Marczyk! - krzyczał.

Nikt się nie odezwał, więc nacisnął klamkę. Drzwi nie zostały zamknięte na klucz. Gospodyni nie dbała o bezpieczeństwo ani o dobytek. Po prawdzie nie było co u niej ukraść i mało kto chciał zrobić Lutce krzywdę.

Wszedł do przedpokoju. W mieszkaniu panowała cisza.

- Pani Lutko, jest tam pani? - spytał szeptem.

Zajrzał do kuchni. Nikogo. W pierwszym pokoju też pusto. W drugim, na dużym łóżku, leżała Lutka. Naga i nieprzytomna. Pochylił się nad kobietą. Poczuł woń potu i alkoholu. Obok, na podłodze, walała się pusta butelka po wódce.

- Lutka, obudź się! - krzyknął i złapał gospodynię za ramiona. Potrząsnął raz, drugi. Coś mruknęła, lecz nie otworzyła oczu. Kiedy ją puścił, bezwładnie opadła na łóżko.

- Zalała się w trupa - mruknął.

Teraz, akurat teraz, kiedy musiał odzyskać piękno, które z takimi emocjami utrwalił. Właśnie teraz! Rosła w nim wściekłość. Przyjrzał się kobiecie. Ona, w przeciwieństwie do tego, co chciał odzyskać, nie była piękna. Wychudzona, z rozrzuconymi nogami porośniętymi szarą szczeciną, wyglądała jak coś od dawna nieżywego.

Zakręciło mu się w głowie. Poczuł pulsujący ból w miejscu, gdzie pęczniała opuchlizna. Usiadł na podłodze przy łóżku. Zapalił papierosa. Miał zamiar czekać, aż stara pijaczka wytrzeźwieje. Czekać do skutku. Skoro przypomniał sobie, że ktoś go pobił i ukradł jego obrazy, musiał się dowiedzieć, kim są złodzieje. Lutka ich znała, Lutka wiedziała.

Plan się nie powiódł. Marczyk nie doczekał rozmowy z Ciotką Lutką, bo znów rozbolała go głowa. Potem jeszcze usłyszał w myślach głos uwielbianej kobiety. Wołała go, a że kochał ją nad życie, nie mógł odmówić, wrócił więc do swego mieszkania.

Kłębiły się w nim emocje. Czasem sprzeczne, chwilami harmonijnie współgrające. Czuł się tak, jakby obudził się po długim, trwającym pół życia śnie. Po nagłym przebudzeniu był skołowany, świat postrzegał jako siedzibę chaosu, miejsce mroczne i wrogie. Dusza Tomasza jawiła się teraz niczym granat, z którego złodzieje obrazów wyrwali zawleczkę. Miała wybuchnąć lada chwila, o ile zawleczka nie wróci na miejsce.

Mężczyzna potrzebował ukojenia, musiał więc odzyskać lub odtworzyć to, co mu zabrano. Tylko wtedy jego dusza nie wybuchnie. Świat i Marczyk znów będą uładzeni, nasyceni miłością. Miłością, tak jak ją upadły malarz Tomasz Marczyk odczuwał i potrafił okazać.

Rozdział 3

Górek, jak zwykle, przyjechał po Cezarego. W ciągu ostatnich dwóch lat przyjęło się, że młodszy z braci Klimów pełni funkcję kierowcy i ochroniarza starszego.

– Dzwonił Zdzisiek Kwaśniak – powiedział, gdy Cezary otworzył drzwi wozu. – Dzwonił tylko po to, żeby zameldować, że jeszcze nie opchnął towaru.

– Pamięta, kto rządzi. I dobrze – skonstatował starszy brat, siadając z przodu w fotelu pasażera.

– Co dziś mamy do roboty? – spytał młodszy.

– Pojedziemy za miasto, będziemy rozkoszować się przyrodą. – Mówiąc to, Cezary uśmiechnął się nieprzyjemnie. Potem wyjaśnił, co ma na myśli: – Odwiedzimy gostka od plantacji trawki, wiesz którego. Mam na niego haka, więc zrobi z nami interes za plecami pana Kazimierza.

Górek skinął głową. Rozumiał, że chodzi o kolejną część wielkiego planu starszego brata, w który tylko oni dwaj byli wtajemniczeni. Włączył radio, popłynęła muzyka.

Cezary zamknął oczy. Był trochę niewyspany, ale nie żałował, bo znów z Moniką kochali się późną nocą. Synek został u dziadków i mogli do woli hałasować w apartamencie. Oboje mieli w planach, że nie pozostaną cicho tego wieczoru.

Był napalony. Patrząc Monice w oczy, szybko zrzucił ciuchy, lecz prześcignęła go i już czekała naga. Stał pośrodku salonu, podeszła więc, po czym dosłownie wskoczyła na niego, zacisnęła ramiona wokół karku, oplotła w pasie szczupłymi nogami. Przytuliła policzek do jego policzka.

Często przytulała się do męża. Postępowała tak bez względu na to, czy byli sami, czy też znajdowali się w miejscu publicznym. Cezaremu sprawiało to przyjemność właśnie dlatego, że to akurat Monika okazywała mu swe uczucia. U innej kobiety nie akceptowałby tego rodzaju zachowania. Publiczne obściskiwanie się uważał za niegodne twardego faceta. A przecież bez względu na to, czy chodziło o jego pierwsze życie, „zawodowe", czy o to drugie, prywatne, uchodził za mężczyznę o żelaznym charakterze. Tego wieczoru jednak Monika nie chciała się przytulać.

– Pieprz mnie – wydyszała mu w ucho. – Wchodź we mnie tak mocno, szybko, głęboko, jak tylko dasz radę.

Cezaremu wydawała się lekka jak piórko. Mógł ją nosić godzinami.

– Pieprz mnie – mruczała. – Jesteś taki zdecydowany, taki silny. Gdy mnie obejmujesz, czuję twoją moc. To mnie podnieca.

Jedną dłonią chwycił jej pośladki, a środkowy palec wsunął w odbyt. Uniósł kobietę i odchylił. Drugą dłonią wprowadził penis do pochwy. Teraz mógł przycisnąć żonę do siebie obiema rękami. Trzymając za pośladki, zaczął ją to przysuwać, to odsuwać. Oplotła go jak bluszcz, pojękiwała. Uderzał jej podbrzuszem w swoje. Miał wrażenie, że członkiem przebija Monikę na wylot.

– Mocniej, mocniej – dyszała.

Postanowił zmienić pozycję. Ukląkł, położył kochankę na podłodze. Odkleiła nogi od pasa męża i zarzuciła mu je na ramiona.

– Pieprz mnie – wciąż szeptała. – Masz nade mną władzę.

Przyszpilił ją do podłogi. Opadał na kobietę całym ciężarem, szybko i mocno jak młot pneumatyczny.

- Pieprz mnie! - zaczęła krzyczeć.

Nie myślał już o tym, że może zrobić jej krzywdę. Stał się wyłącznie masą i ruchem, które zmierzały do spełnienia.

Znów krzyczała, ale tym razem bez słów, w pierwotnym odruchu żądzy i zaspokojenia. Dalej uderzał w nią swoim ciałem. Wytrysnął raz i drugi. Nie wiedział, ile to trwało, lecz stracił siły. Przygniótł sobą żonę, potem przetoczył się na bok.

Monika leżała na plecach z rozrzuconymi rękoma i nogami. Ciężko oddychała. Wreszcie poruszyła się, uniosła na łokciu, wpełzła na Cezarego. Przytknęła nos do jego nosa. Spojrzenia się spotkały.

- Kocham cię - powiedziała.

- Kocham cię - odparł.

Zaniósł ją do sypialni. Na łóżku przytulili się, okryli kołdrą i zasnęli.

Rano pojechała na umówione spotkanie z przedstawicielami kilku agencji reklamowych. On z kolei poczekał na Górka.

Teraz, jadąc z bratem, przypomniał sobie, co ten mu powiedział o Zdziśku. Paser meldował, że towar mu nie schodzi. Fakt, trudno było mieć o to pretensję do Kwaśniaka, bo coś takiego kupić mógł tylko koneser. Zresztą i tak łup ten wpadł Klimom w ręce przez przypadek, kiedy dwa dni wcześniej, w sobotę, wykonywali delikatne zadanie zlecone przez pana Kazimierza. Sprawa była niby drobna, bo chodziło ledwie o dwa tysiące złotych, ale też poważna, bo Cezary miał dopilnować zwrotu długu od szczególnej osoby. Pieniądze miała oddać panu Kazimierzowi Ciotka Lutka.

Ciotka Lutka była hazardzistką i alkoholiczką, z zasady więc przepijała nieczęste wygrane. Ogólnie rzecz biorąc, pieniądz jej się nie trzymał. Nie to jednak stanowiło prawdziwy problem, lecz fakt, że pan Kazimierz miał do pijaczki słabość, bo, jak mawiał, „była kiedyś z Lutki piękna dupa". Cezary, choć nie raz miał ze starą do czynienia, żadnego śladu piękności nie dostrzegł. Niestety, taki przypadł los starszemu Klimowi, że zawsze jemu zwierzchnik zlecał odzyskanie pieniędzy pożyczanych Lutce, bo twierdził, że młodzieniec ma wyczucie. I stąd wspomniany kłopot. Cezary nie mógł dawnej kochance pana Kazimierza po prostu dokopać, kiedy się stawiała, a stawiała się zawsze. Mając w pamięci słabość szefa do hazardzistki, musiał działać w białych rękawiczkach, czyli tylko po prośbie, co najwyżej z groźbą w słowach.

Wtedy, przed dwoma dniami, też pojechał razem z Górkiem.

– Pan Kazimierz dzwonił. Jedziemy do Ciotki Lutki odebrać dług.

– Znowu? – mruknął młodszy brat. – Będziemy ją całować w dupę, żeby oddała parę złotych?

Cezary w odpowiedzi tylko się skrzywił, bo co miał rzec? Górek precyzyjnie nakreślił obraz tego, co za chwilę ich czekało.

Zaparkowali wóz przed pomalowaną na żółto starą komunalną kamienicą, gdzie mieszkała dłużniczka.

Za Peerelu Lutka prowadziła metę. Sprzedawała wódkę przez dwadzieścia cztery godziny na dobę. Czasy się jednak zmieniły i teraz Ciotka żyła z przygarniania młodych chłopaków, którzy wyszli z pierdla. Dawała im dach, karmiła ich i poiła, a oni robili za jej narzeczonych. Wyposzczeni, nawet na Lutkę nie kręcili nosem. Załatwiała im też różne lewe roboty. Jeśli taki jeden z drugim nie podpadł zbyt szybko policji, Ciotka miała nie tylko zdrowego chłopa w łóżku, ale i wódkę, i kasę do przegrywania na automatach.

Gdy nastawała finansowa posucha, wyciągała ostatnie złotówki, kupowała flaszkę i szła do pana Kazimierza. Szef zawsze znajdował dla niej chwilę przez pamięć o dawnych czasach. Gwarzyli o starych znajomych, pili wódeczkę, potem gospodarz pożyczał Lutce tysiąc, dwa, czasem nawet trzy. Pożyczał bez procentu, taki miał gest wobec niegdysiejszej kochanki.

Bracia Klimowie weszli na drugie piętro kamienicy. Zadzwonili do drzwi. Raz, drugi, trzeci. Minęła chwila, nim ktoś zareagował.

– Czego? – Z wnętrza mieszkania dobiegł ochrypły damski głos.

– Otwieraj, Lutka! Masz gości! – krzyknął Cezary.

– Ja z tobą świń nie pasłam. Dla ciebie jestem „pani Lutka".

– Lutka, nie świruj. Tutaj Cezary. Od pana Kazimierza jestem. Kojarzysz?

Zgrzytnął klucz w zamku i drzwi się uchyliły. W szparze ukazały się potargane, ufarbowane na czarno włosy z siwymi odrostami i twarz o pomarszczonej, poszarzałej skórze. Na pierwszy plan wyskakiwały jednak małe, czarne sprytne oczy, zbyt grubo podmalowane niebieskim cieniem.

– Ty tu czego? – spytała Ciotka.

– Panu Kazimierzowi jesteś dłużna kasę.

– Wal się! – wychrypiała kobieta.

Cofnęła się w głąb przedpokoju, by zatrzasnąć drzwi, ale Górek ją ubiegł. Pomiędzy skrzydło drzwi a futrynę wbił stopę w ciężkim wojskowym bucie z czarnej skóry.

– Lutka, nie utrudniaj – ugodowo powiedział starszy z braci.

– Ludzie! Ratunku! Bandyci! – wrzasnęła.

Cezary uśmiechnął się ze smutkiem. „Zawsze ten sam cyrk" – pomyślał.

Tym razem wypadki przebiegły inaczej niż zwykle, bo otworzyły się drzwi sąsiedniego mieszkania. Stanął w nich wysoki, wychudzony, szpakowaty mężczyzna. Miał na sobie brudne dżinsy i podkoszulek. Prawą rękę trzymał schowaną za plecami.

– O co chodzi, panowie? – spytał, patrząc w stronę pokrzykującej kobiety.

– Spadaj, gościu – warknął Górek.

Lutka w jednej chwili zamilkła. Puściła drzwi i wysunęła się na korytarz. Miała na sobie stary, poprzecierany i niezbyt czysty płaszcz kąpielowy, którego poły ściskała w dłoni.

– Panie Marczyk, daj pan spokój. Wszystko w porządku.

Odsunęła się, robiąc w drzwiach do swojego mieszkania miejsce dla Klimów. Skinieniem głowy dała znak, że mają wejść.

Sąsiad popatrzył na mężczyzn, którzy ruszyli we wskazanym kierunku.

- Chyba nie jest w porządku, pani Lutko - stwierdził i zrobił krok w stronę braci. Nie krył już, że w prawej dłoni trzyma duży kuchenny nóż.

- Panie Marczyk! Tomuś... Daj pan spokój - zachrypiała Ciotka, a potem dodała, spoglądając na wysłanników pana Kazimierza: - Chodźcie, chłopaki, pogadamy.

- Zaraz, zaraz - mruknął Cezary. - Do mnie z nożem?

Szpakowaty mężczyzna ani drgnął. Twarz miał spokojną, jakby nie zdawał sobie sprawy z tego, co zaraz może się wydarzyć. Czy nie rozumiał, że jeśli grozisz komuś nożem, to nóż może pokryć się krwią? Krwią tamtego człowieka lub twoją? W obu wypadkach zrobi się poważnie. Śmiertelnie poważnie.

Starszy Klim pomyślał, że chudzielec jest albo głupi, albo tak zdesperowany, że niczego się nie boi. To drugie też mądre nie było. Kłopot w tym, że Cezary od dawna nie nosił przy sobie broni. Górkowi też zabronił biegać po mieście z giwerą. Pistolety wyjmowali z kryjówki tylko wtedy, gdy zanosiło się na kłopoty, a tego dnia kłopotów być nie miało.

- Rzuć nóż i spadaj - warknął.

Tomasz Marczyk nawet się nie poruszył. Poruszył się za to Górek. Młodszy z braci od lat stawiał na samowystarczalność i nie potrzebował broni. Sam nią był. Kopnięciem wybił nóż z ręki sąsiada Lutki, a ułamek sekundy później uderzył go łokciem w brzuch. Gdy przeciwnik zwinął się w kabłąk, Górek kopnął go precyzyjnie i z wielką siłą. Cios wrzucił Marczyka do mieszkania. Mężczyzna upadł w połowie długości przedpokoju.

Młodszy Klim był duży, umięśniony, ale cichy, szybki i zwinny jak kot. Szkolił się, ćwicząc sztuki walki z zawodowymi trenerami, lecz praktyczne doświadczenie zdobywał w ulicznych bójkach, gdzie nie przestrzegano zasad.

Cezary wszedł do lokalu zajmowanego przez chudzielca. Mijając leżącego na podłodze Marczyka, kopnął go w głowę. Z czystej złośliwości. Wymachiwał gość nożem, a teraz, proszę, leży jak kloc.

Starszy z braci pchnął drzwi do pierwszego z brzegu pokoju. Zobaczył łóżko z rozgrzebaną pościelą. Skrzywił się z niesmakiem, kontynuował obchód. Drugie pomieszczenie było zawalone farbami i materiałami malarskimi. Dopiero w trzecim pokoju, największym, intruz dostrzegł coś interesującego.

Na ścianach salonu wisiało ze dwadzieścia obrazów. Wszystkie portrety i akty przedstawiały w realistycznej formie piękną, doskonale zbudowaną rudowłosą kobietę. Malowidła wydały się Klimowi dziełem profesjonalisty - oczywiście na tyle, na ile potrafił coś takiego ocenić po kilkunastu wernisażach, na które zaciągnęła go Monika.

- Takiego pornosa jeszcze nie widziałem. - Górek zaśmiał się i ruszył śladem brata.

- To nie pornos, tylko sztuka, bucu - odmruknął tamten. Widać było, że obrazy go poruszyły i że ma pomysł, co z nimi zrobić.

- Chłopaki, zostawcie go! - krzyknęła Ciotka Lutka, nadal stojąca na klatce schodowej. - On chciał dobrze, ale was nie zna. To kiedyś był artysta, teraz z niego zwykły pijaczyna. No, chodźcie do mnie. Zostawcie go w spokoju, proszę.

Cezarego nie obeszły słowa kobiety. W głowie miał już gotowy plan.

- Brat, bierzemy ten towar. Zdzisiek Kwaśniak dalej robi w antykach?

- A co ma nie robić? - odburknął Górek.

- No to skręcimy z nim interes. - Zaśmiał się starszy z wysłanników pana Kazimierza.

Zdjęli ze ściany kilkanaście obrazów. Wybrali tylko akty. Ostrożnie zanieśli malowidła do samochodu. Zajęło im to dłuższą chwilę, bo musieli obrócić parę razy, by nie uszkodzić płócien.

Marczyk wciąż leżał nieprzytomny w przedpokoju, a Ciotka paliła papierosa bez filtra i w milczeniu przyglądała się zabierającym obrazy bandytom.

- Słuchaj, Lutka - powiedział Cezary, mijając kobietę - powiem panu Kazimierzowi, że spłaciłaś dług.

- Chłopaki, mam dwieście złotych. Dam wam, ale Tomusiowi nie róbcie krzywdy - szepnęła. W oczach miała łzy.

- Dwie stówy? A co ja mam z tym zrobić? Fajki sobie kupić? Wiesz co, Lutka? Przegraj tę kasę albo kup parę flaszek - odparł ostrym tonem. - Mnie obchodzi, żeby pan Kazimierz był zadowolony. A tego z nożem mam w dupie, byle mi w drogę nie wchodził.

Powiedział i poszedł. Zachował dla siebie, że Lutkę też ma tam, gdzie jej sąsiada.

Klimowie ostrożnie ułożyli płótna na tylnym siedzeniu samochodu i w bagażniku. Wóz był duży, więc cały łup się zmieścił. Górek odpalił silnik. Zawieźli towar do Zdziśka Kwaśniaka, pasera, który handlował wszystkim, co było dziełem sztuki lub mogło za nie uchodzić.

„Sztuka - wiadomo, na taki towar trzeba konesera albo frajera - pomyślał Cezary. - Kokosów też z tego nie będzie". Jako realista zażyczył sobie od pasera działkę w wysokości pięciu tysięcy. Co utarguje ponad tę sumę, będzie jego. A dziś Kwaśniak zadzwonił tylko po to, by zameldować, że nie ma ruchu. Zadzwonił, bo się bał. I dobrze, niech się boi braci Klimów.

Byli już w połowie drogi na plantację marihuany, gdy w radio skończono puszczać muzykę, a zamiast przebojów popłynął z odbiornika głos dziennikarki:

- Tu Radio Miasto. Przed mikrofonem Justyna Wirska. U nas każdego dnia jest święto!

Górek mruknął z dezaprobatą i chciał przełączyć na inną stację, ale brat zaprotestował. Kojarzył tę audycję.

- Zostaw, głąbie - warknął. - Posłuchaj, to zmądrzejesz.

W odpowiedzi młodszy wzruszył ramionami. Wolał muzykę, ale skoro Cezary chce słuchać jakichś pierdół, można parę minut się przemęczyć.

- Dziś obchodzimy Dzień Kolejarza i Światowy Dzień Zdrowia Psychicznego - ciągnęła kobieta w radiu. - Oby pociągi zawsze kursowały punktualnie, a sprawność rozumu nam dopisywała. Cieszmy się dniem, świętujmy z dzisiejszymi solenizantami i jubilatami. A teraz czas na felieton. Słuchacie „Wirowania w Radiu Miasto". Przy mikrofonie Justyna Wirska.

Przerwała, stawiając znaczącą pauzę, po czym przeszła do tematu:

- Obiegowe powiedzonko, że między zakochanymi „jest chemia", zawiera ziarno prawdy. Potwierdzili to naukowcy, ustalając, że w zakochanym człowieku buzuje mnóstwo substancji. Osobnik zakochany jest całą tablicą Mendelejewa. Jak stwierdził zespół badawczy doktor Stephanii Ortigue, psycholożki i neurolożki wykładającej na Syracuse University w Stanach Zjednoczonych, praca mózgu osoby trafionej strzałą Amora staje się specyficzna. Dochodzi też do zmian w układzie hormonalnym. Coś jest na rzeczy w takich poetyckich określeniach jak „motyle w brzuchu" czy „na jej widok serce mi stanęło". Dlaczego? A dlatego, że gwałtowne reakcje chemiczne zachodzące w organizmie zakochanej osoby wywołują też zaburzenia pracy żołądka i arytmię.

- Słyszałeś? Zawsze mówiłem, że w miłości nic nie jest proste, ale warto zaliczać te zakręty - mruknął Cezary do brata rozbawionego słowami dziennikarki. - Śmiej się, śmiej, ale ciebie też kiedyś trafi.

Górek głośno parsknął śmiechem. Mąż Moniki dobrze wiedział, że młodemu nie spieszy się do poważnego związku, a tym bardziej do zakładania rodziny. Widać jednak było, że i jego zainteresował temat radiowego felietonu. Teraz już obaj przysłuchiwali się z uwagą, co Wirska ma do powiedzenia.

- Zespół doktor Ortigue ustalił, że stan zakochania oddziałuje równocześnie na kilkanaście stref mózgu. Skutki są takie, jakby zakochany został rażony bronią chemiczną. Mózg wydaje dyspozycje prowadzące do intensywnej produkcji licznych substancji o działaniu euforycznym, takich jak oksytocyna, dopamina czy adrenalina. Jednocześnie zwiększa się w krwi poziom cząsteczek NGF, odgrywających ważną rolę w chemii zachowań społecznych. Uczeni porównali chemiczne działanie stanu zakochania na organizm człowieka do zażycia potężnej dawki narkotyku, na przykład kokainy.

– Słyszałeś, brat? – Tym razem starszy się zaśmiał. – Pomyśl, ile zaoszczędzisz na prochach, jak się zakochasz.

Górek w odpowiedzi tylko wzruszył ramionami. Akurat za kokainą nie przepadał, wolał raz na jakiś czas zapalić trawkę.

– Strzały Amora wyzwalają w zakochanych piękny stan euforii – kontynuowała dziennikarka – nic więc dziwnego, że niektórzy pielęgnują silne uczucia i robią, co tylko się da, by stan euforii trwał jak najdłużej.

Wirska akurat skończyła felieton, gdy Klimowie dotarli na miejsce. Mieli do załatwienia nielegalny interes. I to nielegalny podwójnie, bo prowadzony bez wiedzy zwierzchnika, pana Kazimierza.

Rozdział 4

Po wyjściu brata Jan przygotował sobie jeszcze jedną kawę. Pijąc ją, zadzwonił do wspólniczki w interesach. Baśka, prawie dziesięć lat od niego młodsza, była inteligentna i cechowało ją poczucie humoru. Miała też piękne brązowe oczy, brązowe włosy, duży biust i szerokie biodra. Do tego czuła wielką słabość do Wirskiego. Problem w tym, że wprawdzie Jan lubił spędzać z nią czas, bo odpowiadał mu jej charakter i łączyły ich wspólne zainteresowania, to jednak nie gustował w kobietach o bujnych kształtach. Miał słabość do wiotkich, rudowłosych nimf, ewentualnie bardzo szczupłych blondynek. Ten wzorzec urody rządził jego erotycznym życiem, co więcej, od tak wyglądających pań najczęściej dostawał zwrotne sygnały zainteresowania.

Z Baśką poznali się jakieś dziesięć lat temu, kiedy była świeżo upieczoną rozwódką. Pracowała w domu kultury, zarządzając tamtejszymi finansami. Po kilku spotkaniach, podczas których obwąchiwali się wzajemnie, bo przecież coś ich ku sobie ciągnęło, stanęło na tym, że zostaną przyjaciółmi, a nie kochankami.

Patrząc na to z dystansu, Wirski widział, że poznanie Barbary znacząco wpłynęło na jego życie. Po odejściu z resortu spraw wewnętrznych prawie dziesięć lat próbował cieszyć się wolnością stosunkowo młodego emeryta. Nie wyszło. Stan nicnierobienia zaczął go tak nudzić, że postanowił poszukać pełnoetatowego zajęcia. Spróbował handlu antykami i dziełami sztuki. W biznesie wykorzystywał swoje wykształcenie oraz doświadczenie wyniesione ze służby. Zajęcie wydawało się wprost stworzone dla niego, jednak w tej branży nie pociągnąłby do późnej starości. Już po kilku latach stwierdził, że się nudzi, bo handel sztuką sprowadza się do jak najtańszego kupna towaru i jak najdroższej jego sprzedaży. W efekcie to, z czym obcował, przestawało być obrazami, rzeźbami, meblami - z ich pięknem i historią - a stawało się tylko towarem. Gdy Wirski odkrył, jak sprawy się mają, pomyślał z goryczą, że równie dobrze mógłby handlować bananami.

Prowadził firmę jeszcze kilka lat, bo nie wiedział, co ze sobą począć. Kiedy jednak usłyszał od Baśki, że ta chce iść na swoje, a na dodatek ma konkretny pomysł i właściwych ludzi, by otworzyć restaurację, zaproponował jej spółkę. Ucieszyła się, bo mu ufała, poza tym nie była pewna, czy ze względu na ograniczone finanse da radę odpowiednio wyposażyć lokal. Janowi spodobała się perspektywa takiej zmiany w życiu. Szybko zlikwidował swoją firmę i ulokował fundusze w nowym interesie.

Lubił dobrą kuchnię, sam potrafił niejedno ugotować. Lubił też sztukę filmową. Skłonność do tych dwu dziedzin podzielała z nim właśnie Baśka. Po długich naradach nazwali lokal „Kino Cafe", stylowo go urządzili, obwiesili plakatami filmowymi w antyramach za szkłem. W tle puszczali muzykę z przebojów kinowych. Syn Barbary organizował zaopatrzenie, a jego utalentowany kulinarnie kolega Przemek został szefem kuchni. Restauracja szybko stała się modnym miejscem, zaczęła przynosić konkretne zyski. Z czasem uradzili, że skoro z Przemka jest tak wielki pożytek, trzeba go wprowadzić do interesu. Zaproponowali kucharzowi, by został wspólnikiem, a ten z radością się zgodził.

„Kino Cafe" działało pełną parą, bo podzielili obowiązki zgodnie z umiejętnościami. Baśka zajmowała się finansami i kelnerkami, kucharz - doborem menu i personelem kuchni. Syn Basi kupował i dowoził produkty. Jan wykorzystywał swoje zdolności marketingowe.

Na mieście wiedziano, że jeśli ktoś miał wypchany portfel i chciał skosztować kuchni *fusion*, molekularnej czy jakiejś innej nowomodnej, mógł się wybrać do „Werandy" na tyłach hotelu „Bohema" albo do restauracji usytuowanego przy ulicy Jagiellońskiej hotelu „Słoneczny Młyn". Jednak każdy, kto cenił tradycyjną, ale dosmaczoną kuchnię i duże porcje za rozsądną cenę, zaglądał do „Kina Cafe". Tym bardziej że oferta lokalu nie ograniczała się do pysznych posiłków.

Wirski budował opinię lokalu nie tylko opierając się na jakości potraw, ale też wymyślając rozmaite atrakcje mające zwabić klientów. Sam sobie przydzielił zadanie tworzenia dobrego klimatu knajpy - wizualnego i dźwiękowego tła godnego dań gotowanych, pieczonych lub duszonych przez szefa kuchni. Starał się nadążać za duchem czasu, sięgał więc po wiele form reklamy, włącznie z szeptaną i wirtualną. Często grasował na forach internetowych, rozsiewając kryptoreklamę wśród osób mogących być jego dziećmi albo wnukami.

Wspomniał czasy, kiedy trudno było zdobyć jakikolwiek film na wideo czy płytę kapeli z Zachodu. Teraz nie miał żadnego problemu z wypożyczaniem nagrań, którymi umilał gościom pobyt w restauracji. Stał się menedżerem koncentrującym się na aspektach kulturalnych. Dbał, by choć raz w tygodniu wystąpił w lokalu, grając do kotleta, jakiś mało znany i niedrogi, ale utalentowany zespół lub solista. Poza tym urządzał wieczory tematyczne, na których tańczono w strojach nawiązujących do wybranej filmowej konwencji. Przebieranki cieszyły się dużym powodzeniem, bo inne restauracje i kluby przypominały sobie o balach kostiumowych tylko w karnawale. A od czasu, gdy stawki za wynajem filmów przeznaczonych do publicznej prezentacji sensownie zmalały, podczas kostiumowych potańcówek oraz w każdy środowy wieczór Wirski wyświetlał stare, lecz ciekawe produkcje światowego i polskiego kina.

Połączenie dobrej kuchni z taką koncepcją prowadzenia lokalu okazało się strzałem w dziesiątkę. „Kino Cafe" stało się jedyną w mieście restauracją, której klientelę stanowili głównie ludzie w wieku średnim, a więc dysponujący pieniędzmi. A także jedynym miejscem, gdzie wieczorem można było spotkać bawiących się razem emerytów i studentów. Oczywiście, utrzymanie poziomu takiej oferty wymagało sporo zachodu, ale Jan miał ochotę głębiej angażować się w działalność knajpy, szczególnie że świetnie się przy tym bawił. Uważał „Kino Cafe" za udany projekt, bo w restauracji każdy ze wspólników robił swoje, i to dobrze. Z tego też powodu musiał teraz porozmawiać z Barbarą, by uzgodnić coś, co należało do jej kompetencji.

Wziął słuchawkę telefonu stacjonarnego i wybrał numer lokalu. Przyjaciółka siedziała już przy swoim biurku nad rachunkami, więc natychmiast odebrała.

- Baśka, witaj - powiedział. - Mają przyjechać z ekspresową przesyłką od dystrybutora filmów. Będziesz cały czas na miejscu, żeby pokwitować odbiór? Tak? No to jak tylko dojdzie przesyłka, przelej pieniądze na konto dystrybutora. Tak, powinno być tyle, co zawsze, ale wiem, że sprawdzisz na rachunku. Mam jeszcze prośbę. Włożysz paczkę z filmem do mojej szafy? Tak, tam gdzie sprzęt audiowizualny.

Zamilkł, wziął łyk kawy, słuchał rozmówczyni. Gdy skończyła, przeszedł do ważniejszej sprawy.

- Jeszcze jedno, Baśka. Dziś jestem zajęty. Może zajrzę późnym wieczorem, a może dopiero jutro. - Po chwili roześmiał się, słysząc odpowiedź. - Nie, to nie „Pani Doktorowa". Wiesz, że nie masz konkurentki, przecież jesteś bezkonkurencyjna! Nie, mam sprawę rodzinną do załatwienia. To na razie, Baśka.

Odłożył słuchawkę, uśmiechnął się do swoich myśli.

Wspomniana przez przyjaciółkę Pani Doktorowa była żoną wykładowcy na miejscowym uniwersytecie - nie lekarza, tylko doktora filologii. Właśnie Baśka tak ją, dla żartu, nazwała. Jan poznał tę atrakcyjną kobietę przed kilkoma miesiącami na weselu syna wspólniczki. Idealnie pasowała do jego gustu, bo była szczupła i ruda, do tego poruszała się z gracją. O takich jak ona mawia się „kobieta z klasą". Okazała się przy tym bardzo miła, jaka jednak była od strony emocjonalnej, a już szczególnie erotycznej, tego Wirski jeszcze nie wiedział.

Prawdę powiedziawszy, miał co do Pani Doktorowej mieszane uczucia. Podobno w jej małżeństwie niezbyt dobrze się działo. Faktycznie, wysyłała mu sygnały świadczące o tym, że otwiera przed nim pole działania. Zachowywał jednak rezerwę i nie złożył dotąd kobiecie żadnej propozycji. Na razie podziwiał ją dyskretnie, wciąż rozważając, czy faktycznie go pociąga, czy raczej jego zainteresowanie wywołał wyłącznie typ jej urody. Miała na imię Zuzanna, była smukła, rudowłosa, po czterdziestce, a więc kilkanaście lat młodsza od Jana.

Nie zastanawiał się, czy Pani Doktorowa może się w nim zakochać, bo na wywołanie tego rodzaju uczucia nie było recepty. Skupił więc uwagę tylko na tym, co racjonalne, co dało się przeanalizować. Może myśli teraz o Zuzi, bo po prostu od dawna nie pozostawał w związku? A fakt, że zwrócił na nią uwagę, był oczywisty, przecież fizycznie bardzo przypominała Dankę, którą wiele lat temu utracił zbyt szybko i w tragicznych okolicznościach.

Spojrzał na zegarek i porzucił myśli burzące wewnętrzny ład. Chciał zapalić. „Rzucam" – napomniał samego siebie. Z plastikowego opakowania o aerodynamicznym kształcie wyjął kolejną dziś miętową tabletkę z nikotyną. Szybko poczuł ulgę, ale nie zdołał się w pełni wyluzować. Wiedział, że oprócz efektu odstawienia nikotyny, a więc fizjologii, równie ważna jest psychologia, czyli chęć sięgnięcia po papierosa. Miał ochotę zapalić, lecz powinien postępować konsekwentnie. „Rzucam" – oświadczył zdecydowanie i skierował myśli w inną stronę. Czekało go przecież wykonanie zadania, które powierzył mu starszy brat, poświęcił więc dłuższą chwilę na rozważanie strategii postępowania. Obmyślił też tożsamość, jaką przybierze podczas tej misji.

Wziął sobie do serca obawy Zygmunta. Nie mógł przecież w „Oazie Artystów" przedstawić się jako Wirski. Wprawdzie od galerii do „Kina Cafe" było blisko w linii prostej, tyle, co kamieniem rzucić, ale miasto zajmowało ósme czy dziewiąte miejsce w kraju pod względem zaludnienia. Tu znikało się w tłumie, a Jan, na szczęście dla sprawy brata, nie prowadził dotąd interesów z właścicielem galerii, więc mógł zachować incognito. Postanowił użyć banalnego nazwiska i dobrać strój odpowiedni do sytuacji. „Kamuflaż w akcji to podstawa", przypomniał sobie wytyczne z dawnej pracy. Zajął się szczegółami.

Usiadł do laptopa, otworzył oprogramowanie graficzne, którego używał do projektowania ulotek okolicznościowych i menu restauracji. Przejrzał gotowe rozwiązania oferowane przez program, wybrał prosty wzór wizytówki, tylko z imieniem, nazwiskiem i numerem telefonu komórkowego. Zdecydował się na pospolite nazwisko, Kwiatkowski. Prawdziwe imię, zgodnie ze sztuką wywiadowczą, zachował na wypadek, gdyby w „Oazie" natknął się na kogoś znajomego. Numer komórki też podał prawdziwy, bo nie wiedział, czy wszystko załatwi w trakcie jednej wizyty. Może trzeba będzie utrzymać kontakt z obsługą galerii.

Włożył do drukarki arkusz grubego papieru na wizytówki, włączył urządzenie. Po chwili miał kilkanaście gotowych wizytówek. Potem zajrzał do Internetu i sprawdził, co wiadomo o „Oazie Artystów". Niewiele znalazł, bo firma okazała się mikroskopijna i niezbyt aktywna. Ustalił tylko, że właścicielem jest niejaki Zdzisław Kwaśniak.

Ubrał się w dobrej jakości, ale dyskretny garnitur, do białej koszuli zawiązał jedwabny krawat bez wzorów.

Wełniany płaszcz, jedwabny gładki szal, buty z bukatowej skóry i rękawiczki dopełniły stroju. Wyglądał wiarygodnie. Tak ubrany gość powinien być przy forsie, lecz nie grzeszyć wyobraźnią. Może inżynier z sukcesami, bo na pewno nie humanista ani, nie daj Bóg, artysta. Oto biznesmen Jan Kwiatkowski, zamierzający kupić coś ładnego do domu, czyli prawdziwa gratka dla właściciela każdej galerii sztuki.

Jeszcze raz spojrzał w lustro. I roześmiał się głośno, w duchu zaś skarcił za przerost formy nad treścią. Przygotowywał się, jakby sprawa zlecona przez Zygmunta wymagała stylu agenta 007, a w rzeczywistości była wzięta co najwyżej z siermiężnej fabuły *07 zgłoś się*. Postanowił wciąż mieć w pamięci tę refleksję, by nie zagubić proporcji.

Do kieszeni wrzucił wizytówki. Teraz mógł już wyjść z mieszkania. Swój dyskretny samochód średniej klasy parkował przed blokiem. Stwierdził, że nie będzie przesadzał z kamuflażem, wzywając taksówkę. Postanowił w tej nietrudnej akcji wykorzystać własny wóz.

Rozdział 5

Marczyk był zziajany. Nie podejrzewał, że to, co zrobił przed chwilą, wymaga aż takiego wysiłku. Oddychał ciężko. Z boku głowy czuł tępy ból.

Otworzył drzwi lodówki, wyjął butelkę wina. Przytknął lodowatą szyjkę do warg, wziął łyk alkoholu. Gdy pijąc, odchylił głowę, przed oczami znów pojawiły się mroczki. Zatoczył się, mało nie upadł. Okręcił się na pięcie i z butelką w ręce poszedł do największego pokoju. Zrzucił kurtkę, potem zdjął koszulę, spodnie, bieliznę. Nagi stanął przy ścianie. Też nagiej. Poznaczonej jaśniejszymi prostokątami. Miejsca po obrazach przypominały skórę noszącą ślady przebytej choroby.

Postawił butelkę na podłodze, przytulił się do zimnej, szorstkiej powierzchni.

– Jesteś tam? – spytał szeptem, a potem równie cicho sam sobie odpowiedział: – Jesteś, wiem o tym. Przysięgam, że znów będziesz piękna, że będziesz taka, jak zawsze. Taka, jaka zawsze być powinnaś.

Sięgnął po butelkę, napił się wina. Zapalił papierosa. Potem poszedł do sypialni.

Na podłodze leżała dziewczyna. Przyprowadził ją jakieś piętnaście minut wcześniej.

Zaczepiła go pod jednym z klubów. Najpierw chciał ją odegnać, ale kiedy jej się przyjrzał, przemknęło mu przez myśl, że może mu dać to, czego potrzebuje. Była ładna i młoda, przede wszystkim jednak przepełniała ją energia.

No i miała w sobie krew. Gdy jej zaproponował wspólne spędzenie czasu, natychmiast się zgodziła. Bez zbędnych dyskusji ustalili, ile to będzie Marczyka kosztowało.

Teraz leżała w więzach, knebel wrzynał się w kąciki jej ust. Jeszcze pół godziny temu myślała, że pójdą do niego, będą uprawiać seks, po czym wyjdzie z ustaloną sumę. Pod klubem wsiedli do taksówki, przejechali kawał miasta, wysiedli przecznicę przed domem Tomasza. Resztę drogi przeszli spacerowym krokiem. Kiedy jednak znaleźli się w mieszkaniu, Marczyk nie zachował się tak, jak dziewczyna się spodziewała. Nie seks był mu w głowie.

Ledwie zamknął drzwi, uderzył prostytutkę w brzuch. Jęknęła, skuliła się, a wtedy zadał kolejny cios, tym razem w szyję. Uklękła na podłodze przedpokoju, nie mogąc złapać tchu. Zanim zdążyła odzyskać siły, związał jej ręce i nogi sznurem do suszenia bielizny, a usta zakneblował ścierką kuchenną.

Stał teraz nad nią nagi, gotowy wcielić w czyn swój zamiar. Palił papierosa i taksującym wzrokiem przyglądał się ofierze. Oceniał, na ile będzie użyteczna w roli przyboru malarskiego. W końcu podjął decyzję. Poszedł do trzeciego pokoju, który kiedyś pełnił funkcję pracowni, i przyniósł stamtąd to, czego potrzebował.

Pochylił się nad dziewczyną. Znów zakręciło mu się w głowie, więc zwolnił tempo. Wyprostował się, odczekał chwilę. Kiedy poczuł się lepiej, wziął do ręki nóż i porozcinał ubranie prostytutki tak, by nie naruszyć więzów. Nie trwało długo, a leżała przed nim naga, choć wciąż solidnie związana. Chwycił ją za lewą nogę i ciągnąc niczym dużą lalkę, ruszył do salonu. Tam porzucił ofiarę przy ścianie kominowej.

Patrzyła na niego z lękiem. Studiowała coś tam, ale dorabiała płatnym seksem, by się utrzymać. Opowiedziała Marczykowi dużo więcej o sobie podczas jazdy taryfą, lecz puszczał to mimo uszu. Nie obchodziło go jej życie ani plany. Wciąż mówiła, za dużo mówiła. A teraz nareszcie milczała. Oddychała tylko przez nos, głośno i szybko. Przyglądał się jej bardzo uważnie, odnotowując w pamięci szczegół za szczegółem. Leżała naga na zimnej podłodze. Miała gęsią skórkę od chłodu, a jednocześnie spływała potem. „To pewnie strach" - pomyślał Tomasz. Znów rozbolała go głowa, postanowił więc jak najszybciej zrobić to, co zaplanował.

Wziął nóż i metalową miskę. Znów pochylił się nad dziewczyną. W kąciku jego ust dymił papieros. Miskę postawił obok przytulonego do podłogi policzka związanej, lewą ręką złapał za włosy. Trzymanym w prawej ręce nożem podciął prostytutce gardło, stopą przesunął miskę pod ranę na szyi. Ofiara zadrżała, powieki i palce rąk zatrzepotały. Umierając, patrzyła na krew wlewającą się do porysowanego blaszanego naczynia.

Niedługo upływ krwi spowolniał. Już nie biła strumieniem, wyciekała kropla po kropli. Marczyka bolała głowa, więc stał się niecierpliwy. Zaczął uciskać stygnące ciało, by wypompować resztki krwi z każdej żyły, z każdej komórki. Masaż stawał się coraz brutalniejszy. W końcu mężczyzna zaczął uderzać pięściami w piersi i brzuch porwanej, w jej ręce i nogi. Gryzł skórę wilgotną od potu.

Kiedy uznał, że z dziewczyny nic już nie wypłynie, podniósł zwłoki i rzucił je w kąt pokoju. Cisnął nimi jak wyciśniętą tubą po czerwonej farbie.

Ostrożnie podniósł miskę z płynem. Postawił ją pod ścianą. Czuł niesmak w ustach, bo zaczął się palić ustnik zapomnianego papierosa. Wypluł niedopałek na podłogę i zgasił bosą stopą.

Poszedł do pracowni po pędzle. Kiedy wrócił, zanurzył je we krwi. Na gołej ścianie zaczął malować akt ukochanej kobiety. Odtwarzał z pamięci jeden z utraconych obrazów, portret naturalnej wielkości. Pół godziny wcześniej, gdy został zaczepiony przez prostytutkę, w chwili olśnienia pojął, że tylko tak zdoła odzyskać stan równowagi. Stan utracony po tym, jak zabrano mu malowidła.

Rozdział 6

Po kilkunastominutowej jeździe zaparkował w centrum, dwie przecznice od galerii. Przemierzył starą część miasta, kwartał secesyjnych kamienic. Szedł wolnym krokiem, nie zwracał na siebie uwagi, niknął wśród narastającego tłumu ludzi wracających z pracy, wchodzących do sklepów i wychodzących z nich ze sprawunkami. Wkrótce minął witrynę i drzwi wejściowe interesującego go lokalu. Przechodząc, zajrzał przez szybę do środka. Akty Justyny nadal wisiały.

„Oaza" stanowiła jedno z kilku miejsc w Bydgoszczy, gdzie można było kupić prace współczesnych artystów. Ot, plastyczne mydło i powidło, portrety i pejzaże, rzeźby i witraże, broszki, kolczyki, bibeloty. Czasem tanie, czasem wycenione grubo powyżej wartości. W ostatnich latach Jan kilkakrotnie zaglądał do tej galerii, szukając czegoś na prezenty z rozmaitych okazji, ale nigdy niczego nie kupił. Bywał tam tak rzadko, że na pewno go nie zapamiętano.

Miał dobre intencje i był dobrze przygotowany, jednak życie lubi płatać figle. Drzwi galerii zastał zamknięte.

Wisząca na nich kartka informowała, że tego dnia „Oaza Artystów" jest nieczynna.

Zaklął pod nosem, po czym sięgnął po telefon i zadzwonił pod numer, który znalazł, zbierając informacje na temat galerii i jej właściciela. Odebrała kobieta, a dowiedziawszy się, że dzwoni potencjalny klient, wyjaśniła krótko, że salon sztuki będzie czynny nazajutrz, po czym zakończyła połączenie.

Wirski uznał, że nie będzie naciskał, aby nie wzbudzić niepotrzebnego zainteresowania swoją osobą. Obrazy znajdowały się w galerii, a więc pod kluczem. Odzyska je co prawda dopiero jutro, ale bez rozgłosu.

Wrócił do mieszkania. Ledwie zdążył zdjąć płaszcz i buty, odezwał się domofon.

- Co to, jakieś święto? Z okazji poniedziałku Doroczny Dzień Odwiedzin? - mruknął Jan, ruszając w stronę drzwi.

Usłyszawszy w głośniku głos gościa, poczuł zaskoczenie. Zuzanna, o której przed chwilą myślał. Zaskoczenie tym bardziej zrozumiałe, że nie utrzymywał z Panią Doktorową aż tak bliskich kontaktów, by się odwiedzali.

Nawet nie zdawał sobie sprawy, że ona zna jego adres.

- Miałam coś do załatwienia w pobliżu i pomyślałam, że pana odwiedzę, panie Janku - zaszczebiotała, gdy tylko otworzył drzwi. - Ładnie pan mieszka, z gustem pan się urządził - dodała, gdy wprowadził ją do salonu.

Nie wiedział, co sądzić o tej niezapowiedzianej wizycie. Zgodnie z obowiązkiem dobrego gospodarza, ale też by zyskać na czasie, zaproponował kawę. Uznał, że na alkohole zbyt wcześnie. Odparła, że chętnie się napije. Poszedł do kuchni, lecz przez otwarte drzwi widział, że kobieta nie może usiedzieć na miejscu, że kręci się po pokoju.

Była wyraźnie niespokojna, choć usiłowała ten stan zamaskować gadaniną i uśmiechami. Jan przygotował i podał kawę, a wtedy rudowłosa zatrzymała się w swym biegu nie wiadomo dokąd. Stanęła przed Wirskim.

- Tylko w panu nadzieja, panie Janku - powiedziała, kładąc dłoń na jego ramieniu. - Pomoże mi pan, prawda? Na pana zawsze można liczyć.

Milczał, czekając na wyjaśnienia. „O co jej chodzi?" - zastanawiał się w duchu. W minionych miesiącach okazywała mu zainteresowanie, ale nigdy wprost. Czyżby nabrała chęci na romans i przejmując inicjatywę, chciała przyspieszyć bieg wypadków?

- Wrażliwej kobiecie może zdarzyć się, że zbłądzi, prawda? - ciągnęła. - Nie będę wchodzić w szczegóły, bo przecież jest pan dżentelmenem. Mówiąc wprost, potrzebuję szybkiej pożyczki.

Przerwała i spojrzała błagalnie, jak wymuszający wzruszenie kot z kreskówek.

- Mam własnych dziesięć tysięcy złotych, ale muszę mieć jeszcze drugie tyle. Panie Janku, błagam pana! Niech pan mnie ratuje!

Zakończyła wypowiedź egzaltowanym tonem, po czym rozpłakała się i gwałtownym ruchem przytuliła do mężczyzny.

O ile początkowo nie miał pewności, jakie są intencje Zuzanny, teraz uznał sprawę za czytelną. „Piękna dama w tarapatach - zaśmiał się gorzko w myślach. - Schemat stary jak świat. Sprytna sztuka z Pani Doktorowej. A ty, stary głąbie, myślałeś, że ona nachodzi cię w domu, bo chce ci wyznać miłość".

- Niech się pani uspokoi. Postaram się pomóc - odparł poważnym tonem, choć w duchu nadal złośliwie naśmiewał się z siebie.

Odsunęła się odrobinę, uniosła głowę i przez łzy spojrzała gospodarzowi głęboko w oczy.

- Pan jest taki mądry, a przy tym delikatny - szepnęła.

- Pomogę, lecz muszę wiedzieć, na czym polega pani kłopot - odparł.

Spuściła głowę, ramiona jej zadrżały od tłumionego płaczu.

- Nie mogę powiedzieć - załkała. - Błagam, niech pan nie pyta. Niech pan mi zaufa i pomoże.

- Pomogę bezapelacyjnie, jednak stawiam warunek. Jeden. Muszę znać prawdę.

- Prawdę? Wszystko, tylko nie prawdę! - krzyknęła, a potem znów zaczęła płakać.

Jeszcze raz podeszła do Jana, zarzuciła mu ramiona na szyję, po czym gwałtownie pocałowała go w usta.

Uznał, że robi się coraz ciekawiej. Miał już pewność, że za postępowaniem Zuzanny nie kryją się skrywane uczucia, tylko desperacja.

- Niech pani powie prawdę, po prostu - mruknął, gdy odkleiła się od jego ust.

- Ze mną już koniec - kolejny raz jęknęła egzaltowanie i ruszyła do drzwi.

Ani myślał jej zatrzymywać.

- Mój mąż nie może się o niczym dowiedzieć - szepnęła, posyłając Wirskiemu na poły smutne, na poły uwodzicielskie spojrzenie, po czym odwróciła się i wyszła.

Uznał, że poczeka na rozwój wypadków. Może Zuzanna to naciągaczka? W każdym towarzystwie takie się trafiają. A może faktycznie ma kłopoty? Jeśli tak, zapewne wróci wyjaśnić, na czym polegają.

Postanowił na razie trzymać dystans. Pani Doktorowa mu się podobała, nawet bardzo, lecz dzisiejsze zdarzenie uzmysłowiło mu, że na pewno nie jest zakochany w tej kobiecie. Romans bez zobowiązań? Może i tak, ale nic więcej.

Zresztą miał teraz na głowie inny, naprawdę ważny problem do rozwiązania.

Kłopoty Justyny stały na pierwszym miejscu. Wiadomo, rodzina. Niewiele jej Janowi zostało. Jacyś kuzyni widywani tylko przy okazji pogrzebów i kompletnie nieznane mu dzieci tychże krewniaków. Z pokolenia rodziców Wirskich żyła już tylko ciotka Melania, starsza siostra ich matki. Przekroczyła dziewięćdziesiątkę, ale miała się całkiem dobrze. Tyle że była samotna. Życie tak jej przebiegło, że nie założyła rodziny, nie dochowała się dzieci. Na co dzień Melanii doglądała opiekunka wynajęta na spółkę przez Jana i Zygmunta, co stanowiło jedyne ich zgodne działanie.

Młodszy Wirski odwiedzał ciotkę raz w miesiącu. Mógłby częściej, lecz nigdy nie był z nią na tyle blisko, by umawiać się na kawki, herbatki czy ploteczki. Wpłynęły na to zapewne doświadczenia z dzieciństwa. Dom Melanii zawsze wydawał mu się ponury, jakby nawiedzony, pełen zakamarków budzących lęk w dziecku. Na korytarzu stała wielka figura anioła, która nie raz pojawiała się w koszmarnych snach dręczących małego Jasia. Podsumowując, od lat zaglądał do wiekowej ciotki wyłącznie z obowiązku, a i inne rodzinne sprawy zajmowały go z rzadka. Teraz jednak zaangażował się w kłopoty Justyny – i przy okazji także Zygmunta. Niestety, już na początku likwidowania tych kłopotów utknął na całą dobę.

Czuł, że narasta w nim rozdrażnienie. Rzucał nałóg, ale życie go w tym nie wspierało. Wprost przeciwnie, płatało złośliwe figle, dostarczając stres za stresem. Sięgnął po miętową tabletkę i włożył ją do ust. Skupił uwagę na ssaniu. Po chwili poczuł, że się uspokaja i mija chęć zapalenia papierosa.

Rozdział 7

Cezary lubił oglądać filmy przyrodnicze. Szczególnie te ukazujące życie wodnych drapieżników.

– Widzisz, kurde, jak on sobie płynie? Jakby nigdy nic, rekin pierdolony! A potem ciach, rybę za łeb. Tylko zęby widać. Ryba zżarta i po zawodach – mawiał do przybocznych, Górka i Szczypiora, kumpla jeszcze z piaskownicy. Starszy z braci Klimów często zmuszał towarzyszy do wspólnego oglądania filmów przyrodniczych, puszczając je z odtwarzacza.

Znając tę jego pasję, pani Stasia z kiosku na rogu ulicy odkładała dla niego wszystkie czasopisma, do których dołączone były płyty z filmami przyrodniczymi. Nie chciała za nie pieniędzy od „pana Klima", broń Boże! Była szczęśliwa, że to on od niej pieniędzy nie chciał, bo wtedy by końca z końcem nie związała.

Dwa lata temu Cezary zmienił adres i odtąd w samotności oglądał filmy o drapieżnikach. Monika nie podzielała jego zainteresowań, z kolei on wolał trzymać z daleka od swego nowego domu wszystkich, którzy mieli coś wspólnego z nielegalnymi interesami.

Ten dzień nie zaczął się dla niego najlepiej. Jak zwykle we wtorek miał w planach wolne przedpołudnie, jednak tuż przed dziewiątą, gdy akurat włączył telewizor, by na jednym z kanałów tematycznych obejrzeć premierę filmu o krokodylach, zadzwonił pan Kazimierz.

– Dzień dobry, Cezary. Gdzie moje pieniądze? – spytał grobowym głosem. Jak to on.

- Dzień dobry, panie Kazimierzu. Już są w drodze - odpowiedział Klim wbrew prawdzie.

Skrzywił się na myśl, że stary pierdziel znów żyć mu nie daje. Nie zamierzał jednak dyskutować z rozmówcą. Jeśliby porównać miasto do siedliska morskiej fauny, Cezary był rekinem, lecz jego szef stanowił jednoosobowy odpowiednik całego stada drapieżników.

- Czekam o szesnastej - oświadczył zwierzchnik i się rozłączył.

Pan Kazimierz, gdyby tylko chciał, mógłby zjeść obu Klimów na śniadanie. Na razie mógł to zrobić. Jeszcze mógł. Wielki plan Cezarego wymagał dopracowania, więc póki co bracia musieli spełniać życzenia szefa. Kłopot w tym, że Cezary założył, iż rozliczy się z nim dopiero za dwa dni, dlatego nie miał gotówki pod ręką. Zainwestował dużą kasę w podwójnie nielegalny interes z trawką, musiał więc teraz sięgnąć do cudzych kieszeni. Czas naglił, bo jak zwierzchnikowi coś wpadło do głowy, szybko wyciągał konsekwencje. A przecież zgodnie z wielkim planem starszego z braci nigdy nikomu nie powinno się udać dowieść, że między Klimami a panem Kazimierzem doszło do jakiegokolwiek konfliktu.

Zadzwonił po młodego, a kiedy ten przyjechał, ruszyli pieszo w kierunku usytuowanej przy ulicy Gdańskiej galerii handlowej, a dokładniej - do mieszczącego się na jej piętrze salonu z kosztowną galanterią. Wszystko wokół to był ich rewir. W imieniu pana Kazimierza - oraz za godziwą opłatą - chronili sklepy i bary. Chronili głównie przed sobą, ale byli słowni. Jeśli ktoś na czas uiszczał dolę, mógł czuć się bezpiecznie. Gorzej było z tymi, którzy zalegali z haraczem, tak jak teraz właściciel sklepu z markowymi dodatkami do ubrań, starszy gość o nazwisku Kościelak. Tenże Kościelak często zwlekał z płatnościami i próbował negocjować z Klimami. Aktualnie również winien był haracz, i to za dwa tygodnie, ale że pan Kazimierz domagał się swego, kolejnej prolongaty miało nie być.

Cezary i Górek weszli do sklepu. Dwaj wysocy, mocno zbudowani mężczyźni koło trzydziestki z krótko ostrzyżonymi włosami. Ubrani w markowe dżinsy, białe koszule z egipskiej bawełny i czarne marynarki z gatunkowej włoskiej skóry. Stroju dopełniały czarne wojskowe buty, które nie tylko miały prezencję, ale też były skuteczne w razie bójki. Można powiedzieć, że bracia nosili mundury własnej prywatnej formacji, bo od pewnego czasu podwładni naśladowali ich styl.

Kasjerka i ekspedientka w jednej osobie natychmiast rozpoznała Klimów. Nawet nie pisnęła, gdy odsunęli ją z drogi, a następnie ruszyli wprost na zaplecze.

– No, panie Kościelak, jak tam interesy? – spytał z marszu Cezary, wkraczając do biura.

Starszy mężczyzna poskoczył nerwowo i odłożył telefon, gwałtownie kończąc prowadzoną właśnie rozmowę.

– Zalegasz nam. Teraz z odsetkami za zwłokę należą się trzy tysiące – stwierdził starszy z intruzów. – Nieostrożny jesteś, Kościelak. Czasy niebezpieczne i takim jak ty ochrona jest szczególnie potrzebna.

Ruchem głowy wskazał lokalną gazetę, która akurat leżała na biurku. Na pierwszej stronie zamieszczono artykuł o dokonanym przez nieznanych sprawców podpaleniu hurtowni mebli.

– Widzisz, Kościelak, co tu napisali? – ciągnął Cezary, rozkładając gazetę. – O! „Straty szacowane są na pięćset tysięcy złotych". I gdzie doszło do takiego nieszczęścia? Ledwie parę ulic stąd! A mówiłem, że czasy niebezpieczne i łatwo o wypadek? No to dawaj kasę.

– Znamy się tyle czasu, panie Czarku, po co te nerwy? Akurat nie mam pieniędzy, ale będę miał, przysięgam. W przyszłym tygodniu. Za pięć, najwyżej dziesięć dni – tłumaczył właściciel sklepu.

W jednej chwili popełnił dwa zasadnicze błędy. Po pierwsze, przyjął familiarny ton i nazwał nieproszonego gościa Czarkiem. Nikt nie ważył się tak do Cezarego mówić. Po drugie, pan Kazimierz czekał na swoją działkę, więc litości nie było. Nawet dla Klimów. A co dopiero dla takiego Kościelaka.

– Ty mnie, gnoju, „Czarkiem" nie czaruj! – warknął starszy z intruzów. Potem spojrzał na leżący w kącie stos opakowań z markowymi wiecznymi piórami, które sklepikarz pewnie zamierzał wystawić na sprzedaż. – Zagraniczne? Drogie? Górek, sprawdź, czy działają. Przecież pan Kościelak nie będzie klientom wciskał byle gówna.

Braciszek wiedział, co robić. Otworzył pudełko i wyjął pióro. Potem złapał lewą dłoń siedzącego człowieka i rozpłaszczył ją swoją wielką łapą na blacie biurka. Przytknął pióro do kciuka właściciela salonu, przycisnął. Przerażony mężczyzna krzyknął, gdy stalówka wbiła mu się pod paznokieć.

– No to jak, Kościelak? – spytał Cezary. – Sprawdzimy inne pióra, czy działają?

– Zapłacę. – Sklepikarz westchnął. – Miałem rozliczyć się za towar, ale w pierwszej kolejności wam zapłacę.

W tej samej chwili Górek puścił jego rękę. Młodszy z braci nie był zawzięty. Starał się tylko szybko i skutecznie załatwiać interesy.

Kościelak, sycząc z bólu, wyjął z kieszeni klucz i otworzył szufladę biurka. Chciał szybko coś z niej wyjąć, ale Cezary go ubiegł.

– Co tu mamy? – spytał, odsuwając właściciela sklepu razem z krzesłem. Zanurzył dłonie, a potem głowę w przepastnej szufladzie, szperał wśród warstw dokumentów, druków reklamowych. – Kwity. Kwity. Znowu kwity – pomrukiwał do siebie. – O, są i pieniądze! Ile tego? Pięć i pół tysiąca! No to biorę zaległą kasę i odsetki. I zaliczkę. Co się tak krzywisz, Kościelak? Mam do ciebie ograniczone zaufanie, bo nie jesteś słowny.

Skrupulatnie przeliczył banknoty, po czym kilka rzucił na blat biurka.

– Pięć stów zostawiam. Żeby nie było, że jestem chciwy. Tylko porządek ma być. Jasne, Kościelak?

Starszy mężczyzna zacisnął wargi i kiwnął głową, że rozumie. Ból palca chyba był silniejszy niż ten po stracie pieniędzy. W sumie miał szczęście, że utoczono mu ledwie kilka kropli krwi, a niczego nie odcięto. Pieniądze zawsze można zarobić, palce nie odrastają.

Bracia wyszli z salonu zadowoleni. Mieli już znaczącą część tygodniowej działki pana Kazimierza.

– Teraz knajpy – zakomenderował mąż Moniki.

Dwie restauracje i godzinę później zebrali dość pieniędzy, by opłacić zwierzchnika. Stary był zachłanny, z pobieranych haraczy zostawała Klimom najwyżej jedna czwarta.

– Ale jego dni są policzone – mruknął Cezary, gdy wsiedli do samochodu.

– Można by go załatwić w try miga – odparł Górek. – Tylko że ty nie chcesz zająć jego miejsca.

– Ty też nie chcesz – przypomniał mu brat.

Starszy Klim już od kilkunastu miesięcy prowadził podwójne życie i drugi z tych żywotów coraz bardziej mu się podobał. Zanim związał się z Moniką, uważał, że jest uzależniony od adrenaliny, że przestrzeganie prawa jest dla mięczaków i głupców. Jednak potem zrozumiał prostą prawdę: nie trzeba każdego dnia ryzykować więzienia, by mieć pieniądze. Zaczął stawiać na przemyślność, zamiast – jak dotychczas – na siłę i zastraszanie. Nabrał też upodobania do „spokojnych" dni, w których naprawdę silnych emocji dostarczał mu seks z żoną.

Monika okazała się pełna sprzeczności i wciąż go zaskakiwała. Wykształcona, wrażliwa, chętniej bywała w teatrze, na wernisażach i koncertach niż w nocnych klubach. Ale kiedy już się bawiła, to bez hamulców. Potrafiła napompować się drinkami, a potem tańczyć nago w fontannie miejskiego parku. Łatwa jednak nie była, uważnie wybierała partnerów do łóżka. Cezary odczuł to osobiście, bo minęły miesiące, zanim dowiedział się, jak Monika pachnie, kiedy się kocha. Ale kiedy zapach ów poznał, przepadł z kretesem. Owszem, już wcześniej kochał tę dziewczynę, jednak dopiero gdy zaczęli uprawiać seks, uzależnił się od niej jak od prochów.

Na co dzień rugała męża za wulgarne słowa, lecz podczas stosunków stawała się sprośnym zwierzątkiem. Lubiła poświntuszyć, komentując to, co robią. Pociągało go takie jej zachowanie. Kiedy się kochali, zanurzał się w bijącą od żony woń, która przenikała przez mgiełkę markowych perfum. Przypominała Klimowi zapach rozgniatanych w palcach liści bazylii. Odurzała.

Monika podniecała go jak żadna dotąd. Najpierw zwróciła uwagę Cezarego swoim wyglądem, później oczarowywała wszystkim, co stopniowo poznawał. Odkrywała przed nim nie tylko zakamarki ciała, ujawniała też, cząstka po cząstce, najtajniejsze pragnienia. Kiedy już uznała go za partnera i mu zaufała, nie miała zahamowań.

W sumie poszło łatwiej, niż zakładał na pierwszych etapach swego wielkiego planu. W sprzyjających okolicznościach, które stworzył, Monika otworzyła się na niego. Wtedy okazało się, że i Klim silnie na nią działa. Pewnie zgodnie z zasadą, że panienki z dobrych domów lubią złych chłopców. A Cezary był zły, zły do szpiku kości dla wszystkich, tylko nie dla Moniki. Wiedziała o tym, a młody bandyta wiedział, że ona wie. Nie miał pewności, czy ukochana pojmuje siłę jego uczuć racjonalnie, czy raczej czuje przez skórę. Nie miał jednak wątpliwości, że mu ufa. Mógł ją chwycić za kark, przycisnąć do podłogi, silnie, aż do bólu, ale ona znała jego intencje. Nawet jeśli przez moment zadawał jej ból, to tylko po to, by miała orgazm, a nigdy, by cierpiała.

Drugie życie Cezarego Klima toczyło się w rytm życia Moniki. Tak było od początku ich związku i nic się nie zmieniło, gdy się pobrali. Nowożeńcy umościli sobie gniazdo w specjalnie dobranym i urządzonym apartamencie w centrum miasta. Oficjalnie Cezary wynajmował to mieszkanie, faktycznie jednak cała ogromna secesyjna kamienica należała do niego, tyle że była zapisana na pewnego rencistę, który zawodowo robił za słupa. Z kolei Monika po skończeniu studiów zaczęła pracować w rodzinnym biznesie, z krótką przerwą na pierwsze miesiące po urodzeniu syna. Potem dzieliła czas pomiędzy fabrykę, dziecko, do którego i tak wynajmowali fachową opiekunkę, i męża.

W ciągu tygodnia Klim wiódł pierwsze życie. Trzymając kryminalny świat z daleka od swej nowej rodziny, zajmował się interesami pana Kazimierza, a na boku kręcił lody dla siebie i brata. Można powiedzieć, że był bandytą na trzy czwarte etatu, ale czas pracy miał ruchomy. Zdarzało się więc, że nie wszystkie popołudnia i wieczory spędzał z żoną oraz dzieckiem.

Coraz trudniej przychodziło mu godzenie obu swoich żywotów, pocieszał się jednak myślą, że niedługo skończy z bandyterką. Po to przecież pracował nad ostatnim etapem swego wielkiego planu.

Tylko niedziele miał wolne od pierwszego życia, bo dzień ten nawet pan Kazimierz uznawał za święty. Cezary chodził wtedy z Moniką, dzieckiem i teściami, starymi Jesionami, do kościoła. Po mszy był wspólny obiad, po obiedzie kawka, słodycze i trochę gatunkowego alkoholu. Później, na życzenie dziadków, zostawiali syna pod ich opieką i wracali do domu. Monika odbierała małego w poniedziałek rano. Do tego czasu mieli z mężem czas tylko dla siebie.

Chciał tego drugiego życia, pierwsze już go nudziło. Jeszcze tydzień, może dwa, a wyzwoli się z dawnych zależności tak umiejętnie, że nikt nigdy nie zagrozi bezpieczeństwu jego rodziny.

– Już wiem, jak załatwimy zgreda – powiedział do Górka, gdy ten podwiózł go pod dom. – Dowiedziałem się, gdzie mieszka.

– O kurwa – mruknął z podziwem młodszy Klim.

Pan Kazimierz zarządzał swoją częścią miasta z zaplecza jednego z nocnych klubów. Wszyscy wiedzieli, gdzie ma swoje „biuro" – i tak było od zawsze. Tajemnicą jednak pozostawała lokalizacja jego prywatnego domu i szczegóły na temat rodziny. Stary bandyta aż do przesady dbał o bezpieczeństwo. Ufał tylko dwóm ochroniarzom, którzy pracowali dla niego ponad dwadzieścia lat. Ani wrogowie, ani przyjaciele nie znali adresu pana Kazimierza, jednak Cezaremu udało się go zdobyć. Mąż Moniki drobiazgowo planował swoją przyszłość, więc nie wzbudzając podejrzeń, cierpliwie zbierał informacje. Szczególnie te dotyczące zwierzchnika. Okazało się, że nawet taki cwaniak jak szef popełnia błędy.

Pan Kazimierz miał koleżkę z dzieciństwa, który ledwie dorósł, stał się ofiarą wypadku komunikacyjnego, a wówczas kumpel otoczył pechowca opieką. Starszy z Klimów, studiując księgi wieczyste, wyśledził, że ówże inwalida jest właścicielem posiadłości za miastem. Kilka hektarów ziemi, zabudowania mieszkalne i gospodarcze. Z czego miał ten majątek? Z renty? Dodając dwa do dwóch Cezary uznał, że musi to mieć ścisły związek z jego szefem.

Wtedy wybrał się w krótką podróż i ustalił, że interesująca go posiadłość usytuowana jest na odludziu, na skraju wsi odległej od granicy miasta o jakieś dziesięć kilometrów. Prowadziła do niej droga gruntowa wijąca się przez las. Łąki poznaczone kępami drzew zajmowały powierzchnię ponad trzech hektarów, a zostały otoczone siatkowym płotem zwieńczonym falami drutu żyletkowego. Zabudowania wzniesiono blisko drogi, więc Cezary mógł im się przyjrzeć. Uwagę przykuwał centralny budynek. Ogromny, dwupiętrowy, dodatkowo otoczony murem i wysokim żywopłotem. Dziesięć kilometrów od granicy miasta, idealna lokalizacja dla kogoś, komu zależało na dyskrecji i kto chciał żyć z dala od zgiełku, lecz stosunkowo blisko miejsca, które go żywiło.

Brama z solidnej blachy była sterowana elektronicznie. A na murach, drzewach i słupach umieszczono kamery. Nikt nie mógł się zbliżyć niezauważony. Gdy Klim to odkrył, natychmiast odjechał, ale wracał jeszcze kilkakrotnie. Ostatnia podróż, tym razem o świcie, przyniosła efekty.

Zaparkował w lesie i przyczaił się z lornetką. Około dziesiątej brama się otworzyła i wyjechał z niej samochód. Cezary sprawdził numery rejestracyjne. Zgadzały się. Takim wozem jeździł ostatnio pan Kazimierz. Podejrzenia okazały się trafne.

Teraz bandyta musiał zachować cierpliwość. Pozostawało mu czekać na sprzyjające okoliczności, by wprowadzić w życie ostatni etap wielkiego planu. Sukces uzależniony był od tego, czy Klimowie zdołają wykorzystać wszystko, co wiedzą i potrafią. „Przyda się też trochę szczęścia" - pomyślał starszy z braci.

Rozdział 8

We wtorek o dziesiątej rano Wirski, ubrany i wyposażony jak poprzedniego dnia, szedł jedną z uliczek łączących Stary Rynek z ulicą Długą. Mijając „Oazę Artystów" ustalił, że - zgodnie z zapowiedzią - jest czynna. W środku nie dostrzegł klientów, tylko kobietę z obsługi. Zawrócił i wszedł do galerii.

Nie od razu skierował się do miejsca, gdzie wisiały interesujące go obrazy. Powałęsał się trochę, pooglądał kiczowate landszafty, potem broszki - niektóre zaprojektowane z gustem, inne bez. Przez cały czas czuł na plecach czujny wzrok pracownicy.

Po dłuższej chwili podeszła do Jana.

- W czymś pomóc? - spytała, bacznie mu się przyglądając.

- Kończę nowy dom, szanowna pani - odpowiedział, uśmiechając się miło. - Szukam czegoś, żeby ściany nie były gołe. No, wie pani, jakichś obrazów do salonu.

Skrzywiła się, ale tak lekko, że niemal niedostrzegalnie. Zaraz zmieniła wyraz twarzy i zaczęła oprowadzać klienta.

Była po czterdziestce, średniego wzrostu, krępa, ubrana w powłóczystą indyjską suknię. Gdy się poruszała, pobrzękiwała metalową i ceramiczną biżuterią, którą obwiesiła się w nadmiarze. Miała długie i gęste włosy, ale tak nieumiejętnie ufarbowane na wiśniowy metalik, że wyglądały jak peruka. Ta kobieta jakoś nie pasowała Wirskiemu do artystycznej branży.

- Pani tu nowa?

- Ja tu właściwie nie pracuję. - Uśmiechnęła się z zakłopotaniem. - Jedna pani magister sztuki zajmuje się galerią, ale ma grypę i wzięła chorobowe do końca tygodnia. Ja jestem żona właściciela, Kwaśniakowa.

- Kwiatkowski - przedstawił się fałszywym nazwiskiem. - Może coś kupię, ale czy mam przyjść za tydzień, jak ta pani wyzdrowieje?

- Nie, nie! - zaprotestowała gwałtownie kobieta. - Już mówiłam, jestem żoną właściciela. Co pan chce, to panu sprzedam.

Obejrzał serię pejzaży, czując na karku oddech Kwaśniakowej, która miała chyba nadzieję wcisnąć mu te gnioty. Obrazy były kalkami typowych niemieckich landszaftów z początków dwudziestego wieku, a wyceniono je grubo powyżej wartości. W opinii Wirskiego, bądź co bądź historyka sztuki z wykształcenia, te ręcznie malowane pejzaże warte były najwyżej tyle, co masowo niegdyś reprodukowane oleodruki.

Nareszcie dotarli do ściany, na której wyeksponowano kilka aktów Justyny. Jan spojrzał na obrazy, a potem uśmiechnął się dwuznacznie do kobiety.

- Te by się nadały - powiedział, wskazując malunki ruchem głowy. - Wie pani, ja jestem kawaler z odzysku i dom po kawalersku urządzam. Ile by pani za to chciała?

Uśmiechnęła się chytrze.

- No, wie pan, to nie są tanie rzeczy.

- Jestem przygotowany na wydatki, byle rozsądne - odparł, udając oburzenie. Sięgnął po portfel i rozchylił go gestem nowobogackiego, demonstrując zawartość. Gruby plik banknotów od Zygmunta był dobrze widoczny.

Kwaśniakowa zatrzepotała rzęsami.

- Ależ oczywiście, zaraz ustalimy cenę - rzekła, przeszła w stronę uchylonych drzwi prowadzących na zaplecze i krzyknęła: - Zdzisiek, klient ma do ciebie pytanie.

Z zaplecza wyszedł mężczyzna w wieku Jana. W ręku trzymał nadgryzioną bułkę z hamburgerem.

- Na co szanowny pan reflektuje? - spytał, przyglądając się potencjalnemu kupcowi.

- A na te golaski, szanowny panie - odparł Wirski, wskazując akty.

- Dobry gust! Bierze pan jeden czy więcej? Jak kilka, to policzę rabat.

- Ile za sztukę?

- Tysiąc, panie szanowny.

- Coś pan?! Za drogo!

- Artyści też muszą jeść, panie szanowny! A my, marszandzi, o artystów dbamy.

Słysząc te słowa, Jan o mało nie parsknął śmiechem. „Marszand za dychę się znalazł" - zachichotał w myślach.

- Wezmę wszystkie, jak będą po pięćset za sztukę - targował się z Kwaśniakiem dla zasady, bo przecież musiał zabrać akty z widoku publicznego bez względu na cenę.

- Wszystkie, panie? Ale ja mam tego dwanaście sztuk!

- To wezmę dwanaście. Powieszę i w salonie, i w sypialni. W kiblu też powieszę. Ale dam po pięć stów za obraz.

- Po sześć!

– Niech będzie, moja strata – mruknął Wirski. Zaczął odliczać gotówkę, wyciągając banknoty z portfela jeden po drugim i kładąc je na blacie biurka.

Widząc pieniądze, właściciel galerii odłożył bułkę i przyłączył się do liczenia.

– Rachuneczek potrzebny? – spytała Kwaśniakowa.

– Ja tam drobiazgowy nie jestem. Ale mam jeszcze sprawę co do tych obrazów. Nie są podpisane. Kto je malował?

Kobieta wzruszyła ramionami i spojrzała na męża.

– E tam. I tak pan nie zna – powiedział Kwaśniak, jeszcze raz uważnie przeliczając banknoty.

– Biorę obrazy – twardo stwierdził Jan. Miał pewność, że właściciel galerii to taki typ, który jak już ma forsę w garści, zrobi wszystko, by jej nie oddać. – Biorę, ale chcę wiedzieć, kto jest autorem. Ja jestem człowiek interesu, jak coś kupuję, to znaczy, że inwestuję. Teraz też muszę wiedzieć, w co inwestuję. Panie marszand, nazwisko artysty jest w pakiecie.

„Marszand" wyraźnie się speszył.

– Panie, ja jestem handlowiec. Obrazy są z trzeciej albo i czwartej ręki. Skąd mam wiedzieć, kto i gdzie je malował? Co to, Picasso, żeby podpis był ważny? Bierzesz pan czy nie?

– Spodobały mi się, to, jak mówiłem, biorę wszystkie. Tylko zapakuj je pan jakoś, żeby się nie uszkodziły. I pospiesz się, człowieku, bo czas to pieniądz. A, i przypominam, żebyś pan się dowiedział, kto te obrazy malował. Może to się i panu, i mnie opłaci? Dołożę pięć stów za namiar na malarza.

Do domu wrócił niezadowolony. Dochodziła piętnasta, a nie ustalił jeszcze, kim jest i gdzie mieszka twórca aktów. Zostawił fałszywą wizytówkę na biurku Kwaśniaka, by handlarz skontaktował się z nim, kiedy dowie się czegoś o malarzu. Jan był jednak przekonany, że właściciel galerii nie zna pochodzenia obrazów, a więc nie zadzwoni. Podejrzewał, że Kwaśniak prowadzi lewe interesy, czuł to przez skórę, jak przed laty, gdy miał zawodową styczność z tego typu kanciarzami. Jeśli miał rację, oznaczało to, że w prostym zadaniu zleconym przez brata pojawiła się zagadka. „O co w tym chodzi?" - zastanawiał się były milicjant. Uznał, że musi zmienić sposób działania, bo sprawa z malunkami Justysi okazała się bardziej skomplikowana, niż zakładał.

Była dopiero piętnasta, a Wirski już czuł zmęczenie. Nie bez znaczenia wydawał się tu fakt przeniesienia tuzina dużych obrazów najpierw z galerii do nie tak blisko pozostawionego wozu, a potem z samochodu do mieszkania. „Starzejesz się, Janku" - westchnął. Nie sądził, że powrót do działań śledczych, do świata podejrzeń, kłamstw i intryg, okaże się tak wyczerpujący.

Płótna postawił jedno przy drugim, licem do ściany, by nie patrzeć na nagą Justynę. Czuł zażenowanie, gdy spoglądał na akty przedstawiające jego bratanicę w całej okazałości. Kochał sztukę - w mieszkaniu miał sporo obrazów, małych rzeźb, rozmaitych cudów, przedmiotów często już zapomnianego pochodzenia - ale choć malunki ukazujące Justynę były naprawdę świetne, nie pasowały do tego, jak Jan odbierał i traktował sztukę. Były po prostu zbyt osobiste.

„Ma gnój talent" - mimo wszystko pomyślał z uznaniem o artyście. A zarazem złym człowieku, który zagrażał Justynie i Zygmuntowi.

Nie miał jednak czasu na warsztatowe analizy zakupionych płócien, bo przecież sprawę załatwił tylko połowicznie. Zdobył wystawione na sprzedaż kompromitujące obrazy, więc zyskał na czasie, ale jego bliscy nie byli jeszcze bezpieczni. Wirski wiedział, że musi rozmówić się z malarzem. Musi też ustalić, czy więcej aktów nie trafiło do innych galerii.

Nie wątpił, że z artystą sobie poradzi. Albo go kupi, albo zastraszy. Tyle że na razie nie miał pojęcia, kto to jest. Nawet na Kwaśniaka nie miał jak naciskać. Właściciel galerii coś ukrywał. Pewnie kantował urząd skarbowy, może był paserem. Za to w sprawie obrazów prawdopodobnie nie kłamał - nie wiedział, kto jest ich autorem. Płótna w jakiś sposób dotarły do niego z drugiej czy której tam ręki. Jan był rozdrażniony swoją niemocą. Kiedyś, w służbach, mógł zdobyć każdą informację. Teraz nie znał środowiska lokalnych przestępców. Nie wiedział, kto z kim i w jakim celu przestaje, kto kogo popiera albo nienawidzi.

Nie mógł pójść do Kwaśniaka, ot tak, by go zmusić do mówienia. Może i obiłby gębę marszandowi od siedmiu boleści, ale co dalej? Przechodząc na emeryturę, wrócił do rodzinnego miasta, osiadł tu na stałe. Miał swoje miejsce, miał restaurację i wspólników, za których czuł się odpowiedzialny. Nie mógł iść na wojnę ze światem przestępczym. Już raz doprowadził do konfrontacji z bandytami - i wystarczy.

Kilka tygodni po otwarciu restauracji pojawiło się tam trzech barczystych młodych mężczyzn z żądaniem wypłacania stałej daniny. Chcieli kasę za ochronę, tak to nazwali. Jan wiedział, że jeśli zacznie płacić haracz, będzie tylko gorzej i gorzej. Użył więc swoich dawnych kontaktów ze służb, by bandyci odczepili się od „Kina Cafe". Pamiętał jednak przerażenie Baśki, gdy zbiry mówiły, czego chcą i co zrobią, jeśli ich oczekiwania nie zostaną spełnione. Nie zamierzał ponownie oglądać strachu w jej oczach. Nie miał prawa fundować przyjaciółce udziału w wojnie z miejscowymi szumowinami.

Stwierdził, że potrzebuje informacji. Po pierwsze o Kwaśniaku, po drugie o twórcy aktów. Wiedział, gdzie jest krynica wiedzy wszelakiej. Problem polegał na tym, że aby z niej zaczerpnąć, musiałby zrobić coś, od czego odżegnywał się od wielu lat. Musiałby przypomnieć o swym istnieniu człowiekowi, który mu wiele zawdzięczał, choć równocześnie miał nadzieję, że nigdy już Wirskiego nie zobaczy. Jan nie miał jednak innego wyjścia, jak spotkać się z kolegą z dawnych milicyjnych czasów. A przy tym wyciągnąć na wierzch stare, bardzo brudne sprawy.

Rozdział 9

Nadeszło popołudnie. Krew zasychała na ścianie, ciemniała.

- To nie tak ma wyglądać - płaczliwym tonem zawodził Marczyk, obserwując zmiany zachodzące w malowidle. Niuanse zanikały, a postać nagiej kobiety, leżącej, podpartej na prawym łokciu, by widoczna była jej twarz i linia piersi, stawała się brunatną plamą.

Potrzebował farby, więcej farby, by nadać swemu dziełu prawdziwego życia, a nie tylko jego pozorów.

Siedział w rogu pokoju na podłodze, opierał się o chłodną, szorstką ścianę i kołysał miarowo. W przeciwległym kącie pomieszczenia stało kilka portretów jego ukochanej, których złodzieje na szczęście nie zabrali. Na wszystkich widniała jej twarz, piękna twarz. Ale reszty ciała, uwiecznionej na skradzionych aktach, już nie było. Kobieta jego życia została pozbawiona ciała. Jak ono wyglądało? Jak przebiegały krzywizny piersi, a jak ud? Miał sobie za złe, że tak ważne szczegóły ulatywały z jego pamięci.

Wściekły na siebie, uderzył się pięścią w czoło, raz, drugi, trzeci, za każdym razem mocniej. I znowu. Pożałował. Głowa zaczęła boleć. Opuchlizna z lewej strony nabrzmiała i stwardniała. Ponownie poczuł mdłości.

Nie wiedział, ile czasu minęło od chwili, gdy skończyła mu się farba. Siedział tak i siedział z kolanami pod brodą, kołysząc się i pojękując. Wreszcie oderwał spojrzenie od malowidła. Na podłodze w kącie leżało nagie ciało.

Blada skóra, ręce i nogi rozrzucone bezładnie. Już nie młoda kobieta, tylko lalka wielkości człowieka zaprojektowana przez sadystę pornografa.

Potrząsnął głową. Nie podobało mu się to truchło. Nie było w nim energii, nawet krztyny życia, tylko ponura perwersja.

– Dziwka zawsze będzie dziwką – mruknął.

Wstał, jednak nogi odmówiły mu posłuszeństwa. Zatoczył się. Przetarł dłonią twarz. Zamknął oczy. Gdy je otworzył, miał już gotowy plan.

Poszedł do kuchni. Napił się wina z lodówki. Zapalił papierosa. Wrócił do salonu. Zaciągał się dymem i przyglądał zwłokom dziewczyny. Stwierdził z zaskoczeniem, że znikł niesmak, który czuł jeszcze przed chwilą. Podobało mu się to, co widział,. Bardzo mu się podobało. Tak bardzo zachwycało, że podszedł do martwego, wykrwawionego ciała, a potem się nim zabawił.

– Artysta zawsze będzie artystą – szepnął, gdy skończył. – Artysta tworzy sztukę nawet w najpodlejszym tworzywie.

Przyglądając się nowej pozycji, jaką przyjęły zwłoki, i nowym znakom na ich kremowej powierzchni, zapalił kolejnego papierosa, a gdy ten się wypalił, poszedł do łazienki. Wziął prysznic. Tym razem czynność zajęła mu więcej czasu niż zwykle, bo zaschnięta krew nie schodzi łatwo.

Wrócił do salonu. Spojrzał na trupa, potem na ścianę, gdzie malowidło zamieniło się w ciemną plamę. Zacisnął powieki, z oczu popłynęły łzy.

– Przepraszam – wyjęczał, otwierając oczy. – Przepraszam, zbłądziłem.

Podszedł do ściany umazanej zaschniętą krwią, dotknął jej wnętrzem dłoni. Poczuł energię płynącą zza warstw farby, tynku i cegieł. Powietrze zadrżało, drobiny kurzu zaczęły wirować, tak jakby zdążały w jedno miejsce, tuż obok Marczyka.

Znów rozbolała go głowa. Przed oczami tańczyły kolorowe plamy. Nie wiedział, czy to objaw niedotlenienia, czy urazu, ale chmura drobin naprawdę gęstniała. Nabierała kształtu i barwy, przypominała sylwetkę kobiety koloru krwi. Tomasz poczuł, że brakuje mu powietrza, zaczął szybko oddychać. Zadrżał, upadł na kolana. Przemówił do nieobecnej ukochanej.

- Moja miłość do ciebie jest absolutna - zapewniał szeptem. - To miłość ostateczna, a ty jesteś największym moim dziełem.

Czuł wyrzuty sumienia, że z ciała zarżniętej dziwki usiłował stworzyć artystyczny obiekt. Przecież surowiec był zbyt podłej jakości. A on, twórca, musi się szanować, musi też szanować pamięć o ukochanej. Nie tworzy się Wenus z wyciśniętej tuby po farbie, to nie tylko estetyczna porażka, to profanacja.

„Trzeba wyrzucić ścierwo" - pomyślał i zaczął się spieszyć. Ubrał się, a potem zastanowił, w co zapakować martwą dziewczynę. W szafce pod zlewozmywakiem znalazł rzecz, której szukał. Wrócił do salonu, włożył ciało do jutowego worka po ziemniakach, następnie zarzucił pakunek na ramię.

Objuczony trupem, zszedł do piwnicy. Wyciągnął stary rower, który obecnie służył mu za środek transportu.

Samochód byłby wygodniejszy, ale sprzedał go, gdy zabrakło pieniędzy. Zresztą i tak odebrali mu prawo jazdy za kierowanie po pijaku. Wcisnął worek ze zwłokami do dużego, pełniącego funkcję bagażnika kosza nad tylnym kołem i wyjechał z posesji.

Na ulicy nikt nie zwracał na niego uwagi. Ot, jeszcze jeden wychudzony, niedbale ubrany mężczyzna na rowerze, wiozący pakunek. Ot, jakiś nikt, usytuowany na drabinie społecznej ledwie trochę wyżej od bezdomnego. Marczyk w takim stroju i na byle jakim rowerze stawał się przezroczysty dla przechodniów.

Jechał ulicami. Przemierzał centrum miasta. W pobliżu muzeum rozlewała się plama cienia, bo zgasła stojąca tam latarnia. „Wiadomo, pod latarnią zawsze najciemniej" - Tomasz pomyślał ze złośliwą satysfakcją. Rzucił zwłoki na ustawioną pod latarnią ławkę i odjechał.

Miarowo pedałując, wrócił do domu, ale po drodze jedna myśl nie dawała mu spokoju.

- Muszę mieć farbę - mruczał pod nosem. - No przecież muszę mieć farbę, bo jak skończę obraz? Farby trzeba, i to dużo.

Rozdział 10

Minęła szesnasta, gdy po wypiciu kolejnej kawy Jan doszedł do wniosku, że nie ma, po prostu nie ma innego wyjścia, jak zadzwonić do Drwęckiego. Znowu. Dawny znajomy pewnie się z tego nie ucieszy.

Wirski zdawał sobie sprawę, że wykorzystywanie szefa Komendy Miejskiej Policji w tej sytuacji jest jak strzelanie z armaty do wróbla, ale czuł się przyparty do muru. Prowadząc przed laty śledztwa, miał do dyspozycji całą machinę milicyjną i inne służby, mniej lub bardziej tajne. Teraz był sam i nawet w tak błahej sprawie pozostawał bezradny. Znał się na śledczej robocie jak mało kto, lecz jeśli będzie chodził za Kwaśniakiem i za Justyną, sprawdzając ich kontakty, miną tygodnie, zanim zbierze potrzebne informacje. Wprawdzie miał środki, by kupić wiedzę, jednak nie wiedział od kogo, a brakowało mu czasu, żeby to ustalić. Musiał mieć dostęp do policyjnych archiwów, do danych osobowych gromadzonych przez rozmaite urzędy. Musiał je mieć natychmiast.

Nadal ubrany jak podczas wizyty w galerii wyszedł z domu, wsiadł do samochodu i pojechał do pobliskiego centrum handlowego. W jednym z salonów firmowych kupił dwa telefony komórkowe na kartę i doładowania za kilkaset złotych. Przygotował aparaty, umieszczając w nich tylko po jednym numerze, by służyły dwóm osobom do stałego kontaktu na czas akcji. „Co to za akcja" – zaśmiał się w duchu. W tej sytuacji zastosowanie tego słowa wydawało się grubym nadużyciem.

Wrócił na parking, wsiadł do wozu. Wystukał na jednym z kupionych telefonów numer zapamiętany dobrych parę lat temu. Nie czekał długo. Już po trzech sygnałach nastąpiło połączenie.

- Tak? - warknął ktoś do słuchawki.

- Inspektor Drwęcki? - spytał Jan, choć rozpoznał głos rozmówcy.

- Tak. Słucham.

- Wyrwa się kłania - rzucił lekkim tonem.

- Znowu ty? - wysyczał policjant.

- Za godzinę w Parku Sztywnych - powiedział Wirski i się rozłączył. Nie miał wątpliwości, że choć wiadomość była lakoniczna, Drwęcki stawi się na spotkanie.

Sprawdził czas, pojechał do centrum miasta. Wóz zaparkował pod zbudowanym w czasach realnego socjalizmu Pałacem Młodzieży, przytłaczającym prostopadłościanem z betonu, który nie dodawał miastu urody. Jan miał jeszcze ponad czterdzieści minut do spotkania, więc poszedł na spacer w stronę ulicy Gdańskiej. Na samym jej początku, tuż za kościołem Klarysek i muzeum, stała galeria handlowa „Drukarnia". Nazwę wzięła od niegdyś znajdującej się w tym miejscu starej drukarni, z której w nowym budynku zachowano na pamiątkę jedną ścianę. Wirski wszedł do galerii, wjechał ruchomymi schodami na piętro. Zajrzał do salonu z luksusową galanterią. Zaczął oglądać markowe krawaty, czym przyciągnął uwagę właściciela sklepu, który odesłał ekspedientkę i zaczął rozmawiać z klientem familiarnym tonem. Właśnie ta niespodziewana zażyłość zastanowiła Jana. I przypomniał sobie, że zna starszego pana. Był częstym gościem „Kina Cafe". Jak on się nazywał? Wirski szukał w pamięci i po chwili znalazł. Kościelak!

Zaczęli konwersację na temat jakości tkanin. Szybko okazało się, że obaj są zgodni co do tego, że dobry krawat musi być zrobiony z jedwabiu. Żadne poliestry nie wchodziły w rachubę. Nawet szlachetna wełna nie sprawdzała się w krawatach. Tylko jedwab, bo w przypadku innych materiałów węzeł trudno zawiązać zgodnie ze sztuką, przez co ta część męskiej garderoby prezentuje się niechlujnie. Jan wybrał krawat Pierre'a Cardina. Uśmiechnął się do swoich myśli, płacąc z powierzonego mu przez brata funduszu operacyjnego. Sprawił sobie przyjemność na koszt Zygmunta. Ot, mała gratyfikacja za fatygę.

Wrócił do wozu. Deszcz - przelotny, bo przelotnie dający o sobie znać już od ponad tygodnia - przestał padać, wszystko jednak nadal było wilgotne. Wirski wyjął z bagażnika starą gazetę, zwinął ją w rulon i tak przygotowany poszedł do usytuowanego obok parku. Obsadzony zielenią obszar nosił imię Wincentego Witosa, przedwojennego polityka i bohatera ruchu ludowego, ale powszechnie zwano to miejsce Parkiem Sztywnych, bo przed wojną mieścił się tam cmentarz ewangelicki.

Jan minął grupę spacerujących licealistów. Nic dziwnego o tej porze, przecież w pobliżu znajdowała się i szkoła średnia, i duży młodzieżowy ośrodek kultury. Wybrał ławkę w głębi parku, rozłożył na niej gazetę. Usiadł, zabezpieczywszy się grubą warstwą papieru przed wilgocią, która nasyciła drewno jak gąbkę. Przez chwilę obserwował ruch na alejkach. Nie dostrzegł nikogo znajomego. I dobrze. Miejsce wybrał nie przez przypadek. Chciał w spokoju i bez świadków porozmawiać z kumplem sprzed lat.

Dobrze znał inspektora Józefa Drwęckiego - i musiało tak być, skoro osobiście retuszował jego życiorys. Znał też z dokumentów i rozmów z samym Józefem jego przodków, znał również jego znajomych i dawnych przyjaciół, nawet tych niezwiązanych ze służbą. Właśnie dzięki Janowi inspektor, niegdyś kolega z najtajniejszego wydziału Służby Bezpieczeństwa, miał dziś czyste akta.

Kiedy nastała demokracja, Drwęcki bardzo chciał pracować w powstającym wówczas Urzędzie Ochrony Państwa albo chociaż w policji tworzonej z reformowanej Milicji Obywatelskiej. W końcu niczego innego nie umiał poza wykonywaniem i nadzorowaniem czynności śledczych. Planowanie oraz strategia też były jego domenami. W nowych realiach może i poradziłby sobie z prowadzeniem własnej czy cudzej firmy, ale jako człowiek był tak skonstruowany, że chciał pozostać na służbie - nawet jeśli nie jako agent, to chociaż glina od pracy śledczej. Jan rozumiał tę potrzebę adrenaliny, a jednocześnie bezpieczeństwa zapewnianego przez działanie w ramach hierarchii organizacji państwowej. Józef był typem etatowca, więc nie nadawał się ani na biznesmena, ani na bandytę.

W tamtym gorącym czasie, gdy zanikała Polska Ludowa, a w jej miejsce tworzyły się struktury III Rzeczypospolitej, nieformalna grupa fachowców zajęła się funkcjonariuszami takimi jak Drwęcki. Działała precyzyjnie, ale w pośpiechu, bo stało się jasne, że trzeba będzie oddać opozycjonistom część władzy, a co za tym idzie, także dostęp do archiwów.

Niektóre wydziały SB i milicji w panice paliły akta, lecz nie specgrupa powołana do operacji „Wyrwa". W ramach „Wyrwy" nie niszczono przeszłości, tylko tworzono nową jej wersję. Zmieniano wybranym funkcjonariuszom kontrwywiadu przebieg służby, zacierano ślady ich udziału w najtajniejszych operacjach. Jan, wówczas w randze majora, był w tym zespole. Również własną teczkę wyczyścił z prawdy niewygodnej w nowych czasach. Tyle że nie miał planów takich jak Drwęcki i do niego podobni. Chciał spokoju i zapewnił sobie ten komfort. Nie poddał się weryfikacji, tylko odszedł na emeryturę. Nowe akta potwierdzały, że ma wszelkie uprawnienia do przejścia na państwowe utrzymanie. Wirski nie był pazerny i świadomie zdegradował się w dokumentacji do rangi kapitana Milicji Obywatelskiej. Ot, średniak. Tacy nie budzą niczyjego zainteresowania.

W wyznaczonym czasie zobaczył nadchodzącego aleją Drwęckiego. Policjant nie rzucał się w oczy. Był jeszcze jednym mężczyzną koło sześćdziesiątki, który skracał sobie drogę, przechodząc przez park.

Przysiadł obok właściciela restauracji.

- Czego? - warknął, nie patrząc na rozmówcę. Wyglądał na spiętego, rozglądał się niespokojnie. - Znowu jacyś łysi chcą haracz z twojej knajpy?

- Spokojnie, Józiu. To inna sprawa. Ale jeszcze raz dziękuję za załatwienie tamtej. Spokojnie, Józiu - powtórzył łagodnie. - Potrzebuję tylko informacji o jednym człowieku. Wszystkiego, co o nim znajdziesz. Potrzebuję tego na wczoraj. I to nie jest przysługa, ale interes. Ile za to chcesz?

- To wszystko? - spytał inspektor, ale było widać, że nie odetchnął jeszcze z ulgą. - Coś kręcisz! Co to za jeden? Jakiś polityk? A może dziennikarz? Kret, co ryje w dokumentach i coś na ciebie wygrzebał? Jak wygrzebał na ciebie, to znaczy, że wygrzebał i na mnie!

- Co ty pieprzysz, Józiu?! Dla nas polityka umarła. Nie ma dokumentów ani na mnie, ani na ciebie. Dobrze wiesz, sam o to zadbałem. - Tym razem to Jan się zdenerwował.

Wziął głęboki oddech i spojrzał Drwęckiemu w oczy.

- Powiedziałem, że to płatna usługa. Sprawy rodzinne, Józiu - dodał już spokojnie.

- Dobrze, Janek. Niech będzie - powiedział też już spokojniejszy policjant. - Co do pieniędzy, trochę forsy się przyda. Tak czy siak, trzeba grzebać w archiwach, a to nie moja działka. Komendant takimi sprawami się nie zajmuje, no i rozumiesz, że nam ze starej gwardii ciągle ktoś patrzy na ręce. Muszę zlecić tę robotę. Takie czasy nastały, że coraz trudniej mieć kogoś, komu można powierzyć poufne zadanie.

- Jasne, Józiu, jasne. Ile chcesz za tę przysługę?

- Jak od ciebie, pięć tysięcy wystarczy.

Restaurator nie zamierzał się targować. Wyjął z portfela plik banknotów od Zygmunta, odliczył wymienioną sumę. Inspektor wziął pieniądze, nie sprawdzając, czy się zgadza, wsunął je do kieszeni i wstał z ławki.

- Pośpiech jest wskazany, Józiu. Jak tylko czegoś się dowiesz, dzwoń. Tu masz czystą komórkę, w niej mój numer, też czysty. Po wszystkim wyrzuć sprzęt w cholerę. - Wirski podał policjantowi telefon kupiony godzinę wcześniej.

- Nie ucz ojca dzieci robić - warknął Drwęcki.

- Spokojnie, Józiu, bo ci żyłka pęknie - odparował Jan. - Cel nazywa się Zdzisław Kwaśniak, jest właścicielem galerii „Oaza Artystów". Możliwe, że paser. Będzie jeszcze jeden cel, ale na razie nie znam personaliów.

- Wszystko? - spytał inspektor.

- Wszystko.

Komendant odszedł bez pożegnania. Wirski patrzył za nim, dopóki Józef nie znikł w wieczornej szarówce. Drwęcki nie był uszczęśliwiony zleceniem, ale Wirski miał pewność, że zrobi, co trzeba, że go nie zawiedzie.

Łączyła ich przeszłość, udział w akcjach i szkoleniach. Według Jana właśnie owe coroczne bardzo specyficzne szkolenia wytwarzały szczególną więź między członkami ich wydziału. Zajęcia prowadzone przez instruktorów z KGB często okazywały się bardziej niebezpieczne od prawdziwych akcji. W ich trakcie ginęło więcej ludzi niż podczas działań wywiadowczych i likwidacji celów wskazywanych przez zwierzchników.

Współwłaściciel „Kina Cafe" wiedział, że Józef mu ufa, choć jednocześnie niepokoi go samo wymawianie słowa „Wyrwa".

Wirski znów pomyślał o czasach, kiedy Peerel zaczął chwiać się w posadach, a zwierzchnicy zarządzili sprzątanie w sekretnych sferach. To, co było tajne, jeszcze bardziej utajniono. Większość akt po prostu zniszczono, by żaden ślad nie wskazał, że kiedykolwiek istniały. No i przeprowadzono jeszcze „Wyrwę".

Nazwa operacji była nieprzypadkowa, bo to, czym zajął się Jan z kolegami, polegało na tworzeniu wyłomu w rzeczywistości. Dokumenty, które jego zespół sfałszował, spowodowały nieodwracalne zmiany w czasie i przestrzeni. Ludzie znikali z jednych rejestrów, a pojawiali się w innych. Wyparował cały jeden tajny wydział Służby Bezpieczeństwa, jakby nigdy nie istniał. W zamian spece utworzyli dokumentację fikcyjnego komisariatu Milicji Obywatelskiej, usytuowanego w słabo zaludnionej części kraju. Jego wymyśloną załogę mieli tworzyć właśnie niegdysiejsi bezpieczniacy przemianowani w aktach na milicjantów. Potem ów komisariat, którego liczoną w dziesięcioleciach historię również spreparowano, też został „oficjalnie" zlikwidowany w papierach. Według dokumentów budynek placówki MO został zniszczony przez pożar. W operacji „Wyrwa" zadbano o wszystkie szczegóły, gdyby więc ktoś zaczął kiedyś węszyć wokół tej sprawy, to w miejscu lokalizacji fikcyjnego komisariatu znalazłby prawdziwe ruiny budynku strawionego płomieniami.

W ten sposób grupa pracowników tajnych służb uzyskała nowe życiorysy, włącznie z archiwalnymi wpisami w odpowiednich urzędach. Żaden śledczy ani dziennikarz nie miał szans na poznanie prawdziwej przeszłości osób objętych operacją. W obecnie dostępnych aktach Jan Wirski figurował jako emerytowany kapitan Milicji Obywatelskiej, były pracownik komisariatu, którego większość archiwów spłonęła w pożarze na początku tysiąc dziewięćset osiemdziesiątego dziewiątego roku.

Po tej operacji Jan miał dosyć tajności. Wypalił się jako spiskowiec i śledczy. Kiedy nowe władze, tworząc policję, wprowadziły system weryfikacji funkcjonariuszy, zrezygnował ze służby. Miał udokumentowane dwadzieścia lat pracy w resorcie, więc przeszedł na emeryturę. Wrócił do Bydgoszczy, kupił mieszkanie w bloku i zaczął prowadzić życie przeciętnego obywatela III Rzeczypospolitej. A teraz, po latach, znów wrócił do spiskowania. Tyle że w bezdyskusyjnie dobrej sprawie.

Wstał z ławki. Zgniótł wilgotną gazetę, na której siedział, i wyrzucił ją do najbliższego kosza na śmieci. Potem wyjął swoją starą komórkę i zadzwonił do Zygmunta.

– Mam obrazy – powiedział, gdy brat odebrał telefon.
– Przywieźć je?

– Na głowę upadłeś? – żachnął się senator.

– To co mam z nimi zrobić?

– A spal je w cholerę!

– Spokojnie, Zyga. Bo ci żyłka pęknie. – Jan zaśmiał się do słuchawki, rozweselony faktem, że drugi raz tego samego dnia przychodzi mu użyć tego samego kretyńskiego tekstu. – Malarza jeszcze nie namierzyłem, ale pracuję nad tym. Odezwę się, jak będzie coś nowego.

– Pospiesz się, Janku, proszę – odparł Zygmunt poważnym tonem.

– Jak ci mówiłem, załatwię sprawę. Dla Justysi wszystko! Na razie, Zyga.

Młodszy Wirski nie miał pojęcia, co zrobić z obrazami. Postanowił, że zaniesie je do piwnicy, a później zastanowi się nad ich dalszym losem. Wciąż nie wiedział, jak nazywa się twórca aktów, stwierdził jednak, że z pustego i Salomon nie naleje, więc nie pozostaje mu nic innego, jak czekać na telefon od inspektora.

Wrócił do samochodu, a że nabrał ochoty na coś smacznego i niekoniecznie zdrowego, pojechał na późny obiad do „Kina Cafe". Zdecydował się na najlepszy w mieście sznycel wiedeński – taki, jaki umiał przyrządzić tylko Przemek, szef kuchni jego własnej restauracji.

Rozdział 11

Cezary zdzwonił po Szczypiora i Górka. Pół godziny później kompani czekali już przed jego domem. Wspólnie ruszyli na miasto. W końcu pojechali do jednej z knajp pana Kazimierza, którą Klimowie obrali sobie za „biuro". Nie był to jednak dobry dzień, bo ledwie siedli przy stoliku, a do lokalu wkroczył patrol.

– Wyjaśnisz mi, Cezary, czyja to robota? – powiedział z marszu starszy z dwóch mundurowych.

– O co chodzi, panie dzielnicowy? – spytał zagadnięty, podliczając w myślach swe ostatnie grzeszki i rozliczenia z funkcjonariuszem. Wszystko mu się zgadzało, więc zrobił urażoną minę.

– O ten tramwaj, co nie chodzi! – Policjant się zdenerwował. – O tę jatkę, a myślałeś, że o co?! Że o twojego dilera z pubu? Dasz tysiąc, to go puszczę, a jak dołożysz drugi, wyjdzie razem z towarem.

Wzburzony wyjaśnił, że w interesach zawsze się dogadają, ale zabójstwo to już sprawa innego kalibru. Milczący dotąd młodszy funkcjonariusz, zaufany człowiek dzielnicowego, widząc, że Klim sprawia wrażenie rzeczywiście niedoinformowanego, wyłuszczył szczegóły. W nocy znaleziono zwłoki dziewczyny porzucone na ławce w pobliżu muzeum. Na razie kryminalni nie mieli pojęcia, o co chodzi – przypadkowy mord czy grubsza sprawa. Faktem było jednak, że młoda kobieta miała poderżnięte gardło i wiele dziwnych ran na całym ciele. Już krążyły plotki, że po mieście grasuje wampir, a dziennikarze zamęczali śledczych, czy chodzi o seryjnego zabójcę.

- Chłopaki z kryminalnej zastanawiają się raczej, czy to może ofiara nieudanego porwania do zagranicznego burdelu - dopowiedział dzielnicowy. - Może ktoś ją załatwił, bo była winna kasę za prochy. Ty się, Cezary, zastanów, czy nie masz czegoś do powiedzenia na ten temat. Bo jak o tym myślę, to mi wychodzi, że musisz coś wiedzieć.

- Ale nie wiem - odparł starszy z braci. - Ja jestem spokojny człowiek, nikomu krzywdy nie robię.

- To twój teren! - Funkcjonariusz znów się zdenerwował. - A jak nic nie wiesz, to się dowiedz. Twój teren, twoja sprawa. Nie będę cię krył przed kryminalnymi!

Policjanci poszli, a Cezary został z dwoma problemami do rozwiązania tego czarnego dnia. Miał dilera do wykupienia i trupa w swoim rewirze.

- Fakt, słyszałem, że jakąś młodą nożem porżnęli. Ale to nikt z naszych. Może Ormianie albo Ruscy coś między sobą załatwiali ? - spekulował Szczypior.

- To nie na twoją głowę, bo się przegrzeje. I tak trzeba sprawdzić - podsumował starszy Klim. - Idź na miasto, pogadaj z ludźmi, dowiedz się, co jest grane. A ty, Górek, jedź do Zdziśka Kwaśniaka po kasę. Dzwonił, że sprzedał jakiemuś frajerowi obrazy z gołymi laskami. Pamiętaj, od Kwaśniaka należy się pięć tysiaków.

Sam tymczasem wrócił do domu. Moniki nie było, bo w fabryce prowadziła spotkanie z kontrahentami, poszedł więc zająć się synem, którym opiekowała się wykwalifikowana opiekunka. Dzieciak nie miał jeszcze roku, więc jako męski wzorzec ojciec nie miał mu wiele do zaoferowania. Podrzucał go w górę, łaskotał, a synek zaśmiewał się do łez. Klim z niecierpliwością czekał, aż potomek zacznie samodzielnie biegać, mówić, rozumieć to i owo. Wtedy wprowadzi dzieciaka w świat. I stanie na głowie, by to był świat bezpieczny. Dlatego musi jak najszybciej dokończyć swój wielki plan.

Zostawił dziecko pod fachową opieką, poszedł do kuchni, zaparzył kawę. Potem ruszył do salonu, włączył telewizor. Obejrzał na kanale przyrodniczym film o życiu wodnych drapieżników, nastrój jednak mu się nie poprawił. Co pół godziny, w przerwach na reklamy, dzwonił do podwładnych, ale nikt nie wiedział niczego nowego w sprawie zarżniętej dziewczyny.

Napił się whisky, ale niewiele, ot, na dwa palce, i do tego z lodem. Spojrzał na zegar. Minęło już południe, a on nie ruszył z miejsca ze śledztwem. Zadzwonił po Górka i znów pojechali na miasto. Odwiedzali marne puby i drogie restauracje, salony z markową odzieżą i zaplecza lombardów. Nic. Nikt niczego nie wiedział, a nawet jeśli wiedział, nie puszczał pary z ust.

W kolejnym centrum handlowym spotkali Borsuka i dotychczasowy zły humor Cezarego jeszcze się pogorszył. Borsuk niby dla niego pracował, ale tylko czekał, kiedy szefowi powinie się noga.

– Wiesz, Cezary, niezły numer z tą studentką – powiedział na powitanie. – Teraz wszystkie ćpuny dwa razy się zastanowią, zanim wezmą działkę na kredyt.

– To nie moja robota – oschle stwierdził Klim.

- Nie bądź taki skromny! Wszyscy na mieście mówią, że to ty ją pociąłeś. Gardło poderżnięte, że mało jej łeb nie odpadł.

- Borsuk! Dla kogo ty pracujesz?! Dla tych, co „mówią na mieście" czy dla mnie?! Jak mówię, że to nie moja robota, to nie moja! - wrzasnął mąż Moniki. Z trudem panował nad sobą i niewiele brakowało, by pobił podwładnego w miejscu publicznym. - Próbujesz mnie wkręcić w tego trupa, Borsuk?

- Spoko, Cezary - odpowiedział pojednawczo niezbyt lojalny podwładny, który chyba wyczuł, że przeholował. - Jak mówisz, że nie ty, to ja ci wierzę. Ale jak nie ty, to kto? Przecież to twój teren.

„Jakbym nie wiedział, że to mój rewir" - pomyślał z wściekłością młody bandyta i bez pożegnania ruszył przed siebie. Górek sunął za nim z rękami w kieszeniach skórzanej marynarki. Cezary wiedział, że brat chowa tam pistolet. Sytuacja była niejasna, więc dobrze mieć zabezpieczenie. Starszemu Klimowi coś mówiło, że jeszcze nie koniec kłopotów, że prawdziwe dopiero się zaczną. A polegał na swej intuicji, bo ta, jak dotąd, nigdy go nie zawiodła.

Na pobliskim parkingu wsiedli do innego samochodu. Wóz był ich, ale z parasolem dla skarbówki. Skradziony w Niemczech i z przebitymi numerami, został zarejestrowany na człowieka, który nie żył od dwóch lat. Bracia wciąż płacili za trupa rachunki i podatki. Taki słup, a przy tym martwa dusza, w wielu sprawach bywał użyteczny. Dziś skorzystali z tego pojazdu, bo Cezary chciał sprawdzić, jak działa silnik. Zamierzał legalnie sprzedać wóz, zanim ten się zestarzeje i straci na wartości.

Znów pojechali na miasto. Potem odwiedzili pana Kazimierza i dali zwierzchnikowi należną mu część pieniędzy. Zebrany wczoraj haracz dopełnili sumą, którą paser przekazał Górkowi za obrazy ukradzione z mieszkania sąsiada Ciotki Lutki.

Wizyta u szefa była krótka i przebiegła bez niespodzianek. Stary bandyta pouczył podwładnych, by uważali, bo policja stała się nerwowa, a kryminalni węszą i przyglądają się uważnie nawet jemu. Cezary oświadczył, że trzyma rękę na pulsie, a pan Kazimierz nie kontynuował tematu. Podjął za to inny, ale najpierw kazał Górkowi spadać na drzewo. Kiedy ten wyszedł, zwierzchnik zaczął zwyczajowo mędrkować. Zdenerwował tym Klima jeszcze bardziej niż zwykle. Młodzieniec spojrzał na jasną, prawie białą bliznę znaczącą lewy policzek gospodarza. Przypominała kształtem liczbę siedem albo kosę. „Skurwiel - Cezary pomyślał z nienawiścią o szefie. - Pewnie zawsze był mendą. Ta stara szrama dowodzi, że już dawno temu komuś podpadł i ten ktoś pociął mu ryj".

Pan Kazimierz, nieświadomy myśli podwładnego, wciąż go pouczał, jak ma urządzić swoje życie - powinien w przyszłości kupić dom w modnej miejscowości pod Bydgoszczą, gdzie lądowali ci, którzy odnieśli sukces finansowy. Wiadomo, biznesmeni, politycy, lekarze, prawnicy. Bandyci też. Taki zakup jednak, jak twierdził zwierzchnik, musi jeszcze poczekać.

- Za wcześnie, Cezary, za mało masz władzy i kasy - doradzał jak zwykle, gdy zebrało mu się na szczerość.

– Jeszcze kupisz sobie dom, posiadłość całą, ale wtedy, kiedy nikt ci nie będzie mógł podskoczyć. Teraz byle referent ze skarbówki, byle pies czy prokurator może dobrać ci się do dupy, no bo kto ty niby jesteś, żeby mieć takie dochody? Wszystkich nie nadążysz przekupić, za mało masz wiedzy i władzy. Kto z kim, z jakiego powodu i za ile? Mówię ci, działaj powoli, z głową. Ze mną nie zginiesz. Pomyślę o jakimś interesie dla ciebie, o legalnej firmie. Polecę ci dobrego księgowego, forsę wypierzesz. Ale na to trzeba jeszcze lat. No, chyba że całą kasę przebalujesz. Do tego księgowy ci niepotrzebny.

Klim słuchał i potulnie przytakiwał, ale myślał swoje. Miał przecież wielki plan, który obejmował Monikę i ich syna. Oczywiście także Górka. W tym planie nie było jednak miejsca dla pana Kazimierza.

Domyślał się, co szefowi chodzi po głowie. Chciał zrobić z Cezarego nadsłupa, który zarządza tłumem słupów, szefa pralni brudnych pieniędzy. W razie wpadki to on beknie, a nie pan Kazimierz. Zwierzchnik pewnie umyślił też sobie, że podwładny wciągnie do interesów żonę, jak robiło wielu gości z branży kryminalnej. Cezary jednak układał swoje nowe drugie życie poza dotychczasowym środowiskiem. Świat zbrodni trzymał od rodziny z daleka, co siłą rzeczy wzbudziło zainteresowanie starego bandyty. Zainteresowanie tak silne, że przeprowadził z Klimem dłuższą rozmowę niedługo po tym, jak dowiedział się o ślubie Cezarego. Z wiadomych powodów od strony pana młodego na uroczystość zaproszony został tylko Górek.

Szef wezwał wtedy starszego z braci, ten jednak był przygotowany na taką ewentualność. Co więcej, już wcześniej obmyślił, jak ma reagować i co mówić.

- Uważaj, co robisz, chłopaku - warknął gospodarz, gdy tylko młody mężczyzna stanął w drzwiach. - Chcesz gryźć rękę, która cię karmi? Wydaje ci się, że jesteś mocny?

- Skąd taki pomysł, panie Kazimierzu? - zdziwił się świeżo upieczony małżonek, choć domyślał się, o co chodzi szefowi. - Ktoś na mnie nakablował? Niech pan nie wierzy. Łże jak pies.

- Kto łże? - podchwytliwie spytał zwierzchnik.

- A niby skąd mam wiedzieć? - Cezary podtrzymywał swoją wersję, udając wzór niewinności.

- Słyszałem, że wżeniłeś się w fabrykę tych szewców Jesionów. Co ty kombinujesz, chłopaku? Kręcisz lody za moimi plecami? I co, myślałeś, że się nie dowiem? Straszna ta dzisiejsza młodzież. Żadnej solidarności, tylko chciwość.

Klim wiedział, że ta rozmowa była nieunikniona, więc już dawno zaplanował, jak ją rozegra. Cel miał jeden: utrzymać szefa z daleka od rodziny i od zakładu teścia, czystego biznesu z tradycjami.

- Nie uzgadniałem tego z panem, bo to prywatna sprawa - wyjaśnił uspokajającym tonem. - Tak się złożyło, że zakochaliśmy się w sobie z Moniką, no to się pobraliśmy.

- Słyszałem, że fabrykę Jesiona jakieś nieszczęścia dotknęły - powiedział pan Kazimierz, uważnie przyglądając się rozmówcy. - I ty córkę bankruta wziąłeś?

- Fakt, doszło do pożaru, ale firma była ubezpieczona - odparł Cezary. - Teść miał kłopoty, jednak na branży się zna, to sobie poradził. Przędzie cienko, ale plajta mu nie grozi. Na kolejny pożar chyba się nie zanosi, bo teraz ja dbam o bezpieczeństwo jego interesu. Rodzina to rodzina, prawda, panie Kazimierzu?

Wywód chyba uspokoił starszego mężczyznę, bo zmienił ton i pogratulował pięknej żony, po czym skierował rozmowę na bieżące sprawy. Tak jak podejrzewał Klim, szef w tej sprawie odpuścił. Pewnie chciał sprawdzić, jakie stosunki łączą młodzieńca ze starym Jesionem. Chyba chodziło mu po głowie, by skubnąć haracz z tego źródła. Ale że Cezary przedstawił sytuację tak, a nie inaczej, stary bandyta ustąpił. W końcu fabryka fabryką, ale prawdziwe, duże interesy można kręcić tylko wtedy, kiedy ma się lojalnych podwładnych, takich jak starszy Klim.

Podobnie jak przed dwoma laty, tak i teraz Cezary utwierdzał zwierzchnika w przekonaniu, że jest posłusznym pracownikiem i ani myśli wyrosnąć na jego konkurenta. To drugie było akurat prawdą.

Mąż Moniki bił się z myślami. Miał swój wielki plan i był już prawie gotowy, by zrealizować jego ostatni etap. Pojawił się jednak nieoczekiwany kłopot – trup dziewczyny w jego rewirze. Pan Kazimierz mógł dzięki temu zyskać kilka dni życia.

Rozdział 12

Po rozmowie z Drwęckim i posiłku w „Kinie Cafe" Jan wrócił do domu. Zaparzył herbatę, otworzył okno. W oddali płynęły tętnicą jezdni samochody, niczym rozświetlone krwinki. Nad tym obnażonym ciałem miasta mroczne niebo spływało znad bloków w kierunku rzeki, a ta miała barwę popiołu. Ależ paskudny widok!

– Jakby nastał koniec świata – mruknął Wirski z niesmakiem i zamknął okno.

Kiedyś rozważał kupno domu, ale tak długo odkładał decyzję, aż z upływem lat wrósł w otoczenie. Polubił swoje mieszkanko w dzielnicy Kapuściska. Blokowisko było stare, mieszkańcy w większości też mieli swoje lata, więc panował tam spokój. Z rzadka słyszało się hałaśliwą muzykę, nieczęsto dochodziło do rozrób blokerskiej młodzieży. Tylko widoki z okien były nieszczególne.

Potem myśli Jana pobłądziły. Męczyło go, że utknął w sprawie Justyny zaplątanej w związek z niegodnym jej człowiekiem. Później wspomniał Baśkę, następnie Panią Doktorową. A na koniec przywołał w pamięci swoją największą miłość. Jak to się zaczęło? I czy naprawdę przypadkowo? Każdy romans przerwany gwałtowną śmiercią nabiera wymiaru tragedii antycznej, a w tle przewija się podejrzenie, że za wszystkim stoi przeznaczenie. Kiedy się skończyło? W październiku. „O rany – pomyślał – minęło już dobre trzydzieści lat".

Dostał wtedy czasowy przydział do rodzinnego miasta. Miał weryfikować miejscowych oficerów milicji pod kątem ich przydatności do pracy w tajnym wydziale. W takiej sprawie nie wystarczyło przeanalizować akt osobowych i przebiegu służby. Trzeba było wytypowanych ludzi poznać osobiście, przetestować ich reakcje w rozmaitych sytuacjach. Dla Jana wyznaczenie do roli weryfikatora oznaczało znaczący awans, ale samo zadanie uważał za nieciekawe. Jego interesowały śledztwa, zastawianie i omijanie pułapek, gra wywiadowcza.

Niechętnie stał się werbownikiem, bo przecież tak wiele wtedy się działo. Opozycja zmieniła się w wielki ruch społeczny i w tej politycznie mętnej wodzie różne ryby pływały, a niektóre trzeba było łowić. Oficjalnie skierowane do tych zadań służby inwigilowały solidarnościowców. Z kolei wydział Wirskiego inwigilował inwigilujących i tych, którzy przyjeżdżali z zagranicy, by ugrać swoje. Agenci z wrogich wtedy krajów NATO mieli używanie. Przenikali w szeregi opozycjonistów i wykorzystywali ich - zwykle nieświadomych, z kim się zadają - do zdobywania ważnych informacji wywiadowczych. Pracy było mnóstwo, z dnia na dzień więcej. Z tego powodu tajny wydział potrzebował nowych ludzi, a Jan miał sprawdzić, czy w Bydgoszczy nie znajdzie odpowiedniego kandydata.

Takie zajęcia pochłaniały mnóstwo czasu. Wytypował trzech rokujących nadzieję oficerów. Przyglądał im się, rozmawiał, spędzał z nimi wolny czas. I wtedy, pośród obowiązków i politycznego zamętu, spotkał Dankę.

Wpadli na siebie w najmodniejszym sklepie w mieście, usytuowanym przy Starym Rynku salonie Mody Polskiej. On kupował koszulę, ona sukienkę i jakieś dodatki. Ceny były powalające, ale kobieta nie liczyła się z wydatkami. Nieco później Jan dowiedział się, że dla Danusi pieniądze nie miały znaczenia, bo jej mąż prowadził warsztat krawiecki, a właściwie małą fabryczkę zatrudniającą dwadzieścioro krojczych i szwaczek. Jej wyroby, męskie garnitury z wełny, szły głównie na eksport.

„Trzydzieści lat temu - pomyślał Wirski. - Chyba nawet trzydzieści dwa. Październik? Tak". Wszystko, co najlepszego zdarzyło się w jego życiu, zaczęło się trzy miesiące wcześniej, gdy poznał Dankę. Do tego, co najgorsze, doszło w zamykającą fascynujący okres sobotę, po siedemnastej. Wsiadł wtedy w centrum miasta do samochodu kochanej kobiety.

Nareszcie mogli zaplanować wspólny weekend, bo mąż Danusi wybrał się w interesach na południe kraju. Tym razem mieli dla siebie więcej czasu, więc Jan chciał, by spędzili go w mieszkaniu, które wynajmował dla niego resort. Ona uważała jednak, że jej mały fiat w modnym wówczas kolorze, odcieniu jadowitej żółci zwanym *bahama yellow*, zbytnio rzuca się w oczy. Powiedziała, że tak charakterystyczne auto parkujące na ulicy w samym centrum, do tego tak długo w tym samym miejscu, na pewno zwróci czyjąś uwagę. Jakiś usłużny doniesie jej mężowi, a ona jeszcze nie jest gotowa, by stanąć do konfrontacji. Dlatego powinni wybrać się do któregoś z zajazdów poza granicami miasta, aby zgodnie z obowiązującym wtedy prawem móc wynająć pokój.

Właściciel restauracji uśmiechnął się, przypominając sobie przepisy z czasów Peerelu. Nie można było korzystać z hotelu w miejscowości, w której było się zameldowanym. Zasada ta miała pomóc w walce z przestępczością i kontrolować przepływ obywateli na terenie kraju, ale tak naprawdę przeszkadzała głównie kochankom, którym zachciało się potajemnej schadzki.

Zgodził się, aby pojechali za miasto, tak przecież chciała Danka. Plan polegał na tym, że wyruszą jednym samochodem. Koniecznie jej wozem. Nie rozumiał zasad, jakimi rządziła się logika tego wywodu, lecz nie protestował. Chciał spędzić ten czas z Danusią, bo była kobietą idealnie taką, jakiej potrzebował. Wyglądała, pachniała i poruszała się tak, jak sobie wymarzył. To samo dotyczyło seksu.

Była sobota, minęła siedemnasta. Jan stał w centrum, w pobliżu filharmonii. Nie czekał długo. W oddali mignęła oślepiająco żółta plama, zaraz potem podjechał charakterystyczny wóz. Szybko podszedł. Wsiadł. Ruszyli. Wjechali na rondo Trzydziestolecia, dziś nazywane rondem Jagiellonów, potem ruszyli przez ulicę Bernardyńską. Znaleźli się na moście.

Danka była rozgorączkowana, nieuważna. Również kierowca samochodu jadącego przed nią nie należał do ostrożnych. Prowadził dostawczego żuka, który wyglądał na zdezelowanego.

Wirski nie zapamiętał zbyt dokładnie przebiegu zdarzeń. Zrozumiał, że źle się dzieje, gdy Danusia krzyknęła. Zdążył tylko dostrzec, że jadącym przed nimi dostawczakiem zarzuca to w lewo, to w prawo. Potem żuk gwałtownie zahamował, ale jego tył wciąż przemieszczał się w poziomie niczym wahadło. Uderzył bokiem w wóz Danki.

Rozpędzony fiat, pozornie wbrew prawom fizyki, uniósł się w powietrze jak narciarz odrywający się od skoczni. Maska wycelowała w lewo, w widoczne w oddali przęsła sąsiedniego mostu spinającego plac Zjednoczenia ze Starym Rynkiem.

Janowi zaszumiało w uszach. Przelecieli nad chodnikiem, potem nad barierką z metalowych płaskowników. Tylne koła wozu zawadziły o balustradę, wyhamowały lot. Jaskrawożółtym samochodem szarpnęło. Fiat zawisł na chwilę w powietrzu, po czym zwalił się z mostu.

Wbił się maską w wodę, przy tej prędkości twardą jak beton. Jan i Danka uderzyli głowami w przednią szybę. W tamtych czasach jeszcze nie wyposażano wozów w poduszki powietrzne, a pasy zapinano rzadko i bez przekonania. Mężczyzna i kobieta odczuli te braki w krytycznej sytuacji.

Pojazd opadał na dno rzeki. Wirski, niewiele widząc z powodu krwi spływającej z rozciętego czoła, odruchowo szarpnął klamkę drzwi. Nie chciały się otworzyć. Panicznym ruchem chwycił korbkę w bocznych drzwiczkach. Szyba zaczęła się opuszczać. Lodowata woda wpłynęła do auta. Czuł, jak sztywnieją mu mięśnie, jednak nie zamierzał się poddać. Wcisnął się w otwór okienka, wypłynął w toń rzeki.

Przypomniał sobie o Dance, odwrócił się i spojrzał na ukochaną. W mętnej wodzie mało co było widać, ale dostrzegł, że tkwi nieruchomo w fotelu. Jej głowa opadła w przód. Nie widział twarzy, tylko smugi falujących w wodzie długich, pociemniałych teraz rudych włosów.

Dostrzegł też rękaw żakietu i wystającą z niego gipsowo-białą prawą dłoń. Palce, zakrzywione jak szpony, zaciskały się na kierownicy. Danka trwała w bezruchu, tylko jej włosy powoli unosiły się i opadały.

Chciał po nią wrócić, ale upływały sekundy i zaczynało mu brakować powietrza. Pomyślał, że ona przecież już nie żyje, a i on za chwilę umrze. Spojrzał w górę, ku jaśniejącej od ulicznych lamp powierzchni rzeki. Puścił drzwi samochodu. Było głęboko, pojazd osiadł na mulistym dnie.

Akcja ratunkowa zaczęła się niemal natychmiast, bo do wypadku doszło w samym centrum miasta. Wirski niewiele pamiętał z tego, co wówczas się działo. Jego uwaga była skupiona na jednym: Danka nie żyła, bo jej nie uratował.

Bardzo dobrze pamiętał za to chwilę, gdy oderwał wzrok od kochanki i odpłynął. Nie miał już czym oddychać i bał się, że woda wypełni płuca, że na zawsze uwięzi go pod powierzchnią. Parł ile sił w górę, ku światłu. Uciekał przed śmiercią. Krztusił się, rozpaczliwie wymachiwał rękoma i nogami, wreszcie dotarł na powierzchnię.

Na brzegu krzyczeli ludzie. Do Jana podpłynął kajakiem trenujący na rzece wioślarz i przytrzymał mu głowę ponad wodą. Po chwili zjawiła się milicyjna motorówka. Wirskiego szybko wyciągnięto na brzeg. Kątem oka dostrzegł, że ktoś nurkuje w miejscu zatonięcia samochodu. Może uda im się wyciągnąć Dankę? Może chociaż oni jej nie zawiodą?

Stacja Pogotowia Ratunkowego była bardzo blisko, na ulicy Markwarta, więc karetka zdążyła już podjechać. Jana wrzucono na nosze, zapakowano do wozu i na sygnale zawieziono do szpitala.

Długo był niespokojny pomimo końskiej dawki środków przeciwbólowych. Leżeć w łóżku i gapić się w sufit? Nie, tego nie mógł znieść. Wyszedł ze szpitala już następnego dnia. Na własne życzenie. Lekarze mu to odradzali, mówili, że powinien zaczekać na wyniki badań. Nawet prosili wezwanego telefonicznie Zygmunta, aby przekonał brata, szybko jednak dotarło do nich, że pacjent nie ustąpi.

Dyżurujący przy Janie milicjant w randze kaprala nie dyskutował. Wirski był oficerem, a kaprala uczono, że oficer zawsze ma rację. Przyjął dyspozycje od wyższego stopniem i zajął się wypełnianiem dokumentów niezbędnych do zwolnienia pacjenta do domu.

Jan czuł się źle, nie mógł jednak - a raczej nie był w stanie - zostać w szpitalu. Wiedział przecież, że dwa poziomy niżej, w kostnicy, leży martwa Danusia. A on, choć poobijany na duszy i ciele, wciąż żyje. Próbował to wyjaśnić bratu, a ten chyba zrozumiał. Zygmunt miał jeszcze wtedy rodzinę, dwuletnią Justysię i niezbyt lojalną żonę, którą mimo wszystko kochał. Wiedział, co znaczą silne uczucia.

Oficer otulił się płaszczem brata, bo nadal miał na sobie tylko szpitalną piżamę. Wsiadł do samochodu Zygmunta. Brat powtórzył jeszcze kilkakrotnie, że opieka lekarska przyda się Janowi, jednak młodszy Wirski odmówił i kazał zawieźć się do własnego mieszkania.

Fizycznie nie ucierpiał zbyt mocno. Skończyło się na kilku stłuczeniach i otarciach skóry. Żadnych złamań. Lekarze podejrzewali wstrząs mózgu, ale nie zdążyli się tym zająć.

Mieszkanie pachniało inaczej niż zwykle. Jan zdał sobie sprawę, że to woń środków odkażających, którą przywiózł ze sobą w spowijających go bandażach. Mięśnie i stawy miał jak z waty, a nerwy napięte niczym struny skrzypiec, gdy muzyk gra na nich utwór techniką pizzicato. Poszedł do sypialni i położył się na łóżku.

Zygmunt zrobił mu herbatę i sprawdził, czy lodówka pełna. Potem powiedział, że wraca do Koronowa, ale Jan ma dzwonić o każdej porze dnia i nocy, jeśli tylko będzie czegoś potrzebował. Popatrzył na młodszego brata. Obaj milczeli. Zygmunt wyszedł. Cicho zamknął za sobą drzwi.

Chwilę później Jan zasnął.

Pamiętał, że dni po wypadku były szczególnie trudne. Dostał zwolnienie lekarskie na dwa tygodnie. Koledzy z centrali telefonowali z życzeniami szybkiego powrotu do zdrowia. Z miejscowej komendy przysłano sierżanta z dobrym słowem, koszem delikatesów i flaszką żytniej. Potem odwiedzili go, jeden po drugim, oficerowie, których sprawdzał pod kątem przydatności do tajnych służb.

Uśmiechał się blado do wszystkich i niewiele mówił. Kiedy wychodzili, tłukł się po mieszkaniu bez celu. Nie mógł skupić uwagi. Czytanie książek, czasopism, oglądanie programu w telewizji, słuchanie radia – wszystko dawało mu tylko chwilowe wytchnienie, bo wciąż przypominała mu się Danka.

Nawet teraz, po ponad trzydziestu latach, pamiętał, co wówczas czuł. Jedna chwila szczególnie zapadła mu w pamięć. Stał nagi przed łazienkowym lustrem. Oczy miał zapadnięte, skórę białą jak kreda, prawie przezroczystą.

– Nie mam już krwi, Danka. Krwi, która burzyła się we mnie, kiedy byłaś obok – szeptał, patrząc w lustro. – Bez ciebie nie ma już we mnie krwi. Bez ciebie mnie nie ma.

Był zagubiony. Siły go opuszczały. Wyszedł z łazienki, wyjął pistolet z kabury, odbezpieczył. Mógł przystawić lufę do głowy albo włożyć ją w usta. I pociągnąć za spust. Wszystko szybko by się skończyło.

Wówczas przeszedł go dreszcz. Powoli zabezpieczył broń, schował ją do kabury. Wrócił do łazienki. Nalał gorącej wody do wanny i zanurzył się po brodę. Po umyśle krążyły chaotyczne myśli.

Tamtej nocy najpierw cicho płakał, potem coraz głośniej szlochał. W końcu wył, nie przejmując się, co pomyślą sąsiedzi. Był przerażony tym, że życie można tak łatwo przerwać. Kiedy nieco ochłonął, ogarnął go lęk o przyszłość. Dopadła go błogosławiona odmiana strachu, która budzi instynkt przetrwania.

Rozpoczął się prawdziwie koszmarny tydzień. Jan miał wrażenie, że stał się skorupą. Skórą, która opinała szkielet - i tyle go, Jana Wirskiego, było. Siadywał godzinami przed telewizorem lub spacerował wieczorami bez celu. Czasem zachodził do „Zodiaku", nocnego lokalu w centrum. Wypijał wódkę lub dwie, by nie myśleć o Dance, ale że i tak o niej myślał, wracał do domu. Wracał, żeby znów myśleć o niej, o tym, co się wydarzyło i co już nigdy się nie wydarzy.

Ruda Danka. Przed nią nie narzekał na brak kobiet. Miał żonę przez dwa lata, potem narzeczoną - prawie żonę, wreszcie rozmaite romanse. Gdy wieczorami siadał w kawiarni przy wolnym stoliku, zawsze przyciągał spojrzenie jakiejś kobiety. Właściwie nie wiedział, dlaczego tak się działo, ale często z tego korzystał. Wszystkie były rude lub blond w rozmaitych odcieniach, wszystkie bardzo szczupłe. Kupował im róże łososiowej albo herbacianej barwy, umawiał się raz, drugi, trzeci. Później odchodził albo one go rzucały. Tak mijały lata. Kiedy poznał Dankę, po kilku spotkaniach zapytał, z jakiego powodu zwróciła na niego uwagę.

– Przez twoją sylwetkę, jakby rasowego konia. I to mroczne spojrzenie – odpowiedziała, gładząc palcami jego twarz, wówczas jeszcze przystojną, lecz już poznaczoną bruzdami dramatycznych przeżyć.

Czy to ona go zagadnęła, czy on zaczął? Nie mógł sobie przypomnieć. W każdym razie wyszli z salonu Mody Polskiej razem i na ulicy wymienili numery telefonów.

Nie zwlekał, zadzwonił jeszcze tego samego dnia pod wieczór. Jakby czekała, bo po drugim dzwonku podniosła słuchawkę. Nie rozmawiali długo. Umówili się na następny wieczór w kawiarni.

Na pierwszą, a więc niezobowiązującą randkę szedł roztrzęsiony. Uświadomił sobie wtedy, że to szczególnie ważne wydarzenie. Wszedł do lokalu. Natychmiast ją dostrzegł. Usiadł przy wolnym stoliku, skąd uważnie jej się przyglądał. Rozmawiała z koleżanką, która po chwili ulotniła się ze znajomymi.

Wirski był niespokojny, coś musiał ze sobą zrobić, więc podszedł do baru. Z głośników płynął ówczesny przebój. Anna Jantar śpiewała każdemu, kto chciał słuchać, że tyle słońca w całym mieście. Muzykę jednak puszczono zbyt głośno, co potęgowało rozdrażnienie Jana. A sztuczna skóra pokrywająca wysoki stołek była tandetna, nawet przez spodnie parzyła w pośladki. Trzymał w palcach nóżkę kieliszka z białym winem, patrzył na krzykliwe etykiety butelek alkoholu i w myślach powoli zbierał się na odwagę, by podejść do Danki. Wtedy kątem oka dostrzegł jakiś ruch. Oderwał wzrok od etykiet unoszących się na wysokości jego oczu niczym stado egzotycznych ptaków. O kontuar tuż obok oparła się wysoka, smukła, rudowłosa kobieta. Danusia. Też zamówiła białe wino i uśmiechnęła się do Wirskiego.

Wreszcie przypomniał sobie, że to on pierwszy się odezwał. Potem przez chwilę żartowali, że wino od tysięcy lat zbliża ludzi, bo w winie prawda, jak mawiali starożytni Rzymianie.

Rozmawiali o tym, czym się zajmują. Nie mógł powiedzieć prawdy, więc skłamał, że jest urzędnikiem ze stołecznej Centrali Handlu Zagranicznego, przeniesionym na kilka miesięcy do Bydgoszczy. Z drugiej strony ona nie ujawniła, że jest mężatką. Rzuciła tylko mimochodem, że utrzymuje się z pracy w rodzinnej firmie produkującej odzież. „Oboje wtedy kłamaliśmy, ale paradoksalnie byliśmy wobec siebie naprawdę szczerzy" - zauważył Jan, wspominając tamten wieczór.

Tamten wieczór... Rozmawiali. Minęła godzina, druga. I wtedy coś zapaliło się w oczach Danki.

- Masz mnie. Masz mnie jak na dłoni - powiedziała. Pochyliła się nad nim, musnęła wargami jego policzek i wyszła.

Zadzwonił następnego dnia rano i już po południu spotkali się w tej samej kawiarni. Przyszedł pierwszy, więc usiadł przy stoliku, wiercąc się niecierpliwie. Nie kazała na siebie czekać. Od razu podeszła, nawet nie zostawiając okrycia w szatni. Nie przysiadła się, tylko stanęła przy stoliku. Spojrzeli sobie w oczy. Wirski wstał. Nie zamieniwszy słowa, wyszli razem z lokalu. Pojechali do jego mieszkania. Kochali się długo i namiętnie. Wiele nie rozmawiali. Podobnie wyglądały następne randki. Dopiero tydzień później wyznała, że jest mężatką. Gdy spytał, dlaczego się z tym kryła, odparła:

– Teraz wiem, że mi na tobie zależy. I że tobie zależy na mnie. Że spotkanie Jana i Danki to nie przelotne zauroczenie, tylko coś, co zmieni ich życie.

Przez następne dwa miesiące nie wracali do tej sprawy. Wirski przyjął, że z czasem wszystko się ułoży. Ona miała męża, który prowadził sporą jak na tamte czasy firmę, oraz dwie córki uczące się w podstawówce. On miał absorbującą pracę. Spotykali się czasem rano, czasem po południu, zawsze w jego mieszkaniu. Zaledwie raz wygospodarowali weekend dla siebie. Tragiczny weekend. Ostatni. Właściwie to go nie było.

Wtedy, ponad trzydzieści lat temu, Jan przez tydzień zmagał się z myślami. Wreszcie wsiadł w samochód i pojechał na miejsce wypadku. Zaparkował wóz, ruszył pieszo wzdłuż wybetonowanych brzegów rzeki przecinającej miasto na pół. Wszedł na most przerzucony nad zielonkawym nurtem, który wówczas był jeszcze spławną trasą żeglugową. Woda znajdowała się wiele metrów w dole, widziany z tego miejsca holownik wydawał się niewielki, ciągnął barkę z węglem.

Jan patrzył na leniwie płynące wody i myślał o Dance. O jej pięknej twarzy, o wargach pokrytych raz czerwoną, raz różową szminką, o zielonych oczach grubo obrysowanych czarną kredką. Myślał o tym, że tego wszystkiego już nie ma, a mimo to trzeba żyć dalej. Wieczór spędził w kawiarni, w której umawiał się z Danusią. Sączył wino, przysłuchiwał się rozmowom ludzi siedzących przy sąsiednich stolikach. Kilkakrotnie, gdy zamykał oczy, miał wrażenie, że kochanka nadal jest przy nim, siedzi na krześle naprzeciwko i uśmiecha się czule. Ale gdy otwierał oczy, Danusi nie było. „Ona nie żyje - napominał siebie Wirski. - Nie ma jej i już nie będzie".

Kiedy wyszedł z kawiarni, deszcz przestał padać. Pojedyncze krople wody odrywały się od krawędzi dachów, rozbijały o chodnik w roziskrzone garści pyłu. Wiatr to wzmagał się, to cichł. Jan stał chwilę na chodniku, wreszcie pomyślał, że nic tu po nim i ruszył w stronę zaparkowanego wozu.

Krwawe, wełniste chmury zastygły na granatowym tle, nadciągała noc. Wiatr znów się odezwał. Potrząsnął konarami rachitycznych drzew, pchnął kulę zmiętej, wilgotnej gazety i potoczył ją po jezdni. Wirski patrzył za oddalającym się kłębem papieru, póki ten nie znikł w mroku. W duszy i umyśle czuł spokój. Pogodził się z tym, co nieodwracalne.

Rozdział 13

Marczyk był niespokojny. Bolała go głowa. Opuchlizna wydawała się nabrzmiewać nie tylko na zewnątrz czaszki, ale i w środku. Bagatelizował jednak swój stan, bo nurtowała go sprawa, którą uważał za najważniejszą.

Patrzył na ciemną plamę na ścianie. To nie był portret jego ukochanej. Nawet nie szkic. Patrzył na plamę, paląc papierosy i pijąc wino wprost z butelki. Unikał spoglądania na portrety, których nie ukradli źli ludzie. Zwielokrotniona twarz kobiety jego życia stanowiła artystyczny wyrzut sumienia.

Zadzwonił telefon. Tomasz odruchowo odebrał. Znów odezwał się zleceniodawca z lokalnej agencji reklamowej, kierownik upadłych zawodowych malarzy. Tym razem gość był niecierpliwy. Pokrzykiwał, że trzeba wykonać pracę. Groził, że jak Marczyk go oleje, to on Marczyka oleje raz na zawsze. „Więcej nie zadzwonię!" - wrzeszczał. Tomasz bez słowa odłożył słuchawkę. Co innego niż malowanie szyldów zaprzątało jego uwagę. Poza tym czuł się fatalnie.

„Muszę łyknąć jakieś prochy" - pomyślał, kiedy po raz kolejny kolorowe plamy zaczęły tańczyć mu przed oczami. Miał przecież zadanie do wykonania, a co to za malarz, któremu plamy przesłaniają świat.

Wyszedł, gdy tylko poczuł się odrobinę lepiej. W pobliżu, obok sklepów spożywczego i monopolowego, w których zwykle się zaopatrywał, znajdowała się niewielka apteka. Poprosił o jakiś środek przeciwbólowy. Farmaceutka, spojrzawszy na jego obrażenia, doradziła, by natychmiast poszedł do lekarza, a najlepiej od razu zgłosił się na pogotowie. Marczyk nie zamierzał wdawać się w dyskusje. Po prostu głowa go bolała i, równie po prostu, chciał poczuć ulgę. Odpowiedział, że zaraz skontaktuje się z lekarzem, jednak natychmiast musi się znieczulić. Kobieta westchnęła i wyszukała najsilniejsze środki, jakie mogła mu sprzedać bez recepty.

Wyszedł z apteki, po drodze zajrzał do monopolowego, gdzie kupił dwa kartony taniej mieszanki wody, barwników spożywczych i alkoholu, nazwanej przez producenta winem. Malarz jeszcze na ulicy łyknął całe opakowanie tabletek przeciwbólowych, popijając je winem wprost z kartonu. Kiedy już znalazł się w mieszkaniu, poczuł się lepiej. Ból zelżał do znośnego poziomu, więc myśli stały się klarowniejsze. Na wszelki wypadek Tomasz przedłużył terapię, wypijając całą zawartość otwartego już opakowania alkoholu. Poczuł się jeszcze lepiej.

Godziny mijały. Zapadł wieczór. Marczyk włożył ciemne spodnie i kurtkę, do kieszeni wsunął kilka pięćdziesięciozłotowych banknotów trzymanych w szafie z pościelą. Zorientował się, że to wszystko, co mu zostało, ale się nie przejął. W głowie znów czuł tępy ból, bo leki przestały działać. Miał nawet wrażenie, że połowa głowy naznaczona opuchlizną stała się jakby większa i cięższa.

Zmrok otulił miasto. Tomasz ruszył spacerowym krokiem w długą wędrówkę przez ulice. Po godzinie dotarł tam, gdzie zamierzał, do jednego z nocnych klubów.

Wiedział, że w takim miejscu spotka młode kobiety pełne krwi tętniącej energią. Było mu wszystko jedno w kwestii ich urody. Ważne, by miały w sobie krew, tylko tego potrzebował.

Nie musiał się trudzić. Już pierwsza stojąca przy barze dziewczyna nie miała nic przeciw temu, by odpłatnie uprawiać seks w jego domu.

- Wicia jestem - przedstawiła się, jakby to mogło obchodzić upadłego malarza.

Nie zamierzał bawić się w grzeczności.

- Jedziemy - powiedział.

Miała długie ciemne włosy, obcisłe czarne spodnie i równie czarną, bardzo błyszczącą kurtkę narzuconą na podkoszulek biały niczym świeżo spadły śnieg. Sama też była świeża. I bardzo żywa. Marczyk niemal słyszał, jak szumi w niej krew. Dokładnie odpowiadała jego celom.

Wsiadł z prostytutką do jednej z taksówek parkujących pod klubem. Podał kierowcy adres odległy o przecznicę od jego kamienicy. Kiedy zajechali na miejsce, zapłacił kierowcy i wziął Wicię pod ramię. Odczekał, aż taksówka odjedzie, po czym zaniósł się niby pijackim śmiechem.

- Co jest, gościu? - spytała.

- Bo to jest śmieszne. Przejechaliśmy pół miasta taryfą, a teraz musimy dojść spacerkiem - odparł chichocząc.

- Ty, co ty kombinujesz?! - żachnęła się. - Masz w ogóle jakąś kasę? No, gościu, pokaż, ile masz! Ja darmowych numerków nie robię!

- Nie krzycz, mała. Masz tu trochę. Dostaniesz więcej. - Wyciągnął z kieszeni kilka pięćdziesięciozłotówek.

Pokazał banknoty towarzyszce, podał jej jeden, a resztę schował.

– Blisko jesteśmy – powiedział – zaraz dojdziemy. Kamienica z żółtym tynkiem. Zobaczysz, będzie ci się podobało.

Wypowiadając ostatnie słowa, znów zaniósł się śmiechem. Dziewczyna nie wietrzyła już podstępu. Uspokojona widokiem pieniędzy również zachichotała. Szła, a Marczyk ją prowadził. Jak owcę na ubój, jak świnię na rzeź.

Nadeszła północ. W tej dzielnicy mieszkali głównie ludzie, którzy wczesnym rankiem wstawali do pracy. Oprócz kilku pijanych mało kto miał chęć na nocne spacery, więc nikt nie zwrócił uwagi na późny powrót Tomasza. Mimo wszystko zachował daleko posuniętą ostrożność, choć zrobił to odruchowo, a nie w ramach planu. Dzięki temu żaden z sąsiadów nie miał pojęcia, że malarz przyszedł do domu z jakąś dziewczyną.

Kiedy weszli do mieszkania, zaraz zasłonił okna. Pozapalał światła w łazience i kuchni. Potem zaprowadził prostytutkę do sypialni.

– Lubisz, jak jest jasno? – bardziej stwierdziła, niż spytała. Potem, uśmiechając się lodowato, dodała rzeczowo: – Nie ma sprawy, klient nasz pan.

Stanęła na środku pokoju i zrzuciła kurtkę na podłogę.

– Co robimy? – spytała. Wciąż miała na ustach sztuczny uśmiech.

„Oczy ma zimne jak lody «Bambino» – pomyślał Marczyk. – Zaraz, zaraz, czy sprzedają jeszcze lody «Bambino»? Trzeba by sprawdzić".

Znów spojrzał na dziewczynę i natychmiast zapomniał o lodach z dzieciństwa. Młoda, miała może szesnaście, a może dwadzieścia lat. Akurat jej wiek go nie obchodził. Była średniego wzrostu, szczupła. Widząc, że jej się przygląda, odchyliła głowę do tyłu, przeczesała palcami długie włosy. Gest był zmysłowy, prowokujący, jednak nie spotkał się z odzewem mężczyzny. W tej chwili uwagę Tomasza zaprzątało co innego.

– Poczekaj tu, zaraz wrócę – powiedział i ruszył do pokoju służącego mu za pracownię.

Nóż leżał na stole. Schował go do kieszeni kurtki i wrócił do sypialni. Podszedł do młodej prostytutki.

Uśmiechnęła się oczami jak kawałki lodu. Głęboko spojrzał w emanujące chłodem źrenice i mocno przytulił dziewczynę. Potem, nie zwalniając uścisku, tanecznym krokiem poprowadził do salonu.

Patrzył jej w oczy, hipnotyzował ją, a ona uległa sugestii i nie odrywała od niego wzroku. Przepłynęli na środku pomieszczenia, potem do ściany. Tej nagiej, z wielką ciemną plamą pośrodku. Oparł Wicię plecami o mur i odsunął się od niej odrobinę. Nadal spoglądając jej głęboko w oczy, sięgnął do kieszeni.

Błysnęło ostrze. Malarz wbił je w krtań ofiary. Nóż wszedł głęboko, sięgnął aorty. Prostytutka chciała krzyknąć, ale dźwięk nie wybrzmiał. Słychać było tylko ciche rzężenie. Strumień krwi trysnął mężczyźnie prosto w twarz.

Dziewczyna targnęła ciałem. Jedną ręką chwyciła się za przebite gardło, drugą zaczęła odpychać Marczyka. Odpychała go z całych sił, lecz tych szybko ubywało. Osłabła.

Wówczas obrócił jej wiotczejące smukłe ciało i przycisnął do ściany. Krew płynęła teraz falami, zgodnie z rytmem pracy serca, które powolutku zwalniało bieg. Płyn barwił na czerwono podkoszulek ofiary, ściekał na mur i wsiąkał przez farbę w ukryty pod nią tynk.

Tomasz z całych sił napierał na bezwładne już ciało, by cała krew spłynęła na ścianę.

– Tak będzie dobrze – szeptał. – Jeszcze trochę, no jeszcze.

Wówczas przez ciało zabójcy przebiegł dreszcz. Malarz miał wrażenie, że krew i adrenalina wzburzyły się w nim, nasycone obcą siłą witalną. Że czuje moc, energię bijącą z krwi barwiącej mur.

Zamknął oczy, z całych sił zacisnął powieki. Potem gwałtownie je otworzył. Oddychał głęboko, jak po długim biegu. Znów spojrzał na dziewczynę, którą wciąż przyciskał do ściany. Nie ruszała się, miała białą twarz. Nie żyła.

Marczyk zaśmiał się obłędnie. Był w euforii. Patrzył na ścianę, przewiercał wzrokiem warstwę farby, potem tynku. W wyobraźni widział już cegły, czerwone jak krew. Pulsowały, a na tworzonej przez nie ciemnoczerwonej płaszczyźnie rysował się jakiś kształt. Amorficzne wybrzuszenie, ustawicznie zmieniające się w trójwymiarowej przestrzeni. Wkrótce przybrało zarys ludzkiej sylwetki. Poruszała się tak, jakby człowiek, do którego należała, usiłował wyjść ze ściany, przeniknąć przez oddzielającą go od salonu przegrodę. Przez granicę odróżniającą materię od tworów wyobraźni.

Tomasz oddychał coraz szybciej, wpatrywał się intensywnie w jeden punkt – tam gdzie cegły przemieniały się w biologiczną strukturę. Człowiek. Kobieta. Kobieta, którą znał. Kobieta, którą kochał. Jej twarz, delikatna, piękna. Obrys całego ciała wyłaniał się coraz dokładniej z ceglanego muru, choć wydawał się płynny, zawarty w falujących liniach. Krwistoczerwone smukłe ręce, długie nogi, pełne piersi. Cudna twarz krwawej barwy znalazła się tuż przed twarzą Marczyka. Purpurowe usta rozchyliły się, wymawiały niezrozumiałe słowa.

– Co mówisz? Mów głośniej – szeptał w realnym świecie do swej wizji.

Coś usłyszał. Szmery układały się w słowa. „Kochasz mnie", „pamiętasz mnie", „masz mnie". Potem usłyszał w myślach krzyk: „Straciłeś mnie! Twoja wina! Twoja wina!".

– Moja wina – potwierdził głośno.

Jego własne słowa zabrzmiały tak wyraźnie, jakby prosto w ucho wypowiedział mu je ktoś stojący tuż obok. Brzmiały dobitnie, niczym oświadczenie. To go zaskoczyło.

– Moja wina? – spytał sam siebie.

Gwałtownie odsunął się od ściany, a wtedy coś z łomotem uderzyło o podłogę.

Otrząsnął się. Zdał sobie sprawę, że upuścił ciało dziewczyny, którą przed chwilą zabił. Leżała teraz na podłodze. Na ciemnym tle brązowych desek tworzyła jasną plamę.

Wzrok stopniowo zaczął mu się wyostrzać. Prostytutka miała twarz i ręce koloru szronu, bardziej szare niż białe. „No tak, biały miała przecież podkoszulek" – przemknęło mu przez myśl. Tyle że teraz już tylko częściowo biały. Większość bawełnianej tkaniny nasiąkła krwią.

Oderwał spojrzenie od zwłok. Podszedł do ściany i rozmazał dłońmi pokrywającą ją warstwę krwi. Pod palcami wyczuł delikatne falowanie. Kiedyś już miał podobne doznania. Wtedy dotykał szyi ukochanej kobiety. Spała, a pod jej ciepłą skórą bił puls. „Ale ta tutaj to tylko wyciśnięta do sucha tuba po farbie - pomyślał, patrząc na zwłoki. - Muszę wyrzucić opakowanie. Po co trzymać w domu śmieci".

Pojechał tam, gdzie porzucano zbędne przedmioty. W to miejsce ludzie przywozili stare kuchenki, lodówki, tapczany. Nielegalny śmietnik miał doskonałą lokalizację, bo niedaleko centrum miasta, a przecież na uboczu. Miejsce to Marczyk znał jeszcze z dzieciństwa. Kiedyś znajdowały się tam magazyny kolejowe, dziś obszar stał się nieużytkiem o sporej powierzchni. Gęsto porastały go krzewy i młode drzewa, otaczając nieregularnym pasem zrujnowane budynki.

Tomasz rozejrzał się czujnie. Choć mijały go samochody i nieliczni przechodnie, tak naprawdę był tu sam ze swym brzemieniem. Tacy jak on, wyglądający gorzej niż przeciętnie, są przecież niewidzialni. Wyciągnął z kosza pakunek, który nie tak dawno przedstawił się jako Wicia, po czym przerzucił go przez ramię.

Prowadząc rower jedną ręką, ruszył między krzewy. Rozgarnął gałęzie pierwszego szeregu samosiejek, ligustrów i akacji. Zostawił tam pojazd i wszedł na małą polankę porośniętą darnią. Pośrodku ziała czarna otchłań studzienki kanalizacyjnej. Żeliwnej pokrywy nie było, zapewne już od lat. Malarz nawet się nie zmęczył, bo wykrwawione zwłoki szczupłej dziewczyny ważyły pewnie mniej niż czterdzieści kilogramów. Zrzucił worek z ramienia, celując tak, by pakunek wpadł wprost do kanału.

Jednak ciało zaklinowało się w otworze studzienki, mimo że Marczyk użył całej siły, by je wcisnąć.

Postał chwilę nad zwłokami. Potem wzruszył ramionami, odwrócił się i przedarł przez chaszcze. Wziął rower, otrzepał się z uschłych liści i ruszył chodnikiem. Mijały go samochody i nieliczni przechodnie, ale nikt go nie dostrzegał.

Rozdział 14

Cezary Klim po raz pierwszy zobaczył Monikę Jesion przed trzydziestoma ośmioma miesiącami. Potrafił precyzyjnie odtworzyć z pamięci czas, miejsce i okoliczności tego wydarzenia. Kończyła wtedy studia, miała dwadzieścia trzy lata, a on o cztery więcej.

Szedł akurat na umówione spotkanie w interesach. Samochód zaparkował tam, gdzie znalazł miejsce, więc kawałek drogi musiał pokonać pieszo. Spokojnym krokiem sunął chodnikiem w centrum miasta. Znajdował się tylko kilkanaście metrów od Moniki, ale jakby na antypodach, bo po drugiej stronie jezdni.

Wysiadała z taksówki. Wyprostowała się, a miała ponad metr siedemdziesiąt wzrostu, do tego buty na wysokim obcasie. W gęstym ulicznym ruchu Cezary dostrzegł Monikę zaledwie kątem oka, lecz to wystarczyło, by przykuła jego uwagę. Dziesiątki przechodniów, samochody, tramwaje - wciąż coś przesłaniało mu młodą kobietę, jednak gdy tylko dostrzegł jej smukłą postać, poczuł silne emocje, znacznie potężniejsze niż pożądanie znane mu z wcześniejszych erotycznych przygód. Na chwilę zamarł jak sparaliżowany. Wtedy właśnie Cezary się zakochał.

Twarz nieznajomej, jej sylwetka, sposób, w jaki się poruszała, wszystko to poraziło starszego z Klimów. Chciał do niej podbiec niczym zauroczony gimnazjalista. Chciał powiedzieć, że jest im pisane resztę życia spędzić razem. Pragnął zrobić wszystko, co u kogoś takiego jak on wzbudziłoby w obserwatorach zdziwienie, nawet niesmak. Ktoś też na pewno poradziłby mu zmienić dotychczasową profesję.

Monika ruszyła w poprzek chodnika. Towarzyszył jej mężczyzna w garniturze i pod krawatem. Przeciętnie przystojny, ale zadbany, a starszy od partnerki o dziesięć albo i więcej lat. Para weszła do restauracji.

Cezarego nadal oddzielała od nich dwupasmowa jezdnia. W pobliżu znajdowało się jednak przejście dla pieszych. Ruszył tam i stanął wśród przechodniów, czekając na zmianę świateł. Nie był legalistą, po prostu samochody pędziły zbyt gęstym stadem w jedną i drugą stronę, by dał radę przebiec przez ulicę. Dreptał więc w miejscu, niecierpliwiąc się, aż sygnalizator zaświecił na zielono.

Przechodząc przez jezdnię, przeniósł się z placu Teatralnego na ulicę Focha. Co prawda obecnie przy placu nie było teatru, bo spalił się w czasie wojny, ale nazwa miejsca wróciła po długiej przerwie - za Peerelu plac nosił miano Zjednoczenia. Z kolei dzisiejszej ulicy Focha władze socjalistyczne nadały imię Armii Czerwonej. Cezary był za młody, by dobrze pamiętać tamte czasy, zwracał jednak uwagę na dwoistość nazw wielu punktów miasta, bo znani mu ludzie często używali wymiennie i starych, i nowych, a niektórzy także określeń nieoficjalnych, osadzonych w miejskiej tradycji.

Znalazłszy się na ulicy Focha, ruszył szybkim krokiem do lokalu, za którego drzwiami znikła piękna nieznajoma. Był to pub albo klub, ale chyba pełniący także funkcję kawiarni, w każdym razie nosił dziwaczną nazwę „Manekin".

Klim wszedł do środka i omiótł wzrokiem wnętrze. O tej porze dnia pub świecił jeszcze pustkami, więc młody bandyta natychmiast dostrzegł Monikę siedzącą przy jednym ze stolików w głębi pomieszczenia. Przedtem widział tylko jej sylwetkę i zarys twarzy. Teraz mógł jej się przyjrzeć. I aż zaparło mu dech w piersi. Była naprawdę wysoka, długonoga, szczupła, ale ze sporym biustem i wyraźnie zaznaczoną talią nad łukami bioder. Twarz miała pociągłą, włosy ciemnobrązowe, gęste, sięgające łopatek falami ułożonymi przez stylistę. Do tego lekko smagła skóra, orzechowe oczy, a usta i paznokcie czerwone jak nowiutki wóz strażacki. Pociągała go jak żadna dotąd, choć jednocześnie onieśmielała. Podobnego stanu nie doświadczył nigdy wcześniej w kontaktach z kobietami.

Przemógł się, w końcu był Cezarym Klimem. Ruszył zdecydowanym krokiem przez salę. Zatrzymał się przy stoliku, pochylił nad siedzącą parą. Monika uniosła głowę znad filiżanki cappuccino, otaksowała spojrzeniem nieznajomego. Napotkawszy jej wzrok, na powrót poczuł się niepewnie. Przyłapał się na tym, że rozważa, czy jest w jej typie. Nigdy dotąd nie zadawał sobie takich pytań! W środowisku, w którym wyrósł i się obracał, to dziewczyny zwykle proponowały mu randki. Nocnym ćmom z klubów i pannom z blokowisk młody bandyta bardzo się podobał. Nie chodziło tylko o to, że dysponował pieniędzmi i luksusowymi wozami. Miał też prezencję. W odróżnieniu od rówieśników nie przesadzał z siłownią, nie nosił też dresów. Choć jego twarz wyglądała pospolicie, był wysoki, barczysty, proporcjonalnie zbudowany. Na co dzień ubierał się w markowe vintage'owe błękitne dżinsy, białe koszule oraz kosztowne czarne marynarki z gatunkowej skóry. Zobaczył kiedyś w jakimś filmie sensacyjnym aktora w takim stroju i uznał, że ów styl pasuje do tego, czym on, Klim, się zajmuje. Trochę bandyta, a trochę światowiec.

– O co chodzi? – spytała Monika, przyglądając mu się z zaciekawieniem. Głos miała niski, z lekką chrypką.

Już chciał się odezwać, ale owionął go płynący od kobiety zapach markowych perfum. Po raz kolejny w ciągu minuty poczuł się niepewnie i wróciła myśl, że nigdy dotąd żadna dziewczyna tak bardzo go nie interesowała.

– Niczego nie kupujemy ani nie sprzedajemy, tak więc panu dziękujemy – powiedziała żartobliwie, bo nadal milczał.

– Nie jestem żadnym *sale managerem*. Pozwoli pani, że się przedstawię – wypalił, zwalczając atak nieśmiałości. Recytując grzecznościowa formułkę poczuł się, jakby był postacią ze starego filmu. Na co dzień nie używał przecież takich zwrotów. – Nazywam się Cezary Klim.

– Monika Jesion – oddała grzeczność za grzeczność. – O co więc chodzi, panie Klim?

– Zapraszam panią na kawę. Dziś wieczorem – zaproponował zdecydowanym tonem. Pod przesadną pewnością siebie ukrył lęk przed odmową.

– Daj pan spokój – mruknęła z niechęcią. Znikło początkowe zainteresowanie nieznajomym. Poznawszy jego intencje, uznała go za kolejnego natręta i potraktowała oschle. Widać było, że takie sytuacje to dla niej nie pierwszyzna.

– Młody człowieku, poszukaj sobie towarzystwa gdzie indziej. Nie ta pani i nie ten lokal – dołączył się mężczyzna w garniturze.

Słysząc głos konkurenta, Klim drgnął jak rażony prądem. Znów był sobą, Cezarym, który w imieniu pana Kazimierza zarządzał połową dzielnicy. Wyprostował się, zacisnął dłonie w pięści. Mógłby tego krawaciarza połamać na miejscu. Mógłby nawet nie brudzić sobie nim rąk. Ot, wyjąłby z wewnętrznej kieszeni marynarki giwerę i odstrzelił gościowi łeb. W tamtym czasie w przestępczej branży trwała jeszcze na terenie miasta walka o wpływy w poszczególnych dzielnicach, więc bandyta na co dzień nosił przy sobie pistolet.

Poczuł gniew, lecz udało mu się zapanować nad emocjami. Zacisnął zęby. Intuicyjnie wyczuł, że interesująca go kobieta różniła się od tych, z którymi dotąd się zadawał. Choć wydawała się od tamtych delikatniejsza, wrażliwsza, odniósł wrażenie, że jednocześnie jest twardsza i pewniejsza siebie. Młoda, a już znała swoją wartość. Niczego by nie osiągnął, gdyby na jej oczach pobił rywala. Nie tędy droga. Musiał zachować cierpliwość i podejść do sprawy z całą przebiegłością, jaką dotąd przejawiał w nielegalnych interesach. Taka strategia sprawdzała się zawsze i wyniosła go wysoko w lokalnej hierarchii przestępczej.

Jeszcze raz wciągnął powietrze ponad jej głową. Czując woń perfum, poprzysiągł sobie, że zrobi wszystko, by ta kobieta o orzechowych oczach była jego.

– Nie zamierzałem pani urazić. Przepraszam i do widzenia – powiedział grzecznie, ale wyzywająco spojrzał Monice w oczy. Następnie, nie poświęcając nawet odrobiny uwagi swemu konkurentowi, opuścił pub.

Nie odszedł daleko. Ukrył się w niszy drzwi wejściowych jednej z pobliskich kamienic. Kiedy pół godziny później interesująca go para wyszła z lokalu, ruszył, wmieszawszy się w tłum przechodniów. Śledził Monikę tak długo, jak to było możliwe. W pewnym momencie stracił ją z oczu, ponieważ wraz z mężczyzną weszła na parking galerii handlowej, gdzie wsiadła do samochodu. Jej towarzysz też miał wóz. Rozjechali się, każde w inną stronę. Cezary, kryjąc się za betonowymi filarami, podszedł niezauważony na tyle blisko, że mógł w telefonie komórkowym zanotować numery rejestracyjne obydwu pojazdów.

Jeszcze tego samego dnia zadzwonił w kilka miejsc i do wieczora poznał nazwiska i adresy Moniki oraz jej przyjaciela. Wkrótce dowiedział się też kolejnych szczegółów na ich temat. Okazało się, że panna Jesionówna jest jedynym dzieckiem producenta obuwia. Za Moniką stała fortuna budowana od pokoleń. Pradziadek szył buty już w latach trzydziestych, ale wojna pożarła i warsztat, i dom. Dopiero ćwierć wieku po tych dramatycznych wydarzeniach pradziadek z dziadkiem odtworzyli rodzinny zakład. Mijały lata, naprawiali buty, lecz szyli też coraz więcej obuwia na zamówienie. Warsztat przekształcał się powoli w fabryczkę i pod koniec lat osiemdziesiątych firma Jesionów zatrudniała kilkanaście osób.

Zmienił się ustrój, zmarł najstarszy z rodu, a jego syn się zestarzał. W latach dziewięćdziesiątych zakład przejął ojciec Moniki. Wykazał się zdolnościami biznesowymi, zlikwidował dział naprawiania butów i szybko zaczął rozszerzać produkcję. Teraz rodzinna firma była fabryką z prawdziwego zdarzenia, w której pracowało ponad sto osób. Między innymi narzeczony Moniki, poznany przez

Klima w pubie trzydziestopięcioletni Ryszard. Pełnił funkcję dyrektora ekonomicznego i miał dziesięcioprocentowy udział w firmie. Cezaremu udało się ustalić, że został mniejszościowym wspólnikiem, inwestując w zakład Jesiona spadek po rodzicach i kredyt hipoteczny zaciągnięty pod apartament, w którym mieszkał. Właściciel fabryki poszedł na taki układ, gdyż potrzebował pieniędzy na nową maszynę do klejenia butów, a Ryszard i tak wkrótce miał należeć do rodziny.

Przez następne dni Klim, jak zwykle, zajmował się interesami pana Kazimierza, ale z mniejszym niż dotąd zaangażowaniem. Wciąż rozmyślał o Monice. Nie wiedział jeszcze, jak zdobyć dziewczynę, postanowił więc na początek dowiedzieć się o niej jak najwięcej. O jej narzeczonym również. Musiał z bliska przyjrzeć się ich życiu.

Ustalił, że mieszkają w największej sypialni miasta, w dzielnicy Fordon, tyle że na przeciwległych jej krańcach. Wtedy kazał jednemu ze swych podwładnych, specjaliście od włamań, dorobić klucze do mieszkań panny Jesion i Ryszarda. Potem, gdy gospodarzy nie było w domu, wielokrotnie przeglądał ich rzeczy, zachowując wszystko w nienaruszonym stanie. Mógł to robić niemal codziennie, bo narzeczony całe dnie pracował w fabryce przyszłego teścia, a Monika chodziła na uczelnię. Kończyła studiować marketing i zarządzanie, pisała pracę dyplomową i wkrótce miała współzarządzać rodzinną fabryką.

Klim poznał zwyczaje obojga. Było to nowe doświadczenie w jego życiu, bo zetknął się z dziedzinami, które dotąd raczej go nie interesowały. Skoro jednak dla Moniki sprawy te były ważne, zatem i Cezary musiał dowiedzieć się, jakie ona i Ryszard lubią potrawy, jakie książki i filmy ich interesują, jakiej muzyki słuchają. Z kim się spotykają, z kim przyjaźnią. Wciąż było mu mało wiedzy o ukochanej, kazał więc innemu ze swych ludzi założyć podsłuch w mieszkaniach narzeczonych. Dzięki pluskwom wiedział ze szczegółami, co robią i o czym rozmawiają, gdy są sami. A właściwie - gdy wydawało im się, że są sami, bo przecież zakochany bandyta stał się sekretnym towarzyszem ich życia.

Uporczywie rozmyślał o tych dwojgu, mówił ich słowami, oddychał powietrzem, które chwilę wcześniej uszło z ich płuc. Stał się częścią życia obserwowanej pary, choć Monika i Ryszard nie mieli o tym pojęcia.

Bywał w mieszkaniu Jesionówny, które dostała od ojca po zdaniu matury. Młoda kobieta dawno temu nauczyła się samodzielności i, jak na dziewczynę z bogatego domu, była zdecydowanie poukładana. Rzadko imprezowała, a jeśli już, to nie z bracią uczelnianą, tylko w towarzystwie młodzieży z kręgów biznesowych oraz znajomych narzeczonego. W siermiężnych, typowo studenckich rozrywkach nie dostrzegała niczego interesującego.

Cezary wiele razy zachodził do trzypokojowego mieszkania, kiedy ukochana przebywała na uniwersytecie. Dotykał jej bielizny, wąchał kosmetyki, sprawdzał, jaki smak mają pomadki do ust. Czuł się prawie tak, jakby całował Monikę.

Odwiedził też kilkakrotnie apartament Ryszarda. Zachowując ostrożność, przejrzał dokumenty, potem na temat konkurenta sprawdził to i owo między ludźmi oraz w Internecie. Wiedział już o nim niemal wszystko - od tego, jakiej marki dezodorantu używa, po stan konta. Analizując zgromadzone informacje, zachodził w głowę, co Monika widzi w tym mężczyźnie. Przecież to księgowy! Pieprzony nudny księgowy, tak z wykształcenia, jak i z prowadzonego trybu życia. Latem dwa tygodnie na Majorce albo Dominikanie, zimą tydzień na nartach we włoskich Alpach. W niedzielę, razem z Jesionami, msza w kościele, a potem rodzinny obiad. Raz w miesiącu wypad z narzeczoną oraz przyjaciółmi do lokalu na kolację i tańce. Tak już prawie trzy lata, bo tyle czasu trwał jego związek z Moniką. A za rok ta rutyna miała zostać sformalizowana, bo właśnie wtedy miał nastąpić ślub Jesionówny z dyrektorem, prawą ręką jej ojca.

Młoda kobieta została wychowana w poczuciu ładu. Jej rodzina prowadziła życie bardzo uregulowane. I dostatnie, lecz nie ostentacyjnie wystawne. Ojciec poprzestał na tym, na czym się znał, czyli na produkcji obuwia, i nie wikłał się w żadne ryzykowne interesy. Ot, szewc, ale że w trzecim pokoleniu, więc już uładzony, kulturalny i dbały o dobrą opinię. W każdym razie nie pił i nie klął jak przysłowiowy szewc.

Klim poświęcił wiele czasu, uwagi i znaczne środki, by dowiedzieć się jak najwięcej o ukochanej oraz jej najbliższych. Dysponował już mnóstwem informacji, ale wciąż nie miał pojęcia, jak zdobyć Monikę.

Najpierw spróbował konwencjonalnej metody. Kilkakrotnie starał się zbliżyć do dziewczyny. Wpadał na nią, niby przypadkowo, w pubach, klubach i innych publicznych miejscach. Usiłował wzbudzić jej zainteresowanie na rozmaite sposoby. Zaczął od ogranych, ale zwykle skutecznych wabików: na kosztowny samochód, markowe ciuchy, zabawną gadkę. Ani razu nie osiągnął pożądanego skutku. Uznał wreszcie, że skoro młoda kobieta ma wszystko, czego jej potrzeba, zamożnością jej nie zaimponuje. Osobowością ani poczuciem humoru też - póki co - jej nie ujął, bo krótkimi ripostami ucinała wszystkie próby rozmowy, które podejmował.

Miesiąc po tym, jak zakochał się od pierwszego wejrzenia, zrozumiał, że Jesionówna spojrzy na niego inaczej dopiero wtedy, gdy jej świat zachwieje się w posadach. Kiedy zostanie naruszony fundament jej pewności siebie. Uznawszy, że wybranka musi stracić poczucie bezpieczeństwa, jeszcze raz przeanalizował wszystkie zdobyte dotąd informacje. Wkrótce opracował plan działania.

Cezary zakochał się po raz pierwszy w życiu. Miłość do Moniki wydawała mu się wielka, jedyna i ostatnia. Był zakochanym młodym mężczyzną, ale był też bandytą. A zawodowy przestępca, choćby najromantyczniej nastrojony, nie odczuwa moralnych rozterek, gdy dąży do celu.

Rozdział 15

Zmierzch zapadał, a on rozmyślał o Dance. Potem miał niespokojne sny. W środę obudził się zmęczony. Przez cały ranek działał w zwolnionym tempie, wciąż wspominając tragicznie zmarłą kochankę. Minęła jedenasta, zanim zjadł śniadanie, pobiegał wokół bloku, wziął prysznic, a następnie siadł do codziennej lektury lokalnej gazety. Wypił drugą kawę, wziął tabletkę z nikotyną, przeczytał w prasie wszystko, co go zainteresowało. Wtedy zadzwoniła Zuzanna. Nawet się nie zdziwił. „Jakbym przywołał ducha zmarłej kochanki" - pomyślał.

Pani Doktorowej widać bardzo zależało na pomocy Wirskiego, skoro zdobyła nie tylko jego adres, ale też numer telefonu.

- Panie Janku, czy ma pan sumę, o którą prosiłam? - spytała z marszu.

- Tak, jeśli wyjaśni mi pani, na co potrzebuje tyle gotówki - odparł.

Po drugiej stronie zapadła cisza, więc mężczyzna pomyślał, że rudowłosa nie zdradzi swego sekretu. Chciał już się rozłączyć, jednak Zuzanna odzyskała mowę.

- Jest pan u siebie w domu? - spytała, a gdy potwierdził, rzuciła: - Zaraz będę.

Faktycznie, była „zaraz". Ledwie skończyła połączenie, a już nacisnęła guzik domofonu. Musiała stać pod blokiem. Wirski wpuścił ją do budynku, potem do mieszkania.

- Czasem kobieta ulegnie porywom serca, czasem się zapomni... - zaczęła wyjaśniać swoją sytuację.

Opowiedziała, że jakiś czas wcześniej uwiódł ją pewien młody i przystojny mężczyzna.

– Ma na imię Jaro. To znaczy, posługuje się takim pseudonimem. Spotkaliśmy się tylko dwa lub trzy razy – zapewniła – ale ten drań od początku i z premedytacją zamierzał mnie wykorzystać. Niech pan sobie wyobrazi, panie Janku... Sfilmował nas w intymnej sytuacji, a teraz grozi, że mnie skompromituje. Chce pieniędzy za nagranie. Jak mogłam zaufać komuś takiemu?! Przecież godni zaufania są tylko dojrzali mężczyźni, prawda, panie Janku?

„Co się dzieje z tym miastem – pomyślał Wirski – z tymi ludźmi? Co z tymi kobietami?! Niby inteligentne, niby wykształcone, a w głupi sposób pakują się w kłopoty. Najpierw Justyna, teraz Zuza. Jakiś Tydzień Szantażu czy co?".

Zapanował nad emocjami, po czym umiejętnie podpytując kobietę, wyciągnął od niej szczegóły istotne dla sprawy. Wiarołomnym kochankiem okazał się ochroniarz z klubu „Magia", powszechnie znanego, ale nie cieszącego się dobrą reputacją. Lokal oferował niewyszukane uciechy, jednak zapewniał też dyskrecję, co było w cenie. Chcąc się tam zabawić, trzeba było mieć pieniądze. Nagranie, które mogło narobić kłopotów Zuzannie, pochodziło z kamer nadzoru klubu, a sam akt zdrady małżeńskiej dokonał się w jednym z pomieszczeń na zapleczu.

Kiedy Jan połączył w myślach to, co było mu od dawna wiadome na temat „Magii", z tym, co wyciągnął od Pani Doktorowej, wyszło mu, że bramkarz Jaro przeprowadził partyzancką akcję. Z jego próbą szantażu właściciel klubu nie miał chyba nic wspólnego. I dobrze, bo dzięki temu sprawę da się załatwić od ręki.

- Opróżniłam swoje konto - zakończyła smutną opowieść Zuzanna, pokazując gruby plik nowiutkich stuzłotówek przepasany banderolą prosto z banku. - Ale to tylko połowa sumy, jakiej żąda ten drań.

- Niech pani zda się na mnie. Proszę robić dokładnie, co każę, a jeszcze dziś załatwimy sprawę.

Pani Doktorowa jeszcze trochę pomarudziła, ponarzekała, lecz widać było, że cieszy się z pomocy.

Polecił jej zadzwonić do byłego kochanka i umówić się na wymianę gotówki na kompromitujący film. Najlepiej zaraz i na terenie klubu, który w południe był jeszcze zamknięty dla gości. Pierwszy punkt udało się uzgodnić od razu, widać gość potrzebował pieniędzy, jednak Jaro uparł się, że spotkanie musi odbyć się w jego mieszkaniu. Podał adres, a Wirski stwierdził, że lokal jest usytuowany w pobliżu klubu „Magia", w budynku przy sąsiedniej uliczce.

Włożył kurtkę niekrępującą ruchów i sportowe buty. Potem wsadził Zuzannę do swojego samochodu i pojechali na ulicę Chopina, o rzut kamieniem od Skłodowskiej-Curie, gdzie mieścił się klub „Magia".

Bramkarz był wzrostu Jana, na dodatek miał wydatne mięśnie prosto z siłowni. Do tego był trzy razy młodszy od Wirskiego. Zdziwił się, gdy zobaczył, że Zuzanna przyszła w towarzystwie.

- Ten dziadek tu po co? - spytał, wpuszczając przybyłych do mieszkania.

- Pokaż film - powiedział restaurator, od razu przechodząc do rzeczy.

- A może najpierw buzi? - odparł bramkarz złośliwie, po czym rozwinął myśl, posyłając kobiecie obleśny uśmiech. - Albo szybki numerek na przywitanie.

- Film - rzucił towarzysz szantażowanej. Nie miał zamiaru przekomarzać się z mięśniakiem.

Młody wzruszył ramionami, jeszcze raz krzywo uśmiechnął się do Zuzanny, w końcu podszedł do stolika w rogu pokoju, gdzie stał włączony laptop. Poszukał właściwego pliku, a gdy go znalazł, przywołał gości ruchem ręki.

Jan pochylił się na stolikiem, dostrzegając kątem oka, że rudowłosa odwraca wzrok, by nie patrzeć na ekran.

Nie była to dla niej komfortowa sytuacja, oj, nie była.

Ochroniarz puścił na pętli trwający kilkanaście sekund filmik, na którym było widać, jak Pani Doktorowa zdejmuje stanik, a nagi mężczyzna, właśnie Jaro, ściąga z niej majtki, po czym wsuwa dłoń między nogi kobiety.

- Reszta nagrania jest ciekawsza - powiedział ze złośliwym uśmieszkiem młodzian. - Tutaj wszystko zgrałem. Masz, Zuza, na pamiątkę.

Po tych słowach wyjął z kieszeni spodni pamięć przenośną w kształcie Myszki Miki.

- Ja to wezmę - stwierdził Wirski i zanim ktokolwiek zdążył zaprotestować, schował pendrive do kieszeni kurtki. - Teraz pani Zuzanna już sobie pójdzie, a my załatwimy resztę.

Rudowłosa wyszła bez słowa, postępując zgodnie z wytycznymi podanymi jej wcześniej przez pomagającego jej mężczyznę.

– Kasa – zażyczył sobie Jaro.

– Nazywam się Jan Wirski, jestem właścicielem restauracji „Kino Cafe" – zaczął Jan.

– Gówno mnie to obchodzi – przerwał mu bramkarz, prężąc muskuły. Demonstrował, czego może użyć, jeśli nie spełni się jego żądań. – Dawaj kasę!

– Nie obchodzi cię? A powinno, bo przecież chodzi o twoje zdrowie, a może nawet życie. Tak się składa, że pan Barciszewski, właściciel klubu „Magia", a twój szef, jest moim dobrym znajomym. Rozumiesz, Jaro, kolegujemy się, jak to między szefami. I wiesz, co ci powiem? Panu Barciszewskiemu nie spodoba się, kiedy usłyszy, że jakiś obszczymur szantażuje jego gości.

Młody poruszył się niespokojnie. Zaczynał rozumieć znaczenie słów nieproszonego gościa. Właściciel „Magii", Stefan Barciszewski, nie słynął z łagodności, choć starał się bywać na lokalnych salonach i brał udział w kwestach, udając filantropa. Nawet uszlachetniał swój wizerunek, podając się za krewniaka bohatera, ostatniego przedwojennego prezydenta Bydgoszczy, którego hitlerowcy zamordowali we wrześniu 1939 roku. Leonowi Barciszewskiemu wystawiono w mieście pomnik, Wirski wiedział jednak, że zbieżność nazwisk jest przypadkowa, bo rodzice właściciela „Magii" przybyli tu jako repatrianci zza Buga. Za to tajemnicą poliszynela było, że nie wszystkie interesy Stefana Barciszewskiego są legalne i że lepiej z tym człowiekiem żyć w zgodzie. Szeptano, że jak ktoś mu podpadnie, może się spodziewać wizyty zbirów zdolnych bić, podpalić, może nawet zabić.

Jan co prawda znał Barciszewskiego tylko z widzenia, ale założył, że przed zwykłym ochroniarzem może zablefować.

- Nie mam zamiaru bić się z tobą, Jaro, ani ci grozić czy cię straszyć - ciągnął, patrząc bramkarzowi prosto w oczy. - To, co zrobiłeś, to nie mój kłopot. O tym, co z tobą będzie, zdecyduje pan Barciszewski.

Dryblas pobladł. Zdążył przekalkulować, jakie konsekwencje grożą mu za szantażowanie znajomych szefa klubu. Restaurator czekał na ten moment.

- Pani Zuzanna prosiła mnie, bym dał ci szansę. No to daję, ale moja propozycja nie podlega negocjacjom.

Bramkarz głęboko odetchnął. Chyba z ulgą.

- Zapomnisz o istnieniu pani Zuzanny, a filmik zniknie. - Wirski podszedł do stolika z laptopem, chwycił przenośny komputer, po czym z całej siły uderzył nim o krawędź blatu. Urządzenie rozpadło się na kawałki, a były tajny agent schował twardy dysk do kieszeni.

Jaro poruszył się niespokojnie, więc Jan zareagował, zanim młodzianowi przyszło do głowy wziąć się do bitki.

- Ciesz się, że poniesiesz tylko takie straty - powiedział ostrym tonem. - Pamiętaj, że jeśli ukryłeś filmik gdzieś w sieci, na jakimś serwerze albo w chmurze, i nagranie wypłynie, już po tobie.

Klubowy ochroniarz skinieniem głowy potwierdził, że rozumie wagę sytuacji, więc starszy z mężczyzn uznał, że sprawa załatwiona.

- Radzę ci, nie bierz się za interesy, bo nie masz do tego wyczucia, jesteś za chciwy.

Bramkarz spojrzał na niego zdziwiony.

- No co tak patrzysz?! Przecież to głupota żądać za filmik dwudziestu tysięcy od żony pracownika naukowego.

- Jakich dwudziestu? - zdziwił się Jaro. - Chciałem pięć tysięcy na dług, co go mam u szefa, znaczy się u pana Barciszewskiego.

Wirski skrzywił się, bo na stworzonym jakiś czas temu w jego wyobraźni wizerunku Zuzanny pojawiła się kolejna rysa. „Ta cholera chciała mnie oskubać - podsumował w myślach, rozczarowany postępkami Pani Doktorowej. - Gdybym dopuścił, aby bez mojego pośrednictwa rozliczyła się z tym szczylem, miałaby z moich pieniędzy pięć tysięcy na czysto".

- Mam nadzieję, że już się nie spotkamy - powiedział i wyszedł.

Rudowłosa czekała na ulicy przy samochodzie, tak jak jej polecił.

- I co, panie Janku? - zaczęła się dopytywać. - Mam gwarancję, że jak zapłacę, nagranie nie będzie upublicznione?

- Nie będzie żadnego płacenia - odparł sucho. - Już po wszystkim.

- Jak pan to załatwił? - zdziwiła się, wyraźnie zaskoczona.

- Mam swoje sposoby - odrzekł poważnym tonem. - Może pani znów żyć jak przedtem. To znaczy żyć w spokoju. Proponuję jednak, by w przyszłości zachowała pani większą ostrożność w dobieraniu osób, z którymi się zadaje.

- Dostanę nagranie?

Zaskoczyła go tym pytaniem.

- Chyba lepiej zapomnieć o całej tej przykrej sprawie, prawda, pani Zuzanno?

- Chcę mieć ten film - stwierdziła twardo, po czym nagle zmieniła ton i uwodzicielskim szeptem złożyła

Wirskiemu dwuznaczną propozycję: - Dopiero wczesne popołudnie, może pojedziemy do pana? Jakoś uczcimy sukces? Może się zabawimy?

- Nie dziś, pani Zuzanno - odpowiedział, wciąż zachowując dystans.

- Ale załatwi mi pan to nagranie? - dopominała się rudowłosa. - Nie mogę pójść z tym do Jaro. Sam pan rozumie, nie wypada.

- Postaram się. Spróbuję.

Powiedziawszy to, obsztorcował sam siebie w myślach. „Piękna dama w opałach, a z ciebie dżentelmen do końca? Nie masz dość tej mało chwalebnej sprawy? Chcesz Zuzannę chronić na przekór niej samej? Przecież ta baba łże jak pies i puszcza się jak bura suka. Chciała cię wykorzystać na parę sposobów, nawet okraść! Nie jest wobec ciebie lojalna, a mimo to kłamiesz, zamiast dać jej Myszkę Miki z tym pożal się Boże pornosem z Panią Doktorową w roli głównej. Mówisz «spróbuję», ale już postanowiłeś, że nagranie raz na zawsze zniknie, przepadnie".

- Oczywiście spróbuję, pani Zuzanno - powtórzył.

Odwiózł kobietę do śródmieścia, sam zaś ruszył ulicą Jagiellońską. Skręcił w prawo i zaparkował pod hotelem „Słoneczny Młyn", nie zamierzał jednak korzystać z tamtejszej restauracji, po prostu z tego miejsca było blisko do rzeki. Przeszedł kilkadziesiąt metrów do mostu spinającego nad Brdą dwie części miasta. Zszedł po betonowych schodkach i ruszył biegnącym wzdłuż wody bulwarem. O tej porze dnia, na dodatek jesienią, mało kto tędy spacerował. W oddali widać było tylko jednego mężczyznę z psem. Wirski zatrzymał się, rozejrzał, czy nikt mu się nie przygląda, po czym wrzucił do wody twardy dysk z laptopa bramkarza. Leniwy nurt Brdy natychmiast zagarnął i wchłonął to, co miało zostać zapomniane.

Jan wrócił do samochodu i ruszył w stronę osiedla Kapuściska, gdzie stał jego blok. Kiedy wszedł do mieszkania, poczuł dojmujące zmęczenie. Najwyraźniej odwykł od tak stresujących zajęć jak negocjacje z szantażystami.

– Muszę strzelić sobie kawkę – mruknął, zdejmując buty. – Koniaczek też nie zawadzi.

Ściągając kurtkę, wyczuł w kieszeni nietypowy kształt. Pamięć przenośna zatopiona w kolorowym plastiku. Zapomniał o nośniku zawierającym film.

„Naprawdę zapomniałem?" – zadał sobie pytanie, lecz znał odpowiedź. Udawał, że nie pamięta o pendrivie, bo część Wirskiego nie chciała niczego wiedzieć o sekretnym życiu Zuzanny, ale druga, być może gorsza połowa mężczyzny, aż się skręcała z ciekawości, co kryje w swym wnętrzu Myszka Miki z końcówką USB.

Ściskając w dłoni pendrive, poszedł do kuchni. Włączył wodę, nasypał kawy do stalowego kubka przeznaczonego wyłącznie do tego napoju. Czekał, czekał i czekał, a czas potrzebny, by woda zawrzała, tego wieczoru wydłużał się irytująco.

– Nie będę przecież sam siebie oszukiwał – powiedział na głos Jan i ruszył do salonu.

Włączył laptopa, usiadł, pendrive z Myszką Miki wsunął do portu. Kliknął, otworzył jedyny folder widoczny w pamięci przenośnej. Wewnątrz był film w typowym formacie, ważący ponad pięćset megabajtów. Albo trwał kilkadziesiąt minut, albo miał bardzo wysoką rozdzielczość. „Naprawdę chcesz wiedzieć, co tam jest?". Decyzję podjął, zanim świadomie udzielił sobie odpowiedzi. Kliknął dwa razy ikonkę. Otworzył się ekran oprogramowania.

Film zaczynał się sceną, którą godzinę wcześniej puścił Jaro. Potem jednak ruchome obrazy ukazały zdarzenia, jakich Wirski się nie spodziewał. To nie był ukradkowy zapis sceny miłosnej dwojga ludzi połączonych romansem. Do rozebranej pary dołączył jeszcze jeden młody i nagi mężczyzna. Też napakowany. „Pewnie inny bramkarz" - pomyślał właściciel restauracji.

Nagranie okazało się dobrej jakości, więc aż nadto ukazywało szczegóły. Mięśniaki zajęły się rudowłosą. Niespecjalnie delikatnie. Jeden chwycił kobietę za ramiona, drugi za uda. Zawisła pomiędzy nimi. Ten od strony ud, mocno podniecony, zaraz wsunął sterczącego penisa między pośladki Zuzanny. Drgnęła, po czym zaczęła poruszać biodrami, dostosowując rytm do partnera. Jednocześnie oplotła ramionami talię drugiego bramkarza i sięgnęła ustami po jego członek. Unosiła się teraz w powietrzu dzięki dwóm krzepkim mężczyznom, którzy w sumie mieli tyle lat, co ona. Płynęła to w przód, to w tył, jej rozpuszczone rude włosy falowały jakby w zwolnionym tempie. Znajdowała się w stanie nieważkości, ale właśnie ona decydowała o rytmie, w jakim cała trójka się poruszała. Wszystko wskazywało, że z tej erotycznej gry satysfakcję czerpie przede wszystkim Pani Doktorowa.

Wirski nie był pruderyjny i oglądana scena nie szokował go w kategoriach poznawczych. Ot, jeszcze jedna orgietka utrwalona nie wiadomo po co. Uderzyło go co innego - obraz zaprzeczał wyjaśnieniom Zuzanny. O intymności, o romansie nie było mowy. Z boku stała nawet jeszcze jedna para, naga kobieta i przytulony do niej mężczyzna w garniturze. Jan nie przyjrzał się już tym uczestnikom orgii. Miał dość wszystkiego, co wiązało się z rudowłosą. Oszukała go w sprawie rodzaju ich znajomości. Oszukała go co do charakteru jej relacji z bramkarzem. Oszukała go, mówiąc, że film zrobiono bez jej wiedzy. Oszukała go, zamierzając wyłudzić pieniądze.

Poczuł niesmak - dosłownie i metaforycznie. Odechciało mu się kawy, odechciało koniaku. Wyrwał pendrive z laptopa i wrzucił go do kosza na śmieci. Zdenerwowany poszedł do łazienki. Otworzył apteczkę i wyjął rezerwową paczkę papierosów. „Całe to rzucanie palenia można o kant dupy potłuc" - podsumował w duchu, pocierając zapałką o draskę. Zaciągnął się dymem. Tworzony od miesięcy wizerunek Zuzanny, kobiety wrażliwej i z klasą, runął w gruzy.

„Jak kochają mężczyźni? Pewnie inaczej niż kobiety - zakonkludował. - Dla mnie ta baba jest już martwa".

Rozdział 16

Tak się rozzuchwalił albo raczej tak mu się spieszyło, że po drodze zgarnął kolejną młodą kobietę. Nie wyglądała dobrze, pomyślał więc, że to pewnie jakaś ćpunka, może bezdomna, ale uznał, że nie jest ważna historia jej życia. Ważne, że w kobiecie płynęła krew.

Wystarczyło zagadać do nieznajomej, a zaraz chciała się przyjaźnić. Poczęstował ją papierosem, zaproponował posiłek. Chętnie przystała na to, by pójść do Marczyka. On prowadził rower, ona opowiadała o czymś, co puszczał mimo uszu. Wolnym krokiem doszli do jego domu. Tomasz szybko się uwinął i w ciągu kwadransa udało mu się wycisnąć z kolejnej samobieżnej tuby prawie pięć litrów farby.

„Znowu trzeba wyrzucić śmieci" - zrozumiał, patrząc na martwą ćpunkę. Stał nad zwłokami i spoglądał to na nie, to na wielką ciemną plamę pośrodku ściany.

Przypomniał sobie głos, który wcześniej słyszał, i obraz, który ujrzał. Poczuł metaliczny zapach krwi. Krew, tak, chodzi o krew. Nie było przypadku w tym, że sięgnął właśnie po krew. Przeczuwał, jakie miała znaczenie. „Nic dziwnego, jestem geniuszem" - przyznał się przed samym sobą. Krew była nie tylko farbą, ale też ożywiała wspomnienia. Marczyka wypełniało przekonanie, że krew przywróci, odnowi jego miłość. Za pomocą krwi dokona się obrzęd przejścia!

Miał pewność, że dzięki takim zabiegom wróci ukochana kobieta. Że też wcześniej na to nie wpadł! Ożywi swoją miłość. Znów będzie mógł jej dotknąć, przytulić ją, kochać się z wybranką. Poczuje jej zapach. Usłyszy głos. I głowa przestanie go boleć. Na razie jednak czuł, jak opuchlizna wewnątrz i na zewnątrz czaszki pulsuje, tłumiąc jego umysłowe zdolności.

Znów spojrzał na zabitą kobietę. No tak, musi pozbyć się ciała. Znów kłopot, ale jest przecież wielkim artystą, geniuszem. Co to dla niego wyrzucić tubę po farbie? Poszedł do kuchni i z szafki pod zlewozmywakiem wyjął kolejny jutowy worek po ziemniakach.

Nie miał problemów z podniesieniem zwłok z podłogi. Ćpunka była bardzo szczupła, za życia ważyła niewiele. Teraz, gdy się wykrwawiła, schudła kolejnych pięć kilogramów.

Zgiął jej ciało w taki sposób, aby głowa dotykała stóp, po czym wcisnął do worka. Ułożył ciężar na ramieniu i wyszedł z mieszkania. Zachowując ciszę, zszedł do piwnicy, wystawił rower. Ładunek ułożył w koszu nad tylnym kołem.

Choć dopiero minęła dziewiąta wieczorem, na pobliskich ulicach nie było już przechodniów. Jak zwykle o tej porze w tej dzielnicy wielu zdążyło zasnąć, a inni byli pijani albo martwi. Nawet policyjne wozy nie patrolowały tego obszaru po zmroku. Marczyk jechał więc pustymi ulicami, z rzadka mijał go jakiś samochód. Morderca pedałował niespiesznie, aż dotarł do rzeki. Nie miał daleko.

Woda, czarna jak niebo o tej godzinie, płynęła leniwie. Tomasz zsiadł z roweru, oparł go o balustradę chroniącą nabrzeże. Wyjął ładunek z kosza. Stanął na brzegu utwardzonym betonem, wychylił się i zrzucił worek z ciałem.

Rozległ się plusk wody, ale tylko część pakunku trafiła w smolisty nurt. Przez chwilę wypchany worek kołysał się na wodzie, wreszcie zamarł w jednej pozycji. Nie poszedł na dno. Większa jego część utkwiła na wybetonowanym brzegu. „A nich leży" - pomyślał Marczyk. Było mu obojętne, jaki los czeka coś, co wyrzucił.

Rzece też było to obojętne. Płynęła, nie okazując zainteresowania ludzkimi sprawami. Miastu również było wszystko jedno, bo zapadło już w letarg. Domy znikały w mroku, a ulice w szarówce, bo włączono co drugą latarnię. Malarz nie myślał już o dziewczynie leżącej w worku na brzegu rzeki. Miał przed sobą ważniejsze zadania. I głowa znów go rozbolała. Chciał tylko wsiąść na rower i wrócić do domu.

- Ej, obywatelu! - Usłyszał tuż za sobą. - Co to, nielegalnie pozbywamy się śmieci?

O tej porze zwykle nie spotykało się tu patroli, ale akurat teraz się pojawił. Mieszany, policjant ze strażnikiem miejskim.

- Dokumenty.

W Marczyku włączył się instynkt samozachowawczy. Skulił się, by w półmroku nie dostrzegli jego twarzy.

Powoli zmienił pozycję, aby pomiędzy nim a funkcjonariuszami znalazł się rower. Teraz mundurowi mieli za plecami balustradę. Poniżej widniał brzeg kanału. Betonowe płyty biegły stromo w dół, aż do lustra wody.

- Panie władzo, ja nic złego nie chciałem - błagalnym tonem powiedział Tomasz. - Już daję dowód.

Zamiast wyciągnąć dokumenty, nagłym ruchem uniósł rower i rzucił nim w przeciwników. Nie zdążyli odskoczyć.

Metalowa konstrukcja uderzyła w mężczyzn, popchnęła ich w stronę krawędzi. Policjant ucierpiał bardziej od strażnika. Pod ciężarem roweru wpadł na barierkę, i to tak mocno, że przeleciał nad nią, po czym potoczył po betonowych płytach. Zdążył tylko krzyknąć.

Jego partner stał zdezorientowany. Przez krótką chwilę nie mógł podjąć decyzji, czy rzucić się na napastnika, czy raczej udzielić pomocy koledze. Wreszcie wybrał to drugie.

Malarz wykorzystał zamieszanie. Dobrze znał okolicę, wszystkie skróty, przełazy, więc zdołał uciec. Zanim strażnik wciągnął policjanta po krzywiźnie umocnienia brzegu, zanim o incydencie zawiadomili przez radio sąsiednie patrole, a potem ruszyli szukać napastnika, Tomasz Marczyk znikł w zakamarkach miasta.

Morderca stracił środek transportu, ale nadal był nieuchwytny. I wciąż potrzebował farby, by powróciła miłość.

Rozdział 17

Przy czwartkowym śniadaniu Jan przyłapał się na tym, że znów myśli ciepło o Baśce. Dbała o niego, pamiętała o drobiazgach. Poprzedniego dnia wieczorem, po spotkaniu z Zuzanną i jej szantażystą, wpadł do „Kina Cafe" na posiłek. Był tam najwyżej pół godziny, lecz wspólniczka i tak go dopadła. Powiedziała coś miłego i wcisnęła paczuszkę ze smakołykami, kremówką i kawałkiem strudla prosto z pieca. „Idealny materiał na żonę. Do tego całkiem ładna. Tak, tak, ale nie w moim typie. No właśnie, ten mój typ... - zafrasował się Wirski. - Czy ja aby nie przesadzam w tym zafiksowaniu na chude i rude?". Może i przesadzał, lecz w tej chwili dał sobie spokój z autoanalizą. Znów go naszło, chciał zapalić. A że rozmyślał o swej skłonności do określonego typu kobiet, przypomniała mu się Zuzanna baraszkująca z dwoma mięśniakami.

Sięgnął po tabletkę. Po chwili organizm odpuścił, bo głód nikotynowy został zaspokojony. Pozostał jednak niepokój wywołany wspomnieniem erotycznej sceny sfilmowanej w klubie. Coś tam było nie tak, bardzo nie tak. Jan czuł, że nie chodziło o rozczarowanie rudą znajomą. Przecież jako miłośnik filmu zdawał sobie sprawę, że to, co go spotkało, było klasyką, kwintesencją czarnego kryminału. Twardziel ufa kobiecie, a ona go wystawia, jak femme fatale w *Sokole maltańskim,* oszukująca samego Bogarta. Nie, w nagraniu z klubu co innego się nie zgadzało, co innego go niepokoiło.

„Skoro tak cię korci, możesz obejrzeć tę scenę jeszcze raz. Możesz nawet obejrzeć całe nagranie. Myszka Miki nadal leży w koszu na śmieci. Tylko że ty nie chcesz oglądać pornosa z Panią Doktorową - napomniał samego siebie. - W ogóle wymaż tę kobietę z pamięci, bo życie Zuzanny to nie twoja sprawa. Pani Doktorowa już cię nie obchodzi".

Skupił się na ssaniu pastylki, a potem na zwykłych porannych czynnościach. Zdążył już wypić kawę i uraczyć się próbką cukierniczego talentu szefa kuchni „Kina Cafe". Co prawda, skoro rzucał palenie, groziło mu przytycie, jednak wcześniej odbył codzienny obowiązkowy bieg wokół bloku. A właściwie trucht. Lecz choć tego dnia wysiłek rozłożył w czasie, nie zmniejszył odległości do pokonania. Trzy okrążenia budynku. Spalił nadmiar kalorii, więc teraz, rozparty w fotelu, mógł spokojnie sięgnąć po lokalną gazetę kupioną w kiosku podczas ćwiczeń. Od razu rzucił mu się w oczy nagłówek na pierwszej stronie. W artykule opisano odkrycie porzuconych pod muzeum zmasakrowanych zwłok kobiecych, a potem postawiono hipotezę, że w mieście grasuje seryjny morderca.

„Pewnie Józio ma z tym urwanie głowy. - Westchnął w duchu. - Bo co może być dla policjanta gorszego od grasującego po ulicach świra, który morduje według sobie tylko wiadomego klucza? Jeśli to autentyczny wariat, raczej szybko go złapią. Ale jeżeli faktycznie psychopata, do tego bystry, ofiar może być jeszcze sporo".

Przemknęło mu przez głowę, że miasto, w którym się urodził i po latach znów zamieszkał, dawno już straciło niewinność. „Miasto to potęga i moc, ale nie zawsze chwała -

ciągnął swe rozważania. - Po ulicach drepczą, biegają, jeżdżą istoty nieświadome stanu rzeczy, a pośród nich grasują straszne stwory trudne do wypatrzenia, bo o przeciętnym wyglądzie. Mają jednak nieprzeciętne pragnienia. Pożądają władzy skrytej lub jawnej, jak bandyci albo mój brat. Czy do takich drapieżników należy twórca aktów Justyny? Chyba nie. Pewnie z niego bardziej ścierwojad niż drapieżca, wystarczy więc pogrozić mu grubym kijem. Moje miasto się zmieniło - dalej dumał Wirski. - Zmieniło na gorsze. Zbrodnia rzadko tu kiedyś gościła, bo mieszczanie z dziada pradziada są zwyczajowo legalistami, nade wszystko cenią porządek. Społeczność jednak się zmieniła, wielu dokądś wyjechało, wielu skądś przyjechało. Zmienili się zresztą nie tylko ludzie, ale i okoliczności. Wszystko na gorsze".

Przyłapał się na tym, że zrzędzi. „Zrobił się ze mnie rozgoryczony stary piernik. Nic dziwnego, że jeszcze nie rozwiązałem sprawy aktów Justyny. Ja też zmieniłem się na gorsze".

Fakt, stał się restauratorem, od dawna nie wąchał prochu ani krwi. Pewnie dlatego, zamiast rozwikłać zagadkę, zajmował go dylemat, czy ruszyć na drapieżnika godnie, jak przystało na praworządnego obywatela, czy raczej dążyć do siłowej konfrontacji. Kiedyś sam zamieniłby się w drapieżnika, aby bezwzględnymi metodami szybko i skutecznie zamknąć sprawę. Dziś był już kimś innym, a ten ktoś miał zbyt mało danych, by podjąć decyzję, jak postąpić. Rozważania nad tymi kwestiami zaowocowały jednak pewnym skutkiem ubocznym - wpadł mu do głowy pomysł na kolejny wieczór filmowy w „Kinie Cafe".

Rozmyślając o miejskich drapieżnikach, przypomniał sobie dwie fabuły sprzed lat. Wydawać się mogły skrajnie odmienne, lecz wiele je łączyło. Uznał, że wyświetli te filmy na jednym z kolejnych środowych pokazów i opatrzy przedmową, by zainspirować gości do dyskusji po projekcji. „Takich rozmów, wiadomo, nie prowadzi się o suchym pysku i pustym żołądku, więc nie tylko zwrócą się koszty, ale i jakiś zysk wpłynie do kasy". Uśmiechnął się, rozbawiony swoją biznesową przebiegłością.

Skupił się, próbując odtworzyć, co z tych filmów zostało mu w pamięci. *Duch i Mrok*, wyreżyserowany przez Stephena Hopkinsa, i *Powiew pustyni* Lavinii Currier. Pierwszą z ekranowych opowieści oparto na autentycznych wydarzeniach, do których doszło pod koniec dziewiętnastego wieku w trakcie budowy mostu przez rzekę Tsavo w Brytyjskiej Afryce Wschodniej. Bohaterowie, brytyjski inżynier pułkownik John Paterson i zawodowy myśliwy Remington, reprezentowali w tej historii cywilizację, technologię, prawo. Ich przeciwnikami były nieokiełznane, sprytne drapieżniki, dwa lwy, nazwane przez krajowców Duch i Mrok, które zasmakowały w ludzkim mięsie. Z kolei w *Powiewie pustyni* Augustin Robert, oficer zdobywającej Egipt armii napoleońskiej, wędruje przez Saharę i niemal zginąwszy na pustyni, trafia do oazy, którą włada lampart.

Lwy to zło wcielone, ale lampart jest naturalną potęgą, składową natury. Paterson i Remington robią wszystko, by Duch i Mrok zginęły. Augustin Robert przyłącza się do drapieżnika. Paterson i Remington, za pomocą przemyślnych pułapek i karabinów, toczą wojnę z ludojadami.

Robert odkłada broń, zrzuca odzież, maluje ciało gliną, nawet przestaje poruszać się jak człowiek. Staje się lampartem. Inżynier i myśliwy w konfrontacji z drapieżnikiem ponoszą wielkie straty. Napoleońskiemu oficerowi udaje się przetrwać w skrajnych warunkach, bo stał się drapieżnikiem.

Wirski miał już koncept. Ciekawe, czy Baśce się spodoba? Czy przyjaciółka tak samo jak on odczyta przesłanie, czy raczej skupi się na tym, co ponure w tych filmowych historiach? „Przecież, bądź co bądź, Afryka Wschodnia, Sahara i duże miasto to jeden pies - zakonkludował. - Drapieżniki są skuteczne, bo przystosowane do środowiska, co zawsze daje przewagę. Pokonać dzikiego łowcę można tylko wtedy, kiedy pozna się jego zwyczaje".

Znów wrócił myślą do sprawy zleconej mu przez starszego brata. Zbyt długo pozostawał poza branżą, więc nie znał nowych ścieżek, którymi przemykali przestępcy w jego własnym mieście. Uznał, że dopiero kiedy się pozorientuje co i jak, zdecyduje, czy szantażystę Justyny postraszyć prawem, czy po prostu obić mu mordę. Wczorajsza przygoda z Zuzanną uzmysłowiła mu, że wkoło aż roi się od pomniejszych padlinożerców. Możliwe, że kłopoty bratanicy są dziełem jednego z nich, a nie prawdziwego drapieżcy.

Rozdział 18

Marczyk wrócił do mieszkania. Wciąż dręczyła go myśl o roli krwi w przywracaniu wspomnień, w odzyskaniu obrazu ukochanej kobiety. On tego pragnął, ona tego się domagała, więc potrzebował dużo krwi, aby uzyskać pożądany skutek.

Sprawdził, czy nadal ma nóż w wewnętrznej kieszeni kurtki. Nie zgubił narzędzia podczas ucieczki. Czuł niepokój, jednak nie była to obawa przed policją. Bo niby jak mieliby go znaleźć? Miasto jest duże. Tomaszem targała obawa, że jego pragnienia mogą się nie ziścić. Musiał wziąć się w garść. Skoro miał konkretne zamiary, powinien wrócić na ulicę. Natychmiast to zrobił.

Głowa go bolała, co jakiś czas słyszał tylko szum płynący z wnętrza czaszki. „Mój mózg jest niczym morze - stwierdził. - Faluje myślami, dlatego słyszę szum przyboju".

Przeszedł nerwowym krokiem jedną ulicą, potem drugą, aż zobaczył dwie dziewczyny. Stały na przystanku tramwajowym i paliły papierosy. Były w sam raz - młode, szczupłe i niewysokie. Łatwo mu będzie je wyrzucić, gdy już wyciśnie z nich farbę.

Podszedł bliżej, stanął za wiatą przystanku i przysłuchiwał się rozmowie.

- Jeszcze pięć minut - powiedziała jedna, sprawdzając czas na wyświetlaczu telefonu komórkowego. - Tylko żeby było warto, Kaśka, bo na jakieś zadupie jedziemy.

– Coś ty, będzie super. – Ta nazwana Kaśką się roześmiała. – Munio student mówił, że ten gościu to jakiś doktor z jego uczelni. Żona wyjechała na parę dni, to rozumiesz, dlaczego robi imprezę w czwartkowy wieczór. Gościu ma dom jak pałac, a w piwnicy bar z lustrami. Pełny wypas. Od pętli tramwajowej ma być dziesięć minut świńskim truchtem.

– Tylko jak my wrócimy? Trzeba jakąś podwózkę załatwić.

– Nie bój nic! – odparła Kasia. – Mamy wejściówkę na wypasioną imprę, to jakiś gościu z bryką musi się tam znaleźć. Najwyżej ręcznie mu motywację postawimy na sztorc.

Ta pierwsza roześmiała się, rzucając kilka słów, z których wynikało, że już nie raz z przyjaciółką dawały sobie radę w trudniejszych sytuacjach.

Marczyk stał za wiatą przystanku, dziewczyny nadal nie były świadome jego obecności. Patrzył na nie łakomie. Gadały i gadały. Przestał słuchać. W głowie, oprócz bólu, falowało jego wewnętrzne morze.

Dochodziła dziesiąta wieczór, koleżanki zaczęły się niecierpliwić. Malarz przeciwnie – czekał cierpliwie. Wreszcie z łoskotem nadjechał tramwaj linii numer sześć. Zatrzymał się, z wagonów wysiadło kilku pasażerów. Kaśka z przyjaciółką wskoczyły do drugiego wagonu, a za nimi Tomasz. Ani one, ani on nie myśleli kasować biletu. Oprócz nich w pojeździe znajdowały się jeszcze dwie osoby, staruszka i grubawy nastolatek.

Kaśka usiadła pierwsza, a przyjaciółka usadowiła się przed nią i odwróciła, by mogły rozmawiać twarzą w twarz. Szeptały, chichotały. Marczyk zajął odległe miejsce w tyle wagonu. Przyglądał się, jak dziewczyny rozpinają płaszcze, obciągają na biodrach kuse żakieciki, poprawiają lawendowe topy i błyszczące spódniczki. Wówczas ta druga dostrzegła ponad ramieniem Kaśki, że Tomasz je obserwuje.

- A ten czego chce? - burknęła, wyzywająco spoglądając mężczyźnie w oczy.

Kaśka też się odwróciła. Teraz obie patrzyły ostro na Marczyka, który nie wiedział, jak zareagować, więc uciekł wzrokiem. Udał, że zainteresowało go coś za oknem.

Tramwaj przejechał kilka przystanków. Ktoś się dosiadł, ktoś wysiadł. Przez cały czas upadły malarz dyskretnie obserwował upatrzone obiekty.

Tramwaj sunął ulicą porośniętą z obu stron drzewami, słabo już widocznymi w jesiennych ciemnościach. Zmierzał w stronę granicy miasta, na odludzie, co odpowiadało Tomaszowi. Hamulce znów zazgrzytały, pojazd zatrzymał się na kolejnym przystanku. W wagonie pozostała tylko trójka podróżnych.

- Gościu chyba nigdy nie miał takich lasek jak my - powiedziała Kaśka, wskazując spojrzeniem Marczyka.

Koleżanka zachichotała, też popatrzyła na mężczyznę. Nie widziała, że prowokuje tym zdesperowanego kochanka, że przyspiesza bieg wypadków.

- Czy wiecie, że jesteście doskonałe? - odezwał się niespodziewanie, teraz już jawnie wpatrując się w nastolatki. - Jesteście doskonałe!

Zaczął ciężko oddychać, jego głos stał się chrapliwy.

- Jesteście w sam raz - zamruczał.

Przyglądały mu się uważnie, ale też z lekkim obrzydzeniem, jak czemuś tak bardzo paskudnemu, że aż pięknemu, czemuś, co swoją brzydotą przykuwa uwagę.

- Nie jesteśmy w sam raz, jesteśmy lepsze - uszczypliwie odparła Kaśka.

Postanowiła podtrzymać rozmowę, bo do końcowego przystanku było jeszcze daleko, a nieznajomy stanowił jakąś rozrywkę w podróży.

- Tę kurteczkę, gościu, to masz chyba jeszcze od pierwszej komunii? O, nawet ją zarzygałeś! No nie, zaraz padnę! - wyzłośliwiała się dziewczyna.

Nie odpowiedział. Spojrzał na przód kurtki. Faktycznie, była poplamiona. „Krew... - pomyślał i od razu napomniał samego siebie: - No właśnie, krew. Przecież po to jedziesz z tymi dwiema".

Gwałtownie wstał, ale że w tej samej chwili wagonem zatrzęsło, chwycił się oparcia siedzenia, by utrzymać równowagę. Takie trudności go nie powstrzymały. Trzymając się jedną ręką oparcia, drugą wyjął nóż z wewnętrznej kieszeni kurtki. Zaczął mamrotać coś pod nosem.

- Gościowi odwaliło na maksa! - krzyknęła Kaśka.

Bacznie obserwowała mężczyznę, który teraz kiwał się w rytm szarpnięć tramwaju. Niezrozumiałe pomruki, które dotąd wydawał, zmieniły się w jękliwy zaśpiew. Przyjaciółki poczuły się jeszcze bardziej nieswojo.

- Kaśka, odpuszczamy imprezę! - krzyknęła ta druga. - Spadamy na przystanku!

Pojazd toczył się z łoskotem po szynach. Nie zamierzał stawać. Marczyk kołysał się w rytm jazdy i nucił coraz głośniej. Przyczepił się do niego jakiś motyw muzyczny usłyszany nie wiadomo gdzie i kiedy. Gdzie go słyszał, przecież telewizora i radia od dawna nie miał? Do tego jeszcze bolała go głowa, morze w niej szumiało. I ta melodia, dręczące dźwięki, które musiał z siebie wyrzucić.

Tramwaj wypadł na prostą, już się nie kołysał. Tomasz poczuł pewny grunt pod nogami i ruszył w stronę nastolatek.

Był blisko. Zerwały się na nogi, podbiegły do drzwi.

– Spadamy, jak tylko tramwaj stanie! – zakomenderowała Kaśka.

Przyjaciółka odpowiedziała skinieniem głowy. Była blada jak papier kredowy.

– Krew to wieczność! – wrzasnął malarz.

Dziewczyny rzuciły się do drzwi i zaczęły szarpać za uchwyty. I wtedy pojazd gwałtownie zahamował. Marczyka rzuciło w tył wagonu. Koleżanki jeszcze raz szarpnęły za uchwyty i drzwi stanęły otworem. Nastolatki wyskoczyły i rzuciły się do ucieczki w przeciwną stronę niż kierunek jazdy tramwaju. Mężczyzna dopiero wtedy podniósł się z podłogi, nie miał więc szansy, by dogonić niedoszłe ofiary.

– Nie wy, to będą inne! – krzyknął za nimi i wrócił na fotelik, na którym wcześniej siedział.

Schował nóż do kieszeni, przycisnął policzek do chłodnej szyby okna i dalej nucił. Kiedy i gdzie usłyszał tę dręczącą melodię? Pewnie na ulicy albo przez otwarte okno.

Dojechał do pętli. Poczekał, aż motorniczy wysiądzie, wypali papierosa, pociągnie łyk z plastikowej butelki, wsiądzie i znów uruchomi pojazd.

Marczyk wysiadł na przystanku w pobliżu domu i wrócił do mieszkania. Czuł zniechęcenie. Ułożył się na podłodze w salonie, tuż przy ścianie. Zapadł w sen, w którym kochał się z piękną kobietą o skórze barwy świeżej krwi.

Rozdział 19

Odebrał telefon od młodszego brata. Górek powiedział, że czeka na dole. Cezary włożył marynarkę, pocałował żonę i dziecko.

– Tatuś musi iść do pracy – powiedział do syna, po czym wyszedł. Faktycznie, szedł do pracy. No bo jak inaczej nazwać codzienne zajęcia, którymi zarabiał na życie?

Chwilę trwało, nim odszukał wóz brata.

– Ty się ciesz, że w ogóle znalazłem jakieś miejsce do parkowania – mruknął kierowca, słysząc uwagę, że mógłby stanąć bliżej. – Ty za miasto się przenieś. W centrum i tak rezydujesz w knajpie pana Kazimierza, to po co ci taki kłopotliwy lokal?

– Tu jest dobrze – odparł Cezary, siadając z przodu. – Fabryka jest w mieście, atrakcje są w mieście. Monika woli być tutaj i ja też. Koniec dyskusji. Co mamy dziś do roboty, brat?

– Dzwonił pan Kazimierz, że ktoś od niego przywiezie świeże mięso do klubu. Trzy laski z prowincji, po siedemnaście, osiemnaście lat. Kazał przetestować, czy do roboty się nadają.

– Czym ty mi dupę zawracasz? – zdenerwował się starszy Klim. – Żonę mam! Chcesz, żebym jakiegoś syfa złapał?

– Miałem ci powiedzieć, to powiedziałem – odparł Górek ze stoickim spokojem. Spełnił obowiązek, i tyle. Dobrze wiedział, że od kiedy brat związał się z Moniką, przestał zadawać się z laskami.

Pojechali do klubu, którego zarządzanie parę lat wcześniej pan Kazimierz powierzył Cezaremu. Nowe panienki już czekały. „Dziewczyny jak dziewczyny" - oszacował je starszy Klim. Potem kazał sprowadzić Szczypiora i jeszcze kogoś, by się nimi zajęli. Wrócił z bratem do wozu i pojechali do jednego z dłużników szefa. Gość miał szczęście, bo zdążył przygotować gotówkę. Nie całą należność, ale na tyle dużo, że nie wypadało go pobić. Zawieźli kasę zwierzchnikowi, a ten odnotował sumę w swoim zeszycie. Potem kazał braciom usiąść i wyłożył, jakie ma dla nich zadanie.

- Pamiętasz, Cezary, Pyrskiego? - spytał na początek.

- Załatwialiśmy mu słupy pod lewe kredyty. Parę milionów wtedy zgarnął.

- Właśnie o te parę milionów chodzi. Wyobraźcie sobie, chłopaki, że Pyrskiemu zachciało się wybić na niepodległość.

Widać było, że pan Kazimierz jest niezadowolony. Co prawda skrywał emocje, ale przypominająca kształtem siódemkę blizna na policzku, zwykle niemal biała, teraz silnie poróżowiała.

- Pyrski legalny interes sobie za te miliony otworzył - kontynuował stary bandyta - a potem zapomniał się ze mną rozliczyć.

- Znaczy się, trzeba gostka połamać - podsumował Górek.

- Połamiesz go później, młody, dla zasady - wyjaśnił pan Kazimierz. - Najpierw Pyrski musi oddać kasę. Porwiecie mu córkę, to gnój zmądrzeje.

Cezary zamarł, jednak postarał się nie okazywać uczuć. „Tylko tego brakowało - pomyślał. - Tak niewiele pozostało, by domknąć wielki plan. Tak blisko zakończenia, a ten stary pierdziel chce mnie wkręcić w porwanie!".

- Kiedy? - spytał z kamienną twarzą.

- W przyszłym tygodniu jestem umówiony z Pyrskim. Jak dalej będzie kręcił, wkroczycie do akcji - wyjaśnił zwierzchnik. - Pomyślcie, gdzie dziewczynę zabunkrować. Uważajcie, bo to już nie dzieciak. Ma siedemnaście lat, może coś kombinować, więc nie możecie jej spuszczać z oka.

Dyspozycje zostały wydane. Nikt nie miał chęci na pogaduchy, więc Klimowie, jak przyszli, tak poszli. Mąż Moniki już od rana rozmyślał nad swoim pierwszym życiem. Prawdę powiedziawszy, miał dość tej roboty. Miał jej dość - i na ten dzień, i na resztę życia.

Górek wysadził go w pobliżu domu i gdzieś pojechał. Cezary nie pytał brata, co ma w planach. Chciał oderwać myśli od kłopotów. Niech reszta tego dnia będzie sympatyczna.

Zaszedł do pobliskiej cukierni, kupił ciasto i niespiesznym krokiem ruszył do swojej kamienicy. „Jak tak dalej pójdzie, zostanę spaślakiem" - pomyślał. Fakt, od dwóch lat rzadko zaglądał na siłownię, zwykle raz w tygodniu razem z żoną. On ćwiczył swoje, ona jakiś pilates czy inny fitness.

„Mam trzydziestkę na karku i jak nie będę dbał o kondycję, obrosnę tłuszczem. Ale póki co... - zaśmiał się w duchu - ...Monika zapewnia mi tyle wysiłku, że kalorie się do mnie nie kleją".

Wszedł do mieszkania. Dziecka nie było, pewnie opiekunka zabrała je na spacer. Położył ciasto na stole w kuchni. Z pokoju, w którym Monika urządziła sobie miejsce do pracy, płynęła cicha muzyka. Jakiś klasyczny utwór znany Klimowi, tyle że nazwisko kompozytora akurat uleciało mu z pamięci. Otworzył drzwi. Żona siedziała przy biurku. Na ekranie laptopa przeglądała projekty reklam obuwia marki Jesion zamówione w kilku firmach. Od tygodnia rozważała, jaką strategię przyjąć, by przebić konkurencję.

Pochylił się nad nią, po przyjacielsku pocałował w czoło. Nie chciał jej rozpraszać, skoro tak się angażowała w rodzinny biznes. Cofnął się, usiadł na krześle stojącym pod ścianą. Z tej pozycji, od tyłu i trochę z boku, przyglądał się żonie. Miała na sobie bladoróżową trykotową sukienkę ściśle opinającą ciało, którą często nosiła po domu. Tkanina seksownie kontrastowała z jej smagłą skórą.

Monika oderwała wzrok od ekranu, odwróciła głowę, spojrzała na Cezarego. Posłała mu uśmiech. Potem wstała i kołyszącym krokiem podeszła do męża.

Pocałowała go w usta. Potem odsunęła się i szybkim ruchem zrzuciła sukienkę. Miała na sobie różowy stanik i majtki. Znów przybliżyła się, sięgnęła do spodni Klima. Rozpięła pasek, potem suwak rozporka. Kilkoma szarpnięciami ściągnęła z męża spodnie i bieliznę. Teraz siedział przed nią w skórzanej marynarce i bawełnianej koszuli. Był podniecony.

Monika, nadal bez słowa, zdjęła stanik i majtki. Była smagłą brunetką, włosy miała mocne, gęste i szybko rosnące, więc z uporem usuwała je z podbrzusza, pach i nóg.

Zgodnie z coraz popularniejszym zwyczajem depilowała dokładnie całe ciało, ale na głowie pozwalała działać naturze, choć oczywiście pod kontrolą stylisty. Efektem była bujna koafiura z długich pasm układanych w przemyślną plątaninę fal. Teraz te brunatne loki zawisły nad twarzą Cezarego, po czym przesunęły się niżej.

Otarła się biustem o jego penis. Wykonała kilka kolistych ruchów. Potem wsunęła członek pomiędzy rozkołysane piersi i ścisnęła je dłońmi, tworząc ciasny kanał dla prącia. Poruszała biustem w górę i w dół, pocierała językiem żołądź, gdy ta wychylała się spomiędzy półkul.

Cezary czuł, jak nabrzmiewa, jak zbliża się do spełnienia. Ona też to czuła. Wzięła penis do ust i zaczęła ssać, najpierw łagodnie, potem coraz mocniej. Kiedy wytrysnął, podniosła się gwałtownie, otarła usta i usiadła na jego kolanach. Nasunęła się na członek, zacisnęła mięśnie pochwy. Objęła męża za szyję i zaczęła poruszać się rytmicznie.

Najpierw powoli, potem coraz szybciej i szybciej, aż uderzała pośladkami w jego uda. Rozległo się tłumione wilgocią klaskanie. Po chwili znów wytrysnął, a zaraz po tym ona głośno jęknęła. Objęła go jeszcze mocniej. Przycisnęła policzek do jego policzka. Głośno dyszała mu wprost do ucha. Nie po raz pierwszy zdarzyło im się mieć orgazm w tym samym czasie.

Oboje doznali spełnienia, ale ani on, ani ona nie mieli jeszcze dość. Cezary czuł jej intensywny zapach, a pod palcami mokrą skórę. Skórę kobiety, którą kochał, której pożądał.

Podniósł się z krzesła, usiadł na podłodze. Monika stanęła nad nim okrakiem. Potem kucnęła, popieściła ręką mięknący członek, a gdy znów zaczął sztywnieć, zaczęła powoli nadziewać się na prącie, aż całe w nią wniknęło. Dłonie położyła na piersi męża, usiłując znaleźć punkt podparcia. Uniosła biodra, uważając, by penis nie umknął z jej pochwy, po czym opadła na podbrzusze mężczyzny. Znów się podniosła, lecz zrobiła to zbyt szybko, więc straciła równowagę. Klim złapał ją w ostatniej chwili, zacisnął dłonie na przegubach, przyciągnął żonę. Trzymał tak mocno, że czuła się bezpieczna. Mogła teraz podnosić się oraz opadać tak szybko i często, jak tylko chciała i na ile pozwalały jej siły.

Była coraz mocniej podniecona, wilgoć z niej wyciekała. Trzymana za ręce przez kochanka, podnosiła się, po czym opadała bezwładnie całym ciężarem. Jej pośladki głośno klaskały, uderzając w uda Cezarego.

Ponownie doszli w niemal tej samej chwili. On już bez wytrysku. Zaraz potem Monika głęboko odetchnęła i zsunęła się z Klima. Wstała, on też. Miała nogi jak z waty, musiała oprzeć się na ramieniu męża, by nie stracić równowagi. Poruszała się niepewnie, ale szybko wróciła do formy. Nie troszcząc się o bieliznę, naciągnęła sukienkę na gołe ciało.

- Ogarnij się - powiedziała, śląc mężowi uśmieszek. - Niania wróci z małym ze spaceru i jeszcze cię takiego zobaczy. Przez ciebie będzie miała dziewczyna mokre sny.

Otrząsnął się, wciągnął bieliznę i spodnie. Ledwie zapiął pasek, zamek w drzwiach wejściowych zazgrzytał. To, zgodnie z przewidywaniami żony, wróciła ze spaceru opiekunka z dzieckiem.

Monika podeszła do biurka, wybudziła laptop ze stanu czuwania. Już była w innym świecie, namiętność znikła.

- Robota nie zając, nie da się jej udusić w śmietanie - rzuciła z charakterystycznym dla siebie poczuciem humoru, którego Cezary często nie rozumiał.

Usiadła przed komputerem i od tej chwili tylko to, co widziała na ekranie, zajmowało jej uwagę. Klim uznał, że nic tu po nim. Postanowił spędzić z synkiem czas do obiadu.

Dziecko było jeszcze maleńkie. Co prawda przymierzało się do chodzenia, ale samodzielnie nie potrafiło zrobić nawet jednego kroku. Syn wydawał też pierwsze powtarzalne dźwięki, lecz Cezary nie miał pewności, czy z ust potomka dobiega „mama", „baba" czy „papa". Radowały go postępy w rozwoju dziecka, jednak rolę ojca postrzegał jako przyjemność i obowiązek, których w pełni doświadczy dopiero za kilka lat. Niech dzieciak nauczy się mówić, zacznie to i owo rozumieć, wtedy ojciec pokaże mu świat.

Klim zdawał sobie sprawę, że jego rodzice nie dostarczyli mu wzorców, z których mógłby po latach sam skorzystać w kontaktach z własnym dzieckiem. Wrzeszczeli na niego i Górka, bili, a w przerwach między tą działalnością pedagogiczną - pili. Cezary zresztą niewiele pamiętał z wczesnego dzieciństwa, a ojca w ogóle. „Nic w tym dziwnego - zauważył - przecież mój stary przepierdział w pierdlu najlepsze lata, i tak krótkiego, życia".

Prawdę powiedziawszy, młody bandyta najbardziej obawiał się tego, że zrobi synowi krzywdę. Był silny, więc gdy brał niemowlę na ręce, miał wrażenie, że dotyka drobiny, która zaraz rozsypie się pod naciskiem ojcowskich rąk. Jakby trzymał w objęciach małego pieska. Tyle że psa Klimowi pewnie by nie było szkoda, a syna bardzo. „Przyjdzie czas, chłopak zmężnieje, a wtedy zajmie się nim tato". Póki co z całych sił się starał, by dziecko go lubiło i pamiętało, że właśnie on jest jego ojcem.

Po południu pojechali z synkiem do Jesionów. Wypili kawę, zjedli ciasto upieczone przez teściową. Monika porozmawiała z ojcem o kampanii reklamowej, nad którą pracowała. Klim, jak zwykle, nie zabierał głosu w sprawach dotyczących fabryki. Nie znał się na produkcji butów ani na marketingu. Był cichym wspólnikiem, zadbał, by rodzina nie zubożała, taka rola mu wystarczała.

Wieczorem wrócili do apartamentu sami, bo babcia nie chciała rozstawać się z wnukiem. Cezary z rozbawieniem obserwował, jak bardzo Jesionom odbiło na punkcie małego. Wyszykowali nawet specjalnie dla niego pokój - na te noce, w które zostawał pod ich opieką.

Monice zachciało się herbaty owocowej, więc poszedł do kuchni przygotować napar. Kiedy wrócił, stała w przedpokoju i rozmawiała przez telefon. Oparła się ramieniem o ścianę. W tej chwili składała się z samych miękkich krzywizn i pachniała seksem. Poczuł przypływ pożądania. Zaszedł żonę od tyłu, objął w talii.

Nie przerywając rozmowy, odwróciła ku niemu twarz. Ich spojrzenia się spotkały.

- Muszę kończyć. Jutro zadzwonię w tej sprawie - powiedziała do słuchawki.

Zakończyła połączenie. Komórka wypadła jej z ręki, stuknęła o wykładzinę.

Monika miała teraz w oczach to samo co Cezary. Pożądanie.

Przywarła do niego, zaczęła go całować. Potem pociągnęła w dół. Poddał się jej pragnieniom, położył plecami na wykładzinie. Stanęła nad nim, zdjęła majtki, po czym, nadal w sukience, przyklękła nad jego twarzą. Poczuł jej zapach. Sięgnął językiem, posmakował wilgoci. Potem chwycił za biodra, przesunął językiem po wargach sromowych. Zaczął je skubać ustami. Przypominały falbanki, jedna była nieco większa. Koloru kawy z mlekiem, tworzyły elastyczne pofałdowane obramowanie intensywnie różowego otworu prowadzącego w głąb kobiety.

– Jesteś śliczna – szepnął Cezary.

– Co mówisz?

– Rozmawiam z twoją cipką. – Zaśmiał się leniwie.

– Jeśli z moją, to zwracaj się do niej per pani wagina. – Monika też się zaśmiała.

– Jesteś śliczna, pani wagino – powiedział głośno i wsunął język jak najgłębiej, a potem kolistymi ruchami zaczął oblizywać brzegi pochwy.

Kobieta zachichotała. Teraz coraz szybciej wnikał w nią językiem, a Monika, kucając nad nim, mruczała i kołysała się jednostajnie. Potem znów ssał wargi sromowe, wreszcie zaczął wylizywać wilgoć z jej wnętrza, a ona tym bardziej stawała się mokra. Wtedy podążył ustami do łechtaczki. Krążył wokół małego, puchnącego wzgórka, masował go wargami, później znów czubkiem języka. Przyspieszył. Wtedy nogi żony zaczęły drżeć. Nie mogła dłużej utrzymać równowagi, opadła na kolana, lecz ani przez chwilę nie oderwała pani waginy od ust męża.

Wiedział, jak silne są jej szczupłe uda. Gdy za pierwszym razem doprowadził Monikę językiem do orgazmu, tak mocno ścisnęła mu głowę nogami, że usłyszał chrupnięcie w żuchwie. Mocno zabolało. Od tamtej pory starał się obserwować reakcje kochanki, by na czas wysunąć głowę spomiędzy jej ud.

„To jest moje prawdziwe życie, a nie drugie, poboczne" – pomyślał z twarzą wtuloną w wilgotne podbrzusze kobiety. Potem jego rozum znów zasnął, a zbudziły się emocje.

Rozdział 20

Kiedy zadzwonił Drwęcki, Jan był w drodze do „Kina Cafe". Nie mógł jednocześnie prowadzić wozu i spokojnie słuchać, a tym bardziej notować, gdyby komendant miał dla niego jakieś konkrety. Zatrzymał się więc w najbliższej zatoczce na miejscu dla niepełnosprawnych, ryzykując mandat.

Wymienili kilka słów, po czym umówili się za kwadrans w tym samym miejscu co poprzednio.

Bez zbędnych w tej sytuacji towarzyskich wstępów przysiedli na parkowej ławce i policjant przekazał, co mu wiadomo o Zdzisławie Kwaśniaku. Właściciel „Oazy Artystów" był notowanym paserem, miał też za sobą kilka krótkich wyroków. Zaczynał od drobnych kradzieży, potem obracał trefnym towarem. Z wiekiem nabrał doświadczenia i dziś jest ostrożny, więc nie daje powodów, by go zapuszkować.

– Jaki jest na niego hak? – spytał Jan.

– Nie ma haka – odparł Drwęcki. – Mogę kazać go zamknąć na czterdzieści osiem godzin, ale dobrze wiesz, że dla takiego gościa to chleb powszedni.

– Czyli nic nie mamy? – upewnił się restaurator.

– Ano nic – potwierdził Józef i odszedł.

Jan uznał, że jedynym wyjściem będzie ponowna wizyta u Kwaśniaka, by zagrać na chciwości pasera. Teoretycznie właściciel galerii powinien stanąć na głowie, by zdobyć informacje, za które klient chce dobrze zapłacić.

Teoretycznie, bo w praktyce może obawiać się ujawnienia jakichś swoich grzeszków - albo grzechów kogoś, kogo bezpieczniej nie drażnić.

Ustalenia komendanta nie były jedynymi złymi informacjami tego dnia, który zaczął się słonecznie, ale szybko stał się deszczowy. Opady, w prognozach wciąż określane „przelotnymi", nie chciały miastu odpuścić. Do tego wiał zimny wiatr. Było paskudnie. Gdy Jan dotarł wreszcie do restauracji, okazało się, że ma kolejny problem, znacząco większy niż przygnębiająca pogoda. Można powiedzieć, że był to problem natury podstawowej, bo Przemek, szef kuchni, złamał nogę. Katastrofa. Nie na nartach ani uprawiając jakiś ekstremalny sport. Złamał ją tak po prostu, we własnym domu, na schodach. Poślizgnął się i kość trzasnęła jak paluszek z paskudnego suszonego ciasta, jakimi za Peerelu częstowano gości w każdym polskim domu.

Wspólnik miał spędzić w gipsie kilka tygodni. Praca w kuchni była wykluczona, bo stać nie mógł, a gdyby chciał gotować, jeżdżąc na wózku inwalidzkim, szybko by wylądował w szpitalu w znacznie cięższym stanie. Bo w kuchni jak na wojnie, pełno groźnych dla życia przedmiotów i zdarzeń. Barbara znalazła jednak wyjście z sytuacji. Według niej nie było innego.

– Przecież nie zamkniemy restauracji na miesiąc, aż Przemek wydobrzeje. Trzeba kimś go zastąpić, i to natychmiast – powiedziała Janowi. – Przemek już szukał wśród kolegów z branży. Telefon mu się zagotował od gadania, ale na razie wyszedł klops. Jest co prawda jeden taki, który akurat nie ma roboty, lecz dopiero za kilka dni przyleci z Brazylii. Mam nadzieję, że wkrótce ktoś kompetentny przyjdzie na miejsce Przemka, ale do tego czasu potrzebne jest nagłe zastępstwo. I, Janku, już wiem, kto to będzie.

Spojrzał na nią pytająco.

– Ty, Janku. Ty. Wiesz, że nasz pomocnik kucharza, nasz cudny podkuchenny jest pracowity, szybki i dokładny. Tyle że on smaku nie ma za grosz. Dlatego tylko ty wchodzisz w rachubę.

– Mam obsłużyć stu gości dziennie? Baśka, ty na głowę upadłaś!

– Stu pięćdziesięciu – sprostowała z uśmiechem. – Zapomniałeś, że obroty wciąż nam rosną?

Rozłożył ręce, tylko tak mogąc okazać bezradność. Nie miał pojęcia, co powiedzieć. Wiadomo, jak sytuacja kryzysowa, to wszystkie ręce na pokład. Ale Baśka proponowała wyzwanie ponad jego siły. Nie wspominając już o tym, że sprawy aktów Justyny wciąż nie rozwiązał, a czas naglił.

– Ale ja nie mam aktualnych badań lekarskich – chwycił się ostatniej deski ratunku. – Jak będzie kontrola, to leżymy.

– Jaka kontrola? Myślisz, że ktoś na nas tak od razu doniesie?

– No wiesz, Baśka, jak zaczyna się walić, to ze wszystkich stron.

– Nie gadaj bzdur! Wiem, co teraz sobie o mnie myślisz, ale naprawdę cię nie wystawiam – zapewniła. – Nie ma po prostu innego wyjścia. Układ jest taki: ty ratujesz kuchnię dziś i najwyżej jutro, a ja siadam na telefonie i z niego nie zejdę, aż znajdę kucharza.

Wizja Baśki siedzącej do skutku na telefonie najpierw go rozśmieszyła, potem jednak przyłapał się na myśli, że wywołuje w nim skojarzenia erotyczne... A gdyby tak pod wspólniczką, zamiast telefonu, znalazł się on, Jan?

I gdyby akurat nie miała na sobie bielizny? I on też? Czułby pewnie gorąco promieniujące z jej dużego, miękkiego ciała. Ta seksualna obfitość okryłaby go, otoczyła, może nawet wchłonęła.

Otrząsnął się i skarcił za takie fantazje. „Co to za pomysły, człowieku? Baśka to Baśka, przyjaciółka i wspólniczka w biznesie. Poza tym nawet nie przypomina Danki, a ty przecież sypiasz wyłącznie z chudymi rudymi, ewentualnie z bardzo szczupłymi blondynami". Ta konkluzja pozwoliła mu wrócić do rzeczywistości. A rzeczywistość tego dnia nie była przyjemna. Stawiała Jana w szczególnie niekomfortowej sytuacji.

– Zrobię, co mogę – odpowiedział. – Ale menu musimy zubożyć. Krótka karta, Baśka, najwyżej pięć potraw, bo naprawdę nie dam rady.

Skwapliwie się z nim zgodziła.

Nie miał innego wyjścia, jak włożyć służbowy strój Przemka i iść do kuchni. Podkuchenny już się tam uwijał. Przygotowywał produkty, ważył porcje mięsa. Był pracowity, bez dwóch zdań. Miał tylko jeden feler. Jak słusznie zauważyła Baśka, nie wyczuwał niuansów kulinarnych. Każde przyrządzone przez niego danie przypominało w smaku papier.

Jan podwinął przydługie rękawy, bo kucharz był od niego wyższy. „Swoją drogą życie Przemka to ostatnio pasmo dramatycznych zajść - pomyślał Wirski. - Nie dalej jak trzy miesiące temu urodziła mu się córka. I ledwie chłop przyzwyczaił się do bezsennych nocy, będzie musiał męczyć się z gipsem na nodze. Chociaż, prawdę powiedziawszy, naprawdę przechlapane ma jego żona. Kobieta musi teraz obskoczyć i niemowlę, i tymczasowego inwalidę".

Współwłaściciel „Kina Cafe" westchnął i zabrał się do pracy. Sprawdził jakość cielęciny, którą podkuchenny pokroił już w plastry i rozbił. Mięso na sznycle wiedeńskie było gotowe. Pomocnik przygotował też jajka i tartą bułkę na panierkę. Wirski właśnie zlecał mu posiekanie kapusty pekińskiej na surówkę, gdy do kuchni zajrzała Baśka.

- Masz pierwszą klientkę do nakarmienia, panie szefie - powiedziała.

- Czego sobie życzy? - spytał znużonym głosem.

- To sama Pani Doktorowa. A życzy sobie sznycla wiedeńskiego z surówkami. Widzę, że cielęcinę masz już pod ręką. To chyba telepatia, Janku?

Niewyraźnie mruknął coś pod nosem, a przyjaciółka uśmiechnęła się złośliwie, po czym znikła w drzwiach.

Wirski, westchnąwszy głęboko, zaczął przygotować posiłek godny klientki „Kina Cafe". Sznycel wiedeński na pół dużego talerza, zgodnie z tradycją tylko lekko posolony i bez pieprzu. Smażony, jak trzeba, na klarowanym maśle. A do sznycla surówka z kapusty pekińskiej przyprawionej odrobiną chrzanu, koperkiem i łyżką majonezu.

Jan stwierdził, że tego wieczoru nie zamierza rozmawiać z Zuzanną-oszustką. Ale Zuzanna-klientka? Proszę bardzo. Zadba o nią tak samo jak o każdego innego gościa restauracji. Włoży wszystkie umiejętności i całe serce w przygotowanie potrawy. Jednak rozmawiać z piękną rudowłosą nie będzie, w ogóle nie ma zamiaru się z nią zadawać.

Odruchowo chciał zapalić, by zlikwidować skutki stresu. Zamiast tego sięgnął po miętową tabletkę. „Nie będzie romansu z kolejną kobietą podobną do Danki - postanowił. - W Zuzannie się nie zakochałem, a po sprawie z szantażem ta baba nie budzi we mnie pożądania".

Przewrócił sznycel na drugą stronę, by mięso doszło, a panierka przyjemnie się zrumieniła. Wszystko zgodnie z tradycją i sztuką kucharską. Oczywiście na tyle, na ile Jan je znał.

Rozdział 21

Marczyk obudził się w środku nocy. Poszedł do kuchni zaparzyć herbatę. Czekając, aż woda się zagotuje, zapalił papierosa. „Muszę odtworzyć twoje piękno - myślał. - Chcesz tego i ja tego chcę. Nie może tak być, żeby miłość, jak pamięć o kimś nieważnym, sczezła, wygasła".

Z wściekłością rzucił papierosa na podłogę i przydeptał z rozmachem, nie przejmując się grudką żaru, która wypaliła ślad w podłogowej desce. Woda już wrzała. Zalał szczyptę herbaty, wymieszał. Łyżeczka zabrzęczała o ściany szklanki.

Zostało trochę jej portretów, ale aktów nie było. A w nich przecież zawarł całą energię uczuć. Namiętności, porywów swoich i kochanki. Bo ona taka była, właśnie taka jak na jego obrazach. Piękność o smukłym, gibkim ciele, długich, gęstych, rudych włosach. O twarzy, której nie mógł zapomnieć. Twarzy, która zwracała uwagę każdego mężczyzny.

Znów zapalił. Zaciągnął się papierosem. I raz jeszcze usłyszał w myślach jej szept: „Jestem twoja. Pamiętasz, że jestem twoja? Pamiętasz, że mnie kochasz? Pamiętasz, że jesteś tylko mój?". Głos kochanki nasilał się, stawał natrętny.

- Dosyć! - krzyknął.

Zasłonił uszy dłońmi. „Nie mogę bez niej żyć" - pomyślał. Wykonując gwałtowny ruch, trącił opuchliznę na głowie. Znów poczuł ból, potem usłyszał szum rozszalałych morskich fal. I nagle wszystko ucichło, a ból znikł. W umyśle malarza na chwilę się przejaśniło, zdarzenia utworzyły logiczny ciąg przyczyn i skutków. „Czy można aż tak kochać?" - pytał sam siebie, ale odpowiedź już znał. Właśnie ona była kobietą jego życia, choć drugą, którą obdarzył miłością.

- I ostatnią! - powiedział na głos, chcąc zapewnić o prawdziwości tych słów nie tylko siebie, lecz też zjawę kobiety malowanej przez ostatnie dni krwią na murze.

Przed nią była inna, tego faktu nie dało się wymazać. Zbrukała jego miłość i dowiodła, że wzniosłe uczucie może stać się destrukcyjne. Marczyk pamiętał pierwszą miłość, chociaż minęło czterdzieści lat od tamtych zdarzeń. Chodził wtedy do podstawówki „tysiąclatki", mieszczącej się w szarym, brzydkim budynku w starej dzielnicy. Blisko stał kościół z czerwonej cegły, przed wojną ewangelicki, potem wyegzorcyzmowany po złych Niemcach i wyświęcony dla dobrych, prawdziwych Polaków katolików. Za szkołą i kościołem rozciągał się kanał otoczony z obu stron zdziczałym parkiem. Park nazywano Śluzy, a przecinającym go kanałem, wówczas jeszcze spławnym, przemykały przez samo centrum miasta barki z węglem, zbożem i innymi dobrami.

Pamiętał wszystkie szczegóły. Pamiętał, że zaczęło się nie od zakochania, ale od tego, że uwziął się na niego Maciek. Zaczepił Tomka na szkolnym korytarzu. I zażądał pieniędzy.

Maciek chodził do ósmej klasy, był więc o dwa lata starszy. Nazywano go Piącha. Marczyk bał się go, wielu się go bało. Dlatego też bez zastanowienia sięgnął do kieszeni i wyjął z niej wszystko, co dostał od matki. Ledwie równowartość pączka, który planował kupić w pobliskiej cukierni i zjeść na dużej przerwie.

- Ty, mały, ty mi tu nie fikaj! To jakieś grosze! - rzucił z wściekłością Maciek, przeliczywszy pieniądze. Szóstoklasista tylko się skulił. Czekał na razy. I starszy z chłopców natychmiast dopełnił rytuału. Uderzył osławioną piąchą w brzuch i nerki. Potem odszedł w poszukiwaniu kolejnej ofiary.

Tamtego dnia lekcje wlokły się w nieskończoność. Marczyka bolał brzuch po zadanym ciosie, ale też z głodu. Czuł się upokorzony i bardzo, bardzo samotny. W trakcie przerw starał się swobodnie rozmawiać z najbliższymi kolegami z klasy. Z rudowłosym Romkiem oraz grubym Jackiem, pasjonatem komiksów i militariów. Przez cały czas ukrywał cierpienie. Zaciskał zęby i udawał, że nic się nie stało.

Przemek i Jacek... Właściwie niewiele ich z nim łączyło, jednak wypełniali Tomkowi pustkę. Szczególnie popołudniami, więc często spędzał je w mieszkaniu Jacka. Bawili się we trzech modelami czołgów i samolotów, sklejanymi przez gospodarza i jego ojca. Przeglądali też książki poświęcone historii broni i techniki wojennej. Przede wszystkim jednak oglądali komiksy. Przywoził je ze Szwecji starszy brat Jacka, który pracował na promie i mieszkał w Gdańsku.

W Jacku i Romku komiksy wyzwalały ogromne emocji, Marczyka jednak chwile spędzone na wspólnym przeglądaniu kolorowych zeszytów co najwyżej bawiły. Ot, zapełniały czas, wypędzały nudę. Nic ponadto. Przecież i tak niewiele rozumieli z tych historii, bo napisy w dymkach były po szwedzku, a oni szwedzkiego ani w ząb. Coś tam dukali po rosyjsku, bo ich uczono w szkole. I parę słów rozumieli po niemiecku, gdyż język ten wciąż był żywy wśród starych bydgoszczan pamiętających jeszcze czasy przedwojenne i wojenne.

- Miałbyś, Tomek, taką giwerę, to z Piąchy byś zrobił siekane mięso. - Romek roześmiał się, wskazując na karabin automatyczny trzymany przez komandosa na jednym z obrazków.

Także tego popołudnia siedzieli u Jacka. Jego rodzice mieli mieszkanie dwupokojowe, bez łazienki, na drugim piętrze adeemowskiej kamienicy o elewacji, z której farba odpadała płatami i tynk się sypał. Wodę trzeba było przynosić w wiadrach z podwórka, gdzie centralne miejsce zajmowała przedwojenna żeliwna pompa, a na skraju stały drewniane szopy na węgiel i sklecone z desek wygódki.

Marczyka przerażała sama myśl o życiu w takim miejscu. Miał własny pokój w jednorodzinnym domu zbudowanym przez dziadka, zanim jeszcze Tomek się urodził. Było tam wiele pokoi i aż dwie łazienki, a mieszkańców tylko troje, bo dziadek z babcią dawno wyprowadzili się do nowego domu zbudowanego pod miastem. Dziadek chłopca był profesorem, ojciec dyrektorem. Powodziło im się dużo lepiej niż większości mieszkańców tej dzielnicy, ale Marczyk miał wówczas niecałe trzynaście lat i nie zdawał sobie z tego sprawy. U Jacka zawsze dokuczał mu brak przestrzeni i podstawowych wygód. Nie mógł zrozumieć, dlaczego rodzice kolegi wybrali sobie do życia takie miejsce.

– Mam coś podobnego – rzucił, przyglądając się broni, z której komiksowy komandos strzelał do przeciwników wyglądających na ruskich sołdatów. Zaraz jednak, dostrzegając zdziwienie w spojrzeniach kolegów, sprecyzował stanowczo: – Mój ojciec ma.

– Ty walnięty jesteś! Twój ojciec ma dubeltówkę. Sam żeś nam to już kiedyś powiedział – ostro zareagował Jacek.

– Nie dubeltówkę, tylko dryling. Może strzelać jak fuzja i jak karabin.

Więcej nie powiedział, bo jak miał wyjaśnić coś, co widział latem poprzedniego roku, kiedy ojciec po raz pierwszy zabrał go na polowanie. Jak miał opowiedzieć o śmierci zająca?

Nie była efektowna. Obeszło się bez serii strzałów, dymów, eksplozji i zbliżeń kamery, jak w wojennych filmach oglądanych w czarno-białym telewizorze. Po prostu ojciec uniósł strzelbę do ramienia i wycelował w coś, czego Tomek nie mógł początkowo dostrzec. Zaraz potem nacisnął spust. Huknęło, dym wypłynął z lufy.

Chłopiec dostrzegł w odległości kilkunastu kroków leżącą w trawie kupkę mięsa i futra wymieszaną z czymś czerwonym. Tak by pewnie wyglądał noszony przez mamę kołnierz z lisa, gdyby go polać sosem pomidorowym.

– O cholera – nerwowo szepnął ojciec.

– Ty idioto! – krzyknął dziadek, a trzej inni towarzyszący im myśliwi pokręcili głowami z dezaprobatą.

– Załadowałeś nabój na grubego zwierza! Ty debil jesteś, nie strzelec! – profesor Marczyk wrzeszczał na syna, jakby ten nadal był dzieckiem. I, co jeszcze bardziej zaskoczyło Tomka, tata godził się z takim traktowaniem.

– Pomyliłem się, są podobne – tłumaczył ojciec szeptem, nie patrząc rodzicielowi w oczy.

– Jak można pomylić nabój na dzika z nabojem na szaraka?! – Dziadek nie miał zamiaru się uspokoić. – I ja mam z ciebie zrobić myśliwca? Niby jak?! No i zobacz, całe mięso zepsute, skórki też nie wyprawisz.

Wskazał lufą swojej strzelby to, co zostało z zająca. Tomek podążył wzrokiem za spojrzeniem ojca. Był przerażony, ale też zafascynowany. Nie podejrzewał, że strzelba myśliwska stanowi tak niszczycielskie narzędzie. Dotąd sądził, że broń taty zostawia w ciałach zwierząt małe, prawie niewidoczne dziurki. Teraz jednak miał przed oczami efekt jednego strzału. Zając wyglądał jak świeżo zmielone mięso od rzeźnika zaraz po wyjęciu z pergaminu, w który je pakowano.

Z tego właśnie powodu chłopiec nie zamierzał spierać się z kolegami. Milczał, mimo prowokacyjnych słów Jacka i Romka. Nie uwierzyliby, że za pomocą ojcowskiej strzelby po prostu odstrzeliłby Maćkowi głowę. Wystarczyłby jeden pocisk na grubą zwierzynę, na dzika lub jelenia. Szkolnym kolegom strzelba myśliwska wydawała się bronią amatorów. Nie była wojskowym karabinem, więc się nie liczyła.

Przypomnienie sobie sceny z polowania przyniosło Tomkowi wymierne korzyści – i to jeszcze tego samego dnia, gdy godzinę później, koło siedemnastej, wyszedł od Jacka. Zmierzał do domu, gdy na ulicy natknął się na Piąchę. Maciek wyłonił się z rzedniejącego tłumu przechodniów. Zatrzymał się przed Marczykiem. Był wyższy od niego o pół głowy i o połowę szerszy w ramionach.

- Masz dla mnie pieniądze, przygłupie? - spytał z groźbą w głosie, a potem groźbę tę rozwinął, dopowiadając trzy słowa: - Lepiej, żebyś miał.

Tomek nie czekał na rozwój wypadków. Zerwał się do ucieczki. Przez najbliższe sekundy nie analizował swoich poczynań, działał instynktownie.

Biegł slalomem wśród przechodniów. Mało kto z dorosłych zwrócił na to uwagę. Chłopiec pędził co sił, ale wciąż słyszał za sobą tupot ścigającego go prześladowcy. Wówczas dostrzegł przed sobą wykop, a obok niego pryzmę asfaltu zdartego z jezdni i stos połamanych płyt chodnikowych.

Przypomniał mu się zając i to, co z ciałem zwierzęcia zrobił pocisk. Pochylił się nad stosem kawałków asfaltu i betonu. Wybierając nieduże kawałki, takie, które mieściły się w jego dłoni, zaczął rzucać zaimprowizowanymi pociskami w nadbiegającego Maćka.

Piącha zdążył uchylić się dwukrotnie. Trzeci pocisk trafił go w pierś, następny w twarz. Marczyk dalej rzucał kawałkami asfaltu i betonu, dopóki ósmoklasista nie stanął. Napastnik potknął się, zatoczył, po czym upadł na chodnik. Dopiero wtedy młodszy chłopak uciekł. Biegł, mimo że brakowało mu tchu, przez całą drogę do domu. Nikt go nie zatrzymał.

Następnego dnia szczególnie niechętnie szedł do szkoły. Nigdy jeszcze nie czuł tak silnego strachu przed konfrontacją z Maćkiem. Konfrontacją nieuchronną. Jednak Piącha nie pojawił się na lekcjach. Minął tydzień, nim Tomek go zobaczył. Prześladowca utykał, a na twarzy miał kilka plastrów.

Marczyk szybko odkrył, że nie tylko on zachował w tajemnicy wieczorne starcie. Sam Piącha także milczał na ten temat. Tylko czasem, kiedy nikt go nie obserwował, posyłał szóstoklasiście spojrzenia wyrazistsze niż słowne pogróżki.

W tamtych właśnie dniach, o czym Tomek nikomu, ale to nikomu nie mówił, zakochał się w Małgosi.

Chodziła do jego klasy. Miała zielone oczy, długie, bardzo jasne włosy i była szczuplutka jak strąk fasoli. Zgodnie z ówczesnym zwyczajem nosiła w szkole obowiązkowy fartuszek, tyle że lepszej jakości niż fartuszki większości dziewczynek, bo uszyty z czarnej, błyszczącej satyny. Zawsze czysty i uprasowany.

Małgorzatka często się uśmiechała. Nie dlatego, że należała do radosnych dziewczynek. Wynikało to ze stosowania się do rady pragmatycznej rodzicielki. Tomek usłyszał kiedyś, jak mama napomina Małgosię... „Jak to było?" – dzisiaj starał się sobie przypomnieć pięćdziesięcioparoletni Tomasz. Pamiętał, że kobieta przyszła wtedy do szkoły w jakiejś sprawie związanej z komitetem rodzicielskim... Ach, tak! „Kiedy nie rozumiesz, co się dzieje – powiedziała wtedy mama do dziewczynki – kiedy nie wiesz, jak się zachować albo co odpowiedzieć, to się uśmiechaj. Jesteś ładna, więc ludzie prędzej pomyślą, że jesteś miła, niż żeś głupia".

Oczywiście fakt zakochania się Tomka w Małgosi nie uszedł uwagi niektórych osób. Teraz, z perspektywy minionych lat, Marczyk wyraźnie to widział. Jednak gdy chodził do podstawówki, nie z wszystkiego zdawał sobie sprawę, a stan zakochania jest u nastolatka jeszcze trudniejszy niż u dorosłego mężczyzny.

Zresztą to była niełatwa miłość. Początkowo Małgorzata w ogóle nie chciała z nim rozmawiać, a co dopiero spotykać się po lekcjach. Wkrótce jednak chłopiec dostał od rodziców składany rower. Supermodny. Takie rowery miało w ich klasie dwóch, najwyżej trzech uczniów, więc fakt posiadania pojazdu dodał Tomkowi atrakcyjności w oczach dziewczynki.

Teraz mogło mu się udać. I rzeczywiście, namówił Małgosię na kilka spotkań w położonym za boiskiem zapuszczonym parku, który ciągnął się wzdłuż kanału. Spacerowali, niewiele rozmawiając. W sumie umówili się cztery razy.

Także w dniu, w którym doszło do ich ostatniego spotkania, Marczyk szedł obok ukochanej, prowadząc rower, ponieważ życzyła sobie, aby zabierał modny pojazd na randki. Jak zwykle szła obok i tylko się uśmiechała, zrzucając na chłopca obowiązek prowadzenia konwersacji. Ciągnął więc nieskładny monolog, gęsto przetykany milczeniem. Cisza zapadała w chwilach, kiedy rozpaczliwie poszukiwał kolejnego tematu, którym mógłby zabłysnąć przed ukochaną.

Nie minęło pół godziny, a natknęli się na Maćka. Nie miał już twarzy oklejonej plastrami. W miejscach, gdzie wcześniej widniały opatrunki, różowiały teraz blizny po ranach zadanych kawałkami asfaltu i betonu.

Piącha zastąpił im drogę. Uśmiechał się złośliwie. Małgosia posłała mu obojętne spojrzenie, Tomek jednak nie potrafił się opanować. Ujawnił wzrokiem, że czuje lęk, a wróg tylko na to czekał.

– Ty! Co tu robisz z moją dziewczyną? – spytał napastnik z groźbą w głosie, wskazując przy tym palcem towarzyszkę szóstoklasisty.

Nastolatka zachichotała piskliwie i spojrzała z zainteresowaniem na dużego chłopaka. Marczyk milczał. Głośno przełknął ślinę, czekając z niepokojem na rozwój wypadków.

– Nieważne. I tak dam ci w ryja – oświadczył Maciek, po czym ruszył, by zamienić groźbę w czyn.

Małgosia, nadal uśmiechnięta, odsunęła się od Tomka. Przemierzyła kilka kroków lekko jak profesjonalna tancerka i oparła się biodrem o pobliską ławkę. Z zainteresowaniem przyglądała się temu, co robią chłopcy.

Młodszy z nich rozejrzał się nerwowo w poszukiwaniu ratunku, jednak w pobliżu była tylko jakaś staruszka. Szła powolutku ścieżką i rzucała gołębiom okruchy chleba. Nawet nie spojrzała w stronę dzieciaków, które zajmowały się czymś, co pozostawało poza obszarem jej zainteresowania.

Piącha nie zamierzał ograniczyć się do pogróżek. Z marszu, nie zatrzymując się, uderzył Marczyka z całej siły. Najpierw w twarz, potem w brzuch. Kiedy zaatakowany przewrócił się na żwir parkowej ścieżki, napastnik kopnął go jeszcze, a potem wyładował resztki wściekłości na rowerze. Odczuwając satysfakcję z tego, czego dokonał, odwrócił wzrok od pokonanego przeciwnika i przeniósł go na dziewczynę. Nadal stała oparta o ławkę.

– Ładna jesteś, Gośka – powiedział. – Chodź, postawię ci loda. I oranżadę też ci kupię.

Uśmiechnęła się i nie powiedziawszy słowa, poszła z Maćkiem.

Marczyk cierpiał. Wtedy, na ścieżce w parku nad kanałem, i teraz, w zapuszczonym mieszkaniu, wspominając zajścia sprzed czterech dziesięcioleci.

W tamtych czasach, w podstawówce, jeszcze nie wiedział, że zasada, iż zwycięzca bierze wszystko, sprawdza się nie tylko w filmach. Tak też bywa w realnym życiu.

Ledwie dowlókł się do domu. Bolało go całe ciało, wiedział, że jest poznaczony siniakami. Nawet nie mógł wrócić na rowerze - musiał prowadzić pojazd, bo kopniaki Piąchy wygięły przednie koło. Jednak to nie ból ciała i wymówki rodziców doskwierały mu najbardziej. Najsilniej cierpiało serce Tomka. Cierpiała też jego ambicja, poczucie honoru i wszystko, co może skrywać w duszy trzynastoletni - prawie, bo bez dwóch miesięcy - chłopiec.

Wkrótce po bójce w parku, kiedy to starszy łobuz odebrał mu godność i dziewczynę, Marczyk przestał spotykać się z Jackiem i Romkiem. Choć byli dobrymi kolegami i nie naśmiewali się zbytnio z jego romansu ani porażki, po prostu miał już dosyć spotkań, w trakcie których rozmawiali tylko o broni i komiksach z niezrozumiałymi fabułami. On przecież cierpiał realnie. Nie znajdował w swych myślach i uczuciach miejsca na fikcyjne doznania.

Codziennie widywał Małgosię spacerującą po lekcjach z Maćkiem. Piącha dbał o nową zdobycz. Kupował jej lody, murzynki, pączki i oranżadę. Zawsze miał pieniądze zagrabione młodszym i słabszym uczniom. Za te dary dziewczynka pozwalała mu całować się na parkowej ławce. Nawet wkładać rękę w majtki. Tomek to widział, nie raz przecież ich śledził. I choć bardzo chciał, nie potrafił przestać myśleć o ukochanej.

Ojciec często mu powtarzał, że Marczykowie nie wypadli sroce spod ogona. Dziadek jest kimś, ojciec też. I Tomek kiedyś będzie kimś. „Nie daj byle głąbowi sobie w kaszę dmuchać" - mawiał do syna.

Dziadek był profesorem na uniwersytecie. Ojciec - dyrektorem w dużym przedsiębiorstwie. Obaj rządzili podwładnymi, mieli samochody, jeździli na polowania, chodzili na przyjęcia i spotkania z ważnymi ludźmi. Kim przy nich był Tomek? Uczył się przeciętnie, zdarzało mu się psuć zabawki i niszczyć przedmioty. Nawet jego najbliżsi koledzy byli nikim. Romek i Jacek mieszkali byle gdzie, mieli słabe oceny i albo oglądali komiksy, albo kleili modele samolotów z tektury. A pierwsza i jedyna ukochana Tomka zdradziła go bez namysły z wrogiem! Z Piąchą, łajzą noszącym wciąż ten sam dziurawy sweter i wyświecone na tyłku spodnie z rypsu. Z Piąchą, który nawet nie miał w domu łazienki i którego ojciec siedział kiedyś w więzieniu!

Codziennie widywał Małgosię i Maćka. Nie pozwalali mu zapomnieć o utraconej miłości. Do tego ósmoklasista nadal zabierał mu pieniądze i często robił to w obecności dziewczyny, która jak zawsze się uśmiechała. Dziwiło ją tylko, że z oporami oddaje swoje kieszonkowe.

- Co ty się tak stawiasz? - powiedziała kiedyś do Marczyka. - Przecież Piącha jest jak Janosik. Tylko bogatym zabiera.

Tego było już Tomkowi za wiele. Wkrótce potem nadszedł przełomowy dzień. Z perspektywy lat dorosły Marczyk miał pewność, że taki dzień musiał nadejść. A zaczęło się od przypadkowo podsłuchanej rozmowy telefonicznej ojca.

– Pamiętaj, to musi być jeden strzał. Jeden celny strzał. Jak Malicki straci oparcie w centrali, to nie wyrobi planu, a wtedy leży. Odstrzelimy go, a kiedy poleci, zajmiesz jego stanowisko – mówił ojciec do słuchawki. Był wyraźnie podekscytowany.

Tomek stał obok i czekał. Mieli razem pójść do garażu, aby naprawić rower uszkodzony przez Piąchę. Pojazd stał niesprawny od tygodnia, lecz ojciec nie miał dotąd czasu, by się nim zająć.

Mężczyzna wreszcie skończył rozmowę.

– Czas, żebyś nauczył się reperować takie drobiazgi. Rower to nie samochód – mruknął i ruszył do garażu.

Tomek poszedł za nim, milcząc, bo co miał odpowiedzieć? Mechanizmy go nie ciekawiły, za to już w tamtym czasie zaczął interesować się sztuką. W zaciszu swojego pokoju rysował ołówkiem na brystolu. Szkicował sylwetki zwierząt, ludzkie twarze. Narysował nawet z pamięci portret Małgosi, ale uznał go za nieudany i wyrzucił.

Kiedy ojciec zdjął koło z przednich widełek roweru i ściągnął oponę, by zamocować obręcz w imadle, chłopiec odważył się spytać o coś, co od kilku minut nie dawało mu spokoju:

– To co, zastrzelicie kogoś?

Pan dyrektor spojrzał na syna, wyraźnie nie rozumiejąc, o czym ten mówi.

– No, w twoim przedsiębiorstwie. Przecież kazałeś przez telefon, żeby zabili jakiegoś Malickiego – ciągnął

Tomek, widząc w myślach obraz myśliwskiej strzelby zamkniętej na klucz w szafce.

Ojciec najpierw się roześmiał, a potem mruknął:

- To nie są sprawy dla takich gówniarzy.

Jednak po chwili, namyśliwszy się, zaczął wyjaśniać zawiłości życia dorosłych ludzi.

- Może i czas, żebyś poznał, jak świat się kręci - zaczął. - Dobrze, powiem ci, ale o tym ani słowa nikomu. Pamiętaj, to tajemnica! No więc, co do tego Malickiego, o którego, Tomuś, pytałeś, sprawa wygląda tak. Po pierwsze, nikt nie będzie do niego strzelać. To metafora. Malicki będzie żył, chociaż to kawał sukinkota. Po drugie, chodzi o to, żeby Malicki przestał być dyrektorem zakładu, którym chce kierować mój dobry kolega. Malicki ma na razie plecy w centrali zjednoczenia, ale my wywiniemy mu taki numer, że straci poparcie. Zwolnią go albo przeniosą na gorsze stanowisko, a mój kolega zostanie dyrektorem naprawdę dużego zakładu. Od kilku lat się do tego przymierza i nareszcie ma okazję. A musisz pamiętać, Tomuś, że jak raz się zostanie dyrektorem wielkiej fabryki, to mądrze działając, będzie się dyrektorem do końca życia. A nawet mocno w górę można pójść, na przykład do ministerstwa. Wszystko jasne? Nie zastrzelimy Malickiego, tylko... Jak by to powiedzieć? O, mam! Podstawimy mu nogę! Tak jak wy, chłopaki, robicie w szkole. Malicki się przewróci, a my będziemy górą. Jasne? Jeden strzał, czyli raz a dobrze. Ucz się, Tomuś, ucz, bo właśnie takie jest życie.

Chłonął słowa ojca, ale zrozumiał ledwie część wywodu. Jednak szczegóły nie były ważne, liczyła się idea i ostateczny wynik.

Następnego dnia po lekcjach nie poszedł prosto do domu, lecz najpierw wybrał się samotnie na niedługą wycieczkę. Jeszcze poprzedniego wieczoru, tuż przed zaśnięciem, przypomniał sobie, że kilka przecznic od szkoły znajduje się obszar nieużytków. Co prawda obok stały magazyny kolejowe, ale ruch panował tam niewielki. Czasem przetoczono wagon do naprawy albo przywieziono części. O tym samym ustronnym miejscu przypomniał sobie po latach i porzucił tam zwłoki jednej z zabitych kobiet.

Okolica magazynów nadawała się do celu, jaki dwunastoletni Tomek sobie wytyczył. Rosły tam drzewa i krzewy, a jeden ze skrajów nieużytku ograniczony był nasypem torów kolejowych. Właśnie tam Marczyk zamierzał doskonalić się w sztuce odstrzeliwania wrogów.

Chodził na odludzie kilka dni z rzędu, by przez godzinę lub dłużej rzucać do celu kamieniami, kawałkami białego szutru, którym pokryty był nasyp. Wkrótce potrafił jednym rzutem, i to z odległości dziesięciu metrów, strącić wróbla z gałęzi.

„Jeden strzał. Precyzyjny, jak mówił tata. I mocny. Jak z karabinu, a nie z dubeltówki" – powtarzał chłopiec w myślach. Przecież już raz pokonał Maćka, rzucając w niego kamieniami. Ale wiedział też, że był to przypadek, że mu się poszczęściło. Pociski znalazły się pod ręką, a on miotał nimi bezładnie, nadrabiając małą celność częstotliwością rzutów. To była tylko rozpaczliwa obrona. Aby stać się skutecznym, trzeba precyzyjnego ataku.

„Jeden strzał i nie ma Piąchy. Jeden strzał i jestem tylko ja. Kiedy jestem tylko ja, wtedy Małgosia jest moja". Tomek powtarzał te słowa tak często, że zaczęły przypominać dalekowschodnią mantrę. Nie był jednak mędrcem z Azji, tylko dwunastolatkiem, który przegrał pierwsze bitwy. Nie wiedział jeszcze, że wojna z życiem składa się z licznych starć, tak wielu, że nawet dziadek, mądry profesor, nie byłby w stanie ich zliczyć.

W tamtych dniach chłopiec kilkakrotnie zajrzał do garażu ojca. Szukał tam inspiracji, a znalazł wśród gratów i części zamiennych materiał na zabójcze pociski. Kilka dużych łożysk kulkowych. Rozmontował je za pomocą ciężkiego śrubokrętu i młotka, a choć bardzo się przy tym napracował, osiągnął, co zamierzał.

Następnego dnia zabrał na swoją tajną strzelnicę garść stalowych kulek, z których każda miała średnicę ośmiu milimetrów. Zaczął nimi miotać w wybrane drzewo. Rękę miał już wypracowaną - ćwiczenie rzutów białymi kamykami przyniosło skutek - więc pociski trafiały w cel. Najpierw złamał kilka sporych gałęzi. Potem zestrzelił lecącego nisko gołębia.

Przygotowania trwały kilka dni. Aż kilka, tylko kilka. Tomek czuł, że jest gotów.

Wybrał właśnie to, a nie inne popołudnie. Być może powinien jeszcze poczekać, dłużej potrenować rzucanie do celu, ale był zbyt niecierpliwy. Z trudem udawało mu się panować nad emocjami. Kiedy jednak zaczął realizować plan, stał się opanowany, działał precyzyjnie.

Śledził Maćka i Małgosię. Czuł się niewidzialny dla świata, gdy przemykał w parku za szpalerami krzewów. Potem wdrapał się na przysadzisty pień kasztanowca i skulony wśród rozłożystych gałęzi, zasłonięty wielkimi, dłoniastymi liśćmi, obserwował wroga spacerującego z piękną dziewczyną ukradzioną jemu, Tomkowi Marczykowi.

Odległość wynosiła kilkadziesiąt metrów. Chłopiec czuł się niczym łowca podglądający zwierzynę z myśliwskiej ambony. Czekał, aż śledzona para będzie sama i nikt nie zdoła mu przeszkodzić. Czekał, zaskakując samego siebie cierpliwością. Wreszcie właściwa chwila nadeszła. Dookoła nikogo.

Zsunął się z pnia i ruszył biegiem w upatrzonym kierunku. Wyskoczył z krzewów okalających ścieżkę.

- Zostaw moją dziewczynę - powiedział.

Stał na parkowej alejce, zagradzając drogę dużemu, silnemu chłopakowi. Ze zdziwieniem odkrył, że wciąż jest spokojny, opanowany. I że Maciek zatrzymał się, tak jak on mu polecił. Dzieliło ich dziesięć, najwyżej dwanaście metrów.

- Won, przygłupie - gniewnie syknął ósmoklasista. Puścił dłoń dziewczynki i ruszył w stronę Tomka. Zdążył przejść tylko dwa kroki.

Marczyk sięgnął do kieszeni, wyjął jedną z kulek wyłuskanych z łożyska. Wziął zamach i rzucił ją pewnym ruchem. Stalowy pocisk świsnął w powietrzu, z głuchym trzaskiem uderzył w czoło przeciwnika. Piącha krzyknął z bólu, zachwiał się potężnie. Tomek z determinacją chwycił następną kulkę. Rzucił i znów trafił. W nosie starszego chłopaka trzasnęły chrząstki. Kolejna kulka dosięgła oka Maćka.

Piącha krzyknął jeszcze głośniej. Próbował zasłaniać się ramionami, jednak stalowe pociski wciąż w niego trafiały.

W końcu zacharczał, po twarzy spłynęła mu struga krwi. Upadł na ścieżkę. Nie poruszał się, tylko palce lewej dłoni drżały w niespokojnym rytmie, niczym ławica rybek pozbawionych wody.

Zwycięzca nabrał powietrza głęboko w płuca. Spojrzał na Małgosię. Zeszła ze ścieżki. Stała teraz na darni, najwyżej dwa metry od niego. I już się nie uśmiechała.

- Zabiłeś go! Ty głupku! Zabiłeś! - krzyknęła gwałtownie, rozdzierająco.

Zadrżał. Nie takiej reakcji oczekiwał. Patrzył w oczy ukochanej, piękne zielone oczy. Nie były tak puste jak zwykle. Odraza i wściekłość mieszały się w nich z lękiem. Dziewczynka się bała. Bała się jego, Tomka. A on spoglądał w jej oczy, oczy po raz pierwszy pełne emocji, i nabierał pewności, że wszystko, co zaplanował, później zaś zrobił, okazało się zbyteczne.

W tamtej chwili odkrył prawdę. Wiedział już, że Małgosia nie odejdzie z parku, uśmiechając się i trzymając go za rękę. W tamtej chwili w duszy Marczyka pękł wezbrany wrzód poczucia krzywdy. Wylała się z niego struga gniewu i goryczy. Małgorzata gardzi jego miłością. Zawsze gardziła!

Miał w kieszeni jeszcze kilka kulek. Zacisnął gniewnie usta i zaczął rzucać stalowymi pociskami w dziewczynkę. Rzucał tak długo, aż upadła, aż zamknęły się jej oczy, aż przestała się ruszać, a krew zaplamiła szkolny fartuszek z czarnej satyny.

Stał i patrzył na swoje dzieło.

Nie wiedział, ile czasu minęło. Otrząsnął się z nieświadomości, gdy usłyszał za sobą szelest uschłych liści, które w ostatnich tygodniach opadły z drzew na ziemię. Ktoś nadchodził, był coraz bliżej. Tomek odwrócił się powoli. Zobaczył Jacka i Romka.

Od pewnego czasu nie spotykał się nimi, by nie zmuszali go do zwierzeń. Jak cierpieć, to w samotności. Okazali się jednak dobrymi kolegami. Przejmowali się tym, że Marczyk ma kłopoty i w jego zachowaniu zachodzą zmiany. Obserwowali go więc przez cały czas, można nawet powiedzieć, że śledzili. Tego dnia też szli za nim po kryjomu. Ukryli się w zdziczałych krzewach śnieguliczki. Obserwowali Tomka, a on ich nie dostrzegł, bo skupił uwagę na Maćku i Małgosi.

- O Jezu! Jak na tym filmie, co nasi z cekaemu kosili hitlerowców! - krzyknął podekscytowany Jacek.

- Trzaskało, jakbyś do nich walił z prawdziwego karabinu! - dodał Romek, nerwowo oblizując wargi.

Marczyk patrzył na przestępujących z nogi na nogę dwóch zdenerwowanych chłopców i milczał. „Co za głupki" - przeszło mu przez głowę. Opowiadają o filmach, a przecież jego cierpienie jest realne! I to, co teraz zrobił, też nie jest fikcją.

„Naprawdę ich zabiłem. Krew... Ta krew jest prawdziwa" - jęknął w myślach, czując falę mdłości. Odskoczył w bok, pochylił się gwałtownie nad zdziczałym trawnikiem, zwymiotował. Potem jeszcze raz spojrzał na skrwawione ciała Małgosi i Maćka. Nie leżeli już w nienaturalnych pozach. Podnosili się niezgrabnie, pojękując przy tym, płacząc.

Żyli. I Piącha, i ta wredna Gocha! Ale co dostali, to dostali. Dobrze im tak! Był zadowolony z tego, co zrobił. Dowalił Maćkowi! Gocha go nie chciała, no to teraz ma za swoje!

Cieszył się, nie wiedział jednak, jak tę radość okazać. Para dzieciaków popłakiwała na środku parkowej alejki, a obok stało dwóch świadków. Tomek rozłożył więc ręce w geście bezradności, a potem... Potem odwrócił się i uciekł.

Kilka godzin później pod dom jego rodziców zajechał milicyjny radiowóz.

– Obywatelu sierżancie, z Tomusia jest dobry dzieciak. Uczy się, nie wagaruje. Niby dlaczego miał na kogoś napaść? – Ojciec bronił syna, a funkcjonariusz zapisywał coś w notesie.

Potem mundurowy powiedział, że chyba będzie sprawa przed sądem dla nieletnich, bo pewien chłopak ma wybite oko, a dziewczynka połamane palce.

– Na fortepianie ta mała już nie zagra. – Zaśmiał się ponuro. – Ja wiem, towarzyszu dyrektorze, że dzieciaki w tym wieku czasem coś zmalują. Ale tego trochę za wiele, żeby przymknąć oko. Wiecie, towarzyszu, ten z wybitym okiem jest z nieciekawej rodziny. Można by nawet sprawę umorzyć. – Mówiąc to, milicjant zniżył głos do konfidencjonalnego szeptu. – Ale matka dziewczynki w administracji pracuje, w urzędzie miejskim. Powiedziała, że nie odpuści. No to musi być sprawa, towarzyszu dyrektorze. Proszę zadzwonić, gdzie trzeba, to może na kuratorze się skończy.

Ojciec zadzwonił gdzie trzeba. I na kuratorze się skończyło. Od tego czasu Tomek pozostawał pod dużo większym nadzorem rodziców. Spotkań z kolegami mu zakazano, bo podobno mieli na niego zły wpływ. Chłopiec był w wieku, gdy rodzą się przyjaźnie, ale w takiej sytuacji nie miał możliwości ich zadzierzgnięcia. Lata mijały, a on większość wolnego czasu spędzał we własnym pokoju. Dużo czytał. Rysował, szkicował, potem zaczął malować. Ojciec pogodził się z tym, że z syna inżynier nie wyrośnie. Kiedy Tomek skończył podstawówkę, zapisano go do liceum plastycznego.

Marczyk został artystą. Z czasem uznano, że ma duży talent. Dostał kilka nagród, potem parę intratnych zleceń od instytucji państwowych. Świeżo upieczony malarz brał każde zamówienie. Bez skrupułów czerpał korzyści z sukcesu. Tylko w stosunku do kobiet był ostrożny. Pamiętając o Małgosi, wciąż im nie ufał.

Często się zdarzało, że rozmawiając z przedstawicielką płci pięknej o sprawach błahych, przyglądał się rozmówczyni z pozorną uwagą, a jednocześnie wspominał to, co zrobił szkolnej koleżance. Czuł wtedy zadowolenie. Uśmiechał się do własnych myśli, a kobieta myślała, że do niej. Wspominał potężne doznanie pokrewne poczuciu ostatecznego spełnienia. Doświadczył go, choć ledwie przez sekundy, właśnie wówczas w parku. W owej chwili czuł się wolny, czuł się władcą, bo ukochana z lat dziecięcych, która wzgardziła jego miłością, leżała na ścieżce sponiewierana. Cała we krwi. Ukarana.

Tomasz czasem bywał miły dla kobiet, czasem je wykorzystywał, wciąż jednak pozostawał wobec nich podejrzliwy. Do dnia, w którym poznał rudowłosą. Jego zmysły zagrały wtedy koncert tak melodyjny, że czujność i potrzeba władzy nad nową ukochaną omdlały, po czym w sen zapadły.

Sen był piękny, ale nie trwał długo. Przemienił się w koszmar.

Rozdział 22

Coś mu się śniło, coś przyjemnego. Co to było? Cezary otworzył oczy. Za oknem jasno, czyli już nie noc. Zaczął się piątek.

Powoli przenosił się zmysłami ze snu do jawy. Wzrok mu się wyostrzył. Co to za kształt po lewej stronie? Kołdra odrzucona na bok. A na wprost - Monika. Klęczy na wysokości bioder męża i prawą dłonią pobudza jego penisa. Lewą dłonią pieści swoją łechtaczkę.

- Dzień dobry - powiedziała. Uśmiechnęła się i usiadła na Klimie. Nasunęła się na umiejętnie usztywnionego członka.

- Dzień dobry - odparł. Oddał uśmiech i zaczął gładzić piersi ukochanej.

Kołysała się, unosiła i opadała. Coraz szybciej i szybciej. Wytrysnął w niej, ale nadal go ujeżdżała. Była tak piękna i pełna pasji, że choć miał orgazm, jego pożądanie nie zmalało.

Wreszcie doszła. Krzyknęła, upadła na bok. Drżała. Po krótkiej chwili gwałtownym ruchem przysunęła się do Cezarego. Wzięła do ust jego mięknącego członka. Ssała przez chwilę, aż znów stał się sztywny. Wtedy zaczęła go pieścić dłonią i lizać żołądź. Znów wytrysnął. Nasienie spłynęło po jej twarzy i piersiach.

Zaśmiała się głośno, jakby tryumfalnie, po czym nakryła męża swoim wilgotnym ciałem. Przytuliła się tak, że czuł na sobie każdy fragment jej skóry. Całowali się potem długo, namiętnie.

Do codzienności przywołało ich dziecko. Synek się obudził i żądał jeść, pić, przewinąć, przytulić. Niekoniecznie w tej kolejności.

Zjedli śniadanie. Właśnie pili kawę, gdy ktoś zadzwonił do drzwi. Monika myśląc, że to opiekunka do dziecka, poszła otworzyć.

Cezary wziął kolejny łyk kawy, gdy w kuchni zjawiła się żona. Wyraźnie pobladła, była niespokojna.

– Do ciebie – powiedziała suchym tonem i poszła zająć się dzieckiem.

Klim zaniepokoił się, widząc jej zachowanie. Szybkim krokiem ruszył do drzwi. Na korytarzu stał znany mu dobrze policjant.

– Co jest, panie dzielnicowy? – mruknął gospodarz, zamykając za sobą drzwi mieszkania. – Ja roboty do domu nie biorę. Mamy przecież umowę, że tu się nie spotykamy.

– Już nie ma strefy ochronnej, Cezary – warknął funkcjonariusz. – Jest następny trup i prasa to rozdmuchała.

Uderzył Klima w pierś gazetą, którą trzymał w dłoni. Młodzieniec wziął dziennik i spojrzał na nagłówek widoczny na pierwszej stronie. Bardzo mu się nie spodobał, więc zaczął czytać artykuł. Nadal nie wyjaśniono sprawy ofiary spod muzeum, a już doszło do kolejnego morderstwa, dokonanego na niejakiej Wiktorii W. Cezary poczuł, że cierpnie mu skóra na karku. Nie miał wątpliwości, że chodzi o dobrze mu znaną Wicię Wionczek. Przebiegł wzrokiem resztę tekstu i znalazł garść informacji na temat wcześniejszych zabójstw kilku kobiet. Artykuł kończyło podsumowanie, w którym dziennikarz nawoływał policję do ukrócenia fali zbrodni nękającej spokojne dotąd miasto.

- Ptaszki na mieście ćwierkają, że zarżnięta to twoja dziwka. Masz tu wezwanie od kryminalnych. Na dzisiaj, na czternastą - dodał policjant. - Mało mnie obchodzi, co im powiesz, ale morda w kubeł o naszych sprawach.

Dla Klima śmierć akurat tej dziewczyny faktycznie była bardzo kłopotliwa, bo Wiktoria od ponad roku należała do jego stajni. Młoda, obrotna, miała branie u klientów. Pracowała głównie w nocnym klubie, którym z ramienia pana Kazimierza zarządzali obaj bracia. „Nie jest dobrze - pomyślał bandyta. - Nie tylko straciłem źródło dochodu, ale jeszcze śledczy wzięli mnie pod lupę". Sprawa rzeczywiście była zbyt poważna, by zaprzyjaźniony - rzecz jasna za pieniądze - dzielnicowy mógł i chciał mu pomóc.

O czternastej, jak na przykładnego obywatela przystało, stawił się w komisariacie. Przesłuchanie jak przesłuchanie, nie było pierwszym w jego życiu i pewnie nie ostatnim. Powiedział kryminalnym wszystko, co wiedział o sprawie, czyli nic. Tym razem nie łgał, bo faktycznie ani Górek, ani Szczypior, ani on sam niczego nie wiedzieli na temat zabójstw dziewczyny spod muzeum i Wici Wionczek.

Po opuszczeniu komisariatu ruszył na miasto razem z bratem i Szczypiorem. Pojechali tu, pojechali tam, pojechali ówdzie. Najpierw oczywiście poprosili pana Kazimierza o spotkanie. Szef dopóty szanował swoich ludzi, dopóki mu nie podpadli, więc znalazł czas dla Klimów. Kiedy usłyszał, z czym przyszli, kazał podać zimne piwo i urządził podwładnym mały wykład.

Twierdził, że nie kazałby skasować pracującej dziewczyny, bo przecież podlegała Cezaremu, zatem on był za nią odpowiedzialny. Dodał, że takie incydenty szkodzą biznesowi, a choć panienki muszą wiedzieć, kto rządzi, to jednak nie mogą bać się o życie, bo wtedy nie będą lojalne. Po tym napomnieniu przyjrzał się uważnie braciom.

- Bez dwóch zdań twoim obowiązkiem, Cezary, jest znaleźć tego, kto skasował podległą ci dziewczynę. Musisz go znaleźć, ukarać i to rozgłosić, bo inaczej morale twoich podopiecznych się obniży, a i na mnie padnie cień. Rozniesie się, że moim ludziom brak poczucia odpowiedzialności - perorował stary bandyta.

Obaj Klimowie milczeli. Pouczenia były zbyteczne, bo wiedzieli, jak rządzić dziewczynami i co w tej sytuacji powinni zrobić. Nie mieli jednak kogo karać, gdyż nikt nie wiedział, kto i dlaczego zabił Wiktorię.

Zwierzchnik uznał, że spotkanie skończone, więc wyszli. Szczypior czekał na nich w wozie.

- Wkurwia mnie ten stary pierdziel - mruknął Górek, siadając na tylnej kanapie. - Ma się za największego cwaniaka, a mógłbym mu dziś, ot tak, łeb ukręcić.

- Ty się nie spiesz z ukręcaniem. Wody się napij, a ochłoniesz. Szef to szef, musi czasem opieprzyć - odwarknął Cezary, ruchem głowy wskazując bratu Szczypiora.

Górek zamilkł. Fakt, mimo że znali Szczypiora od dzieciństwa, to nie wtajemniczyli go w wielki plan Cezarego. Nie mieli pewności, jak kumpel postąpi, gdy przyjdzie co do czego i może nawet trzeba będzie nadstawić głowę.

Po spotkaniu z panem Kazimierzem znów ruszyli we trzech na miasto, tym razem także tam, gdzie władza ich zwierzchnika była mniejsza lub nawet żadna. Dotarli do Rosjan, do Ormian, rozmawiali z Wietnamczykami i Romami.

Nikt nie wiedział, kto i dlaczego zabił Wicię. Wszyscy, z kim Klimowie rozmawiali, twierdzili, że dziewczynę musiał zarżnąć jakiś wariat. Wiadomo, tam gdzie dziwki, zawsze kręcą się świry.

Wariat, nie wariat, zabił panienkę ze stajni Cezarego. Honor nie pozwalał odpuścić takiej sprawy. Poza tym, dopóki nie wyjaśni się, kto zarżnął Wicię, kryminalni będą węszyć przy Klimach.

– Co robimy? – spytał Szczypior.

Cezary milczał. Nie miał pojęcia, co robić, a nie mógł tego przyznać. Podwładni oczekiwali, że szef w każdej sytuacji potrafi podjąć decyzję. Głównie dlatego uznawali jego zwierzchnictwo.

– Patrol obywatelski, obywatele – wyskoczył z pomysłem Górek. – Znaczy się, skrzykniemy chłopaków, naszych i kiboli. Weźmie się bejsbole, giwery i pójdzie w miasto. Teren znamy. Jak kręci się tu jakiś świr, to go dorwiemy.

– Dobre! – ucieszył się mąż Moniki. Pomysł brata, choć beznadziejny, odwlekał chwilę, w której trzeba będzie opracować naprawdę skuteczny plan wykrycia mordercy. – Dorwiemy świra! Ale żadnych giwer, bo jeszcze który siebie albo kogoś przez pomyłkę postrzeli! Psy już siedzą nam na karku, więc nie chcę żadnych trupów. Pamiętajcie, chłopaki, tego świra też nie można załatwić. Trzeba go żywego dać psom, żeby się od nas odkleiły. No dobra, Górek, zrób, co wymyśliłeś. Zobaczymy, jak sprawa się rozwinie.

Potem, by jeszcze bardziej podnieść morale brata i Szczypiora, roześmiał się głośno i złowrogo.

– Jesteśmy, chłopaki, jak rekiny – powiedział z pewnością w głosie.

– Nikt nam nie podskoczy, co nie? – rzucił tym samym tonem młodszy Klim.

Mieli jeszcze w planie wizytę w pubie, którego właścicielka nie chciała płacić haraczu. Już szykowali się na niezły ubaw. Potem zamierzali odwiedzić jednego z dłużników, który udawał, że nie pamięta, jakie odsetki od pożyczek pobiera pan Kazimierz.

Trzej wysocy młodzi ludzie jechali w drogim kradzionym samochodzie przez miasto. Szczerzyli zęby w złowróżbnych uśmiechach. Jak rekiny, które na kilometr wyczuwają w oceanie woń ofiary i krwi tętniącej w jej ciele.

Po dwudziestej teren podległy Klimom został naszpikowany bandyckimi patrolami. Dowodził Górek. Grupy młodzieńców w dresach albo skórzanych kurtkach, z kijami bejsbolowymi, maczetami i łańcuchami utrzymywały ze sobą kontakt przez telefony komórkowe.

Patrole straży miejskiej i policjantów z miejscowego komisariatu udawały, że ich nie widzą. Przechodnie tym bardziej. Tych ostatnich było zresztą niewielu. Mądrzy ludzie wiedzą, kiedy lepiej nie wychodzić z domu.

Bandyci i kibole niczego się nie dowiedzieli, nikogo też nie złapali, ale zabawę mieli przednią. W tym czasie Cezary wrócił do swojego drugiego życia.

Nie rozmawiali o wizycie policjanta, lecz starszy Klim zdawał sobie sprawę, że poranne wtargnięcie w ich poukładany świat poruszyło Monikę. Faktycznie, żona w końcu wróciła do sprawy – i była to ich druga poważna, choć niezwykle krótka, rozmowa o kwestiach podstawowych. Najpierw jednak, jak już tydzień wcześniej Monika zaplanowała, wybrali się do teatru.

Spektakl niezbyt podobał się Cezaremu, bo aktorzy ciągle krzyczeli i miotali się po scenie. Przyjął jednak do wiadomości, że oto prawdziwa sztuka, czyli dziedzina, na której raczej się nie zna. Skoro ukochana była zadowolona, on też uznał wieczór za udany.

Wezwał taksówkę i pojechali do domu. Po drodze rozmawiali o widowisku. Gdy wrócili do apartamentu, synek już spał. Opiekunka pożegnała się, a oni poszli do kuchni. Monika otworzyła lodówkę, wyjęła talerze z serami i wędliną, butelki wina i wody mineralnej. Postawiła wszystko na stole.

– Ale jestem głodna – powiedziała. Potem spojrzała na Cezarego. – I napalona.

On też miał na nią wielką ochotę. Pospiesznie ściągnął garnitur od Hugo Bossa, krawat i koszulę. Wszystko rzucił na podłogę. Mocował się jeszcze ze skarpetkami, kiedy ona wyślizgnęła się z sukni i bielizny. W samej biżuterii, mieniąc się złotem i kamieniami, stała nad nim niczym królowa nad niewolnikiem.

– Jestem wilgotna, zobacz – zamruczała jak kot.

Dał sobie spokój z drugą skarpetą. Oparł dłonie na biodrach Moniki, potem wsunął w nią dwa palce. Gdy je wyjął, całe były mokre. Oblizał opuszki, smak żony zawsze go pobudzał. Wcisnął twarz pomiędzy jej uda. Poczuł wilgoć na ustach, oblizał falbanki warg sromowych, wsunął językiem w głąb jej ciała. Chwilę później pociągnął kochankę w dół. Poczuł pod głową podłogę. Monika nie odrywała się od niego. Posadzka była zimna i śliska, wykładana kaflami. To im jednak nie przeszkadzało.

Wreszcie żona krzyknęła i przywarła ciałem do podłogi. Jej uda drżały. Cezary opadł obok. Patrzył na smagłe ciało. „Kocham cię - myślał żarliwie - po prostu kocham. I pożądam jak żadnej dotąd. I odtąd też".

Przesunął dłonią po jej plecach, przyklęknął i wziął Monikę w ramiona. Podniósł, ważyła niewiele, najwyżej połowę tego, co on. Zaniósł ją do sypialni, położył na łóżku.

Gdy trzymał ją na rękach, była bierna, jakby to, co z nią robił, jej nie dotyczyło. Kiedy jednak poczuła pod plecami miękką pościel, przeciągnęła się lubieżnie. Potem jej twarz nagle się zmieniła. Usiadła na łóżku i spojrzała mężowi w oczy. Co wyrażał jej wzrok? Nie miał pewności, bo dostrzegł wiele jednocześnie wysyłanych sygnałów. Pożądanie, oddanie, ale też strach.

- Masz być zawsze przy mnie! Rozumiesz?! - szepnęła. - Nie potrafię żyć bez ciebie. I mamy dziecko. Wiem, że kochasz syna. Wiem, że kochasz też mnie, Cezary. Nie daj się zamknąć. Nie daj się zabić. Skończ z tym, co robisz. Proszę cię, skończ.

Zamiast odpowiedzieć, uśmiechnął się, by dodać jej otuchy, ale myśli miał ponure. Bardzo chciał postąpić zgodnie z życzeniem Moniki, lecz jeszcze nie mógł. Co prawda jego wielki plan na życie był zbieżny z tym, czego się domagała, jednak zaczęły piętrzyć się przeszkody. Nie jest łatwo zmienić bieg życia, a już szczególnie dokonać tego komuś z jego przeszłością.

Przeszedł już jedną wielką zmianę. Był wtedy dziewiętnastolatkiem, handlował dragami, trawką, wszystkim, co odurzało i na co znalazł się kupiec. Niby miał doświadczenie w nielegalnej działalności, ale ostrożności jeszcze się nie nauczył. Przeholował i dostał wyrok za napad w biały dzień z poważnym uszkodzeniem ciała dwóch ofiar. W pierdlu od razu pokazał, że jest ostry i nie da sobie na głowę - ani w tyłek - wchodzić, więc wywalczył miejsce w więziennej hierarchii. Odsiadkę uznawał jednak za stratę czasu. Zapowiedział sobie wtedy, że nigdy więcej nie da się zamknąć. Nie po to ma łeb na karku, by go nadstawiać, lecz po to, żeby zarabiać pieniądze. Im większe, tym lepiej.

Przesiedział rok, zaledwie rok, bo jego sprawami zajął się pan Kazimierz, który już wcześniej przyglądał się Cezaremu, dostrzegając drzemiący w nim potencjał. Starszy mężczyzna stał się nie tylko zwierzchnikiem Klima, ale też jego mentorem. Teraz jednak, po dziesięciu latach, zwierzchnik stał się ciężarem. Młody bandyta wiedział, że dopóki stary szef żyje, nie uda mu się prowadzić nowego legalnego życia. Wszyscy jednak są śmiertelni, nawet pan Kazimierz.

– Kocham cię – powiedział do zaniepokojonej żony, uśmiechając się krzepiąco. – Będzie dobrze. Zobaczysz, niedługo wszystko się zmieni i będzie, jak trzeba.

Monika była nie tylko spełnieniem jego marzeń, ale też inspiracją. Przecież dopiero gdy pojawiła się z życiu Cezarego, zdołał obmyślić swój wielki plan.

Kochał ją od trzech lat, od tylu też jej pożądał. Zrobił wiele, by stała się jego, a wkrótce zapewni jej całkowite bezpieczeństwo. Jest niczym rekin, więc odgryzie łeb każdemu, kto zagrozi ukochanej. Znów przyszedł mu na myśl zwierzchnik. Dni pana Kazimierza były policzone, bo Cezary obmyślił ostatni element planu. Wiedział już, kogo i w jaki sposób wrobi, by odsunąć od siebie podejrzenia. Policja i wszyscy bandyci z miasta będą mieli pewność, że to podsunięta przez Klima osoba odpowiada za śmierć starego bandyty.

Rozdział 23

Wirski był tak zmęczony wczorajszą harówką w kuchni, że sen nie przyniósł mu wypoczynku. W stawach łupało, mięśnie miał jak z waty. Odpuścił codzienny bieg wokół bloku. Poszedł tylko po gazetę.

Wypił kawę, zjadł kanapkę. Zgodnie z nawykiem czytał przy śniadaniu. W oczy rzucił mu się artykuł na pierwszej stronie, w którym donoszono o kolejnej krwawej zbrodni.

Natychmiast przypomniało mu się niedawne morderstwo dziewczyny znalezionej pod muzeum, więc zaciekawiony zabrał się do lektury.

Dziennikarz się przyłożył, zebrał sporo faktów. Policja, dzięki jednemu z bezdomnych, natrafiła na zwłoki kilkanaście godzin po zabójstwie. Nagie ciało szesnastoletniej Wiktorii W., wciśnięte do starego jutowego worka, tkwiło głową w dół w szybie kanału burzowego. Dla śledczych było oczywiste, że dziewczynę zabito gdzie indziej, a na odludziu tylko porzucono zwłoki. Choć miejsce znajdowało się niedaleko centrum, to jednak wokół rozciągały się porośnięte krzewami nieużytki otaczające stare magazyny kolejowe. Późną jesienią mało kto tam zaglądał.

Sekcję zwłok przeprowadzono natychmiast. Anatomopatolog ustalił, że przyczyną zgonu było wykrwawienie. Wiktorii poderżnięto gardło ostrym narzędziem, a potem spuszczono z niej całą krew, jak ze zwierzęcia rzeźnego. Na skórze ofiary odkryto też liczne małe rany – nacięcia i ugryzienia. Zabezpieczono ślady zębów zabójcy. Policyjny ekspert nie miał wątpliwości, że morderca pokąsał dziewczynę, gdy ta już nie żyła. Kto mógł tego dokonać? Kryminalnym nie spodobała się pasja, z jaką sprawca pastwił się nad zwłokami. Wskazywała na kogoś niezrównoważonego, ale mogła też wynikać z silnych pobudek osobistych, dlatego śledczy rozważali też wersję, że dziewczynę zabił zawiedziony kochanek.

Nadzieję na ujęcie sprawcy dawały mikroślady. Przebadano pod tym kątem ciało zabitej oraz worek z juty, w który morderca zapakował zwłoki.

Funkcjonariusze przeszukali cały teren, ale nie znaleźli odzieży ofiary, jej dokumentów ani osobistych przedmiotów. Szczęściem w nieszczęściu był fakt, że denatka miała już do czynienia z policją, więc bardzo szybko ustalono jej personalia. Dalej autor artykułu wspomniał o stylu życia Wiktorii W., dowodząc, że nie była aniołem.

„Chyba faktycznie jakiś świr grasuje w mieście - pomyślał zaniepokojony Wirski. - Modus operandi zabójcy rzuca się w oczy, a dwa trupy wskazują, że chodzi o seryjnego mordercę. Dwa trupy, a przecież nie wiadomo, czy to wszystkie ofiary. Drwęcki musi mieć z tym zgryz".

Odłożył gazetę. „Takie sprawy, już mnie nie dotyczą - stwierdził w duchu. - Jestem zwyczajnym obywatelem. Do tego obywatelem zmęczonym jak wszyscy diabli".

Wrócił pamięcią do poprzedniego dnia. Uwijał się nie jak mrówka, ale jak całe mrowisko. Wcześniej nie zdawał sobie sprawy, że praca w kuchni aż tak wyczerpuje fizycznie. Harował do nocy, to prawda, lecz umysłu w tym czasie nie przeciążał. Błądził myślami to tu, to tam, aż pobłądził z kretesem, gdyż odkrył na swój temat coś, co mogło radykalnie zmienić jego życie. Nie wiadomo, czy na lepsze.

Zaczęło się po tym, jak Baśka z nutką złośliwości w głosie złożyła zamówienie na posiłek dla Pani Doktorowej. Zaczął więc smażyć sznycel wiedeński dla niedoszłej rudowłosej kochanki. Powinien się przyłożyć do tego zadania, ale myślami zaczął błądzić.

Od dziesięcioleci najważniejsze miejsce w jego pamięci zajmowała Danka. Po jej śmierci najczęściej miał kochanki bardzo do niej podobne. Co prawda czasem spotykał się też z blondynkami, lecz wyłącznie naturalnymi o jasnej karnacji. Obojętnie, czy rude, czy blond, musiały być smukłe, wiotkie niczym trzcina. Jak Zuzanna, kolejna kopia Danuty. Nie bez znaczenia był fakt, że kobiety o takim wyglądzie najczęściej odwzajemniały jego zainteresowanie. „Musi się za tym kryć chemia albo podświadome reakcje na jakieś wzorce kulturowe" - rozważał. Bądź co bądź, leciał na rude, a one na niego.

„Wciąż wykopuję Dankę z grobu" - myślał ponuro. Potem się roześmiał, bo przypomniał sobie docinki Baśki na temat Pani Doktorowej, która faktycznie dawała Janowi znaki, że jest nim zainteresowana, on jednak nie spieszył się z odzewem. Dlaczego? Przecież Zuza była chętna i dokładnie w jego typie. Z niejasnych dla samego siebie powodów wolał trzymać kobietę na dystans. Okazało się, że słusznie. To, czego dowiedział się o niej przed dwoma dniami, potwierdziło, że intuicja go nie zawiodła.

Zresztą, patrząc na sprawę chłodno, nawet nie miał czasu na romansowanie. Jak to „brakowało mu czasu"? Zaraz, zaraz, przecież ów czas spędzał głównie z Barbarą. To ona potrafiła go rozbawić, mieli podobne poczucie humoru i zainteresowania. I była seksowna. Seksowna jak diabli.

„No nie - zadumał się Wirski - przecież Baśka w niczym nie przypomina Danuty. Ma wybujałe ciało, szerokie biodra i wydatny biust. Do tego farbowane na kasztan włosy, by ukryć siwiznę, bo przecież jasny brąz to jej naturalny kolor. Oczu też. Danka miała zielone oczy. A skórę tak jasną, że przeświecały przez nią błękitne i czerwone żyłki. Barbara z kolei jest lekko smagła, trochę piegowata".

Właśnie wtedy, nad patelnią, Jan zdał sobie sprawę, że się odkochał. Nareszcie zainteresowała go kobieta, która nie była fizyczną namiastką Danki. Danki uznanej kiedyś przez niego za wzorzec fizycznej doskonałości, ale przecież martwej od lat.

„Baśka..." - pomyślał ciepło, z czułością. Potem jednak zastanowił się nad konsekwencjami swojego odkrycia. Kiedy się poznali, dawała mu wyraźne znaki, że chce się z nim nie tylko przyjaźnić. Udawał, że tych sygnałów nie widzi. Pogodziła się z sytuacją. Spędzali wiele czasu razem, lecz były to kontakty na stopie towarzyskiej, później też biznesowej. Wspólnie działając, okazali się bardzo skuteczni, więc „Kino Cafe" się rozwijało, przysparzało satysfakcji i dochodów.

W ostatnich latach Jan nie miewał kochanek. Baśka też była sama, a w każdym razie nie wiedział, by z kimś romansowała. Może wciąż na niego czekała? Równie dobrze mogła wymazać z pamięci pociąg odczuwany początkowo do Wirskiego. Czy więc jest za późno na ich związek? Wyjaśnienie stanu rzeczy mogło okazać się kłopotliwe. Właściciel restauracji zastanawiał się, czy nie grozi mu pułapka z bajki o bocianie i czapli, w której kiedy jedno jest drugim zainteresowane, to drugie nie, a potem sytuacja się odwraca. „Można tak gonić w piętkę do sądnego dnia" - wysnuł wniosek.

W samą porę oderwał się od rozważań. Chwycił za łopatkę i przewrócił sznycel na rozgrzanej patelni. Masło zaskwierczało. Jan stwierdził, że zdążył w ostatniej chwili, bo panierka z jednej strony mocno się wyzłociła i jeszcze chwila, a potrawa zaczęłaby się przypalać.

Stojąc nad sznyclem, wrócił do rozważań. Zaciekawiło go, co by mogło wyniknąć ze zmiany w relacjach z Baśką. Dotychczas zaczynał z kochankami ostro, grały między nimi emocje. Można powiedzieć, że zawsze było to pożądanie od pierwszego wejrzenia. „Z Baśką jest jednak inaczej - przyznał. - Może to naturalne w moim wieku? Może po dziesięcioleciach jednolitych doświadczeń gusta się zmieniają? Czy też jest tak, że jeśli człowiek ma już swoje lata, doświadczenie mu podszeptuje, że trzeba pozwolić rozwinąć się uczuciom? Możliwe, że na tym trzeba się oprzeć: niech uczucia się rozwiną albo ujawnią swą rachityczność. Czyli nie powinien już rozmieniać się na drobne, tylko zaangażować w związek, a nie przelotny romans. Naprawdę? To by była rewolucja" - podsumował.

Najwięcej gorących przygód miał już po śmierci Danki. Nie szukał wtedy żony, tylko tymczasowego zastępstwa dla martwej kobiety. Miał partnerki dwudziesto-, trzydziestoparoletnie. Chyba nigdy nie poderwał starszej. Stan permanentnego randkowania trwał paręnaście lat. Po pięćdziesiątce Jan wyhamował, a przekraczając sześćdziesiątkę stanął w miejscu. „No tak, przeminęła epoka energetycznych młódek. Przecież nawet Zuzanna, choć młodsza ode mnie prawie dwie dekady, jest w istocie kobietą w średnim wieku".

Wrócił myślami do Baśki. Ciekawe, że nagle właśnie ją uznał za atrakcyjną. Nie tylko wyglądała inaczej niż Danka, ale do tego była w wieku... Jak by to łagodnie ująć? Zaawansowanym średnim. „Ile ma lat?... Niecałe dziesięć mniej niż ja - przypomniał sobie. - Zaraz, zaraz... Jest o osiem lat młodsza. Ciekawe, jak pachnie, co lubi w łóżku? Spytam ją, ot co, wprost ją o to spytam" - zdecydował. Przecież nie dalej jak poprzedniego dnia żartowali sobie z życia intymnego jednej z kelnerek, strasznie kochliwej. „Tak, spytam ją wprost. Tylko że...". Zawahał się, gdyż zdał sobie sprawę, że sytuacja uległa gwałtownej zmianie. Może i Baśka widziała w nim tego samego Janka co wczoraj, ale on już inaczej patrzył na Baśkę. Czy teraz takie pytania nie są niestosowne?

Zrozumiał, że go pociągała, a to wszystko zmieniało. Tym bardziej że dotąd byli i przyjaciółmi, i wspólnikami w biznesie. „Co za paradoks. Zaledwie pochowałem miłość do martwej kobiety, zaledwie stałem się wolny, zaraz popadłem w kolejne zniewolenie".

- Sznycel gotowy? Uwijaj się, Janek, bo Pani Doktorowa jeszcze bardziej schudnie z głodu, a to będzie zła reklama dla lokalu.

„O wilku mowa, a wilk tu" - pomyślał Wirski, spoglądając na wchodzącą do kuchni Baśkę. Nie, Baśka nie wchodziła do kuchni, ona wprost wpływała! Dzień wcześniej najzwyczajniej stawiała kroki, ale dziś w jego oczach unosiła się nad posadzką. Z wdziękiem tancerki przenikała powietrze, które zgęstniało niczym woda. Jej biodra, piersi, ramiona rytmicznie się kołysały. Poruszała się jakby w zwolnionym tempie, wabiąc każdym ruchem.

- Janek, zdejmuj sznycel, bo go spalisz! Co z tobą?! Pokręciło cię, chłopie?!

Zaskoczony Wirski odkrył, że wrzask Baśki zabrzmiał w jego uszach słodko niczym chór egzotycznych ptaków.

Następnego dnia rankiem, siedząc przy kawce z gazetką, przyłapał się na tym, że dręczy go konkretne pytanie. „Co ja mam, u diabła, zrobić z tym fantem?!". Bo przecież jakkolwiek by postąpił, nic nie będzie takie jak wcześniej.

Rozdział 24

Marczyk wyszedł na miasto. Potrzebował farby. Stracił rower, więc musiał zmienić sposób działania. Na razie jednak nie zastanawiał się, w jaki sposób będzie się pozbywał pojemników po farbie.

Zmierzchało. Mężczyzna przemierzył kwartał Starego Miasta i gdy dotarł na ulicę Gdańską, sklepy już zamykano. Ruch na chodnikach i jezdni zmalał. W realizacji planów sprzyjał Tomaszowi mrok i brak ludzi. Niedaleko znajdował się jeden z modnych klubów, skąd malarz zamierzał wywabić kolejną młodą kobietę. Potrzebował przecież farby, mnóstwa czerwonej, energetyzującej farby.

Chciał ruszyć w ustalonym kierunku, ale wtedy ją zobaczył. Zobaczył swoją ukochaną! Zamarł w bezruchu. Nie dowierzał zmysłom, więc mocno zacisnął powieki, a potem otworzył je szeroko. Nadal tam była. Stała po drugiej stronie ulicy, przy samochodach zaparkowanych pod budynkiem miejscowej rozgłośni radiowej. Rozmawiała z jakąś kobietą.

„Ona tam jest! Tam jest jej gorące ciało – pomyślał z radością. – Nie muszę jej odtwarzać, malować, wypełniać krwią!". Chciał biec, ale w tym momencie jezdnią przetoczył się tramwaj. Za nim drugi. Z przeciwnej strony przejechało kilka samochodów. Pewnie kawałek dalej, na krzyżówce, była zmiana świateł. Pojazdy znikły i Marczyk mógł przebiec na drugą stronę ulicy, lecz ukochanej już tam nie było. Krzyknął rozpaczliwie i pobiegł w poprzek jezdni.

Zdyszany dotarł do miejsca, gdzie przed chwilą widział ukochaną. Rozejrzał się gorączkowo, jednak nie dostrzegł jej w pobliżu. Za to ciemnowłosa kobieta, z którą rozmawiała jego kochanka, usiadła właśnie za kierownicą samochodu. Zamierzała odjechać.

Podbiegł do wozu, otworzył drzwi i wskoczył na przednie siedzenie.

- Gdzie ona jest?! - wywrzeszczał pytanie wprost do ucha właścicielki pojazdu.

Zamarła, kurczowo zacisnęła dłonie na kierownicy. Potem odwróciła się w stronę Tomasza i spytała, usiłując zachować spokój:

- Kto gdzie jest?

- Kobieta, z którą rozmawiałaś! - znów krzyknął.

- Przed chwilą odjechała - wyjaśniła. - Wsiadła do samochodu i pojechała. W tamtym kierunku.

Spojrzał we wskazaną stronę, ale ulica była niemal pusta. Tylko z naprzeciwka jechał wóz dostawczy.

- Jedziemy do niej - rozporządził Marczyk.

- Panu coś się pomyliło - napomniała go ostrym tonem ciemnowłosa. - Po pierwsze, proszę wysiąść z mojego samochodu. Po drugie, w pobliżu jest postój taksówek. Weźmie pan taryfę, pojedzie do tej swojej...

Nie dokończyła, bo malarz uderzył ją pięścią w twarz.

Głowa kobiety odskoczyła, długie włosy rozsypały się na oparciu siedzenia. Tomasz wyjął z kieszeni nóż.

- Ruszaj. Jedziemy do niej - zakomenderował.

Jęknęła. Schowała twarz w dłoniach. Chwycił nieznajomą za włosy, szarpnął.

– No już! Ruszaj! Nie będę powtarzał – warknął, przytykając nóż do jej szyi.

– Nie wiem dokąd – ponownie jęknęła, rozmazując po twarzy łzy i krew z rozbitej wargi.

– Do niej! Kurwa, do niej masz jechać, głupia cipo! – gorączkował się Marczyk.

– Przecież ja nie wiem, gdzie ona mieszka – zaprotestowała.

– Nie kłam! Rozmawiałyście przed chwilą – znów warknął.

– Ale ja jej nie znam – tłumaczyła z płaczem. – Podeszła do mnie, bo spodobał się jej mój płaszcz. Spytała, gdzie go kupiłam. Wyjaśniłam, a ona podziękowała i odjechała swoim wozem. A ja wsiadłam do swojego... Wtedy pan się zjawił.

Tomasz wpatrywał się w nią z niedowierzaniem.

– Naprawdę, widziałam ją pierwszy raz w życiu...

– Średniego wzrostu, szczupła, rude włosy, jasna karnacja, zielone oczy – beznamiętnym tonem podawał rysopis ukochanej.

– Zgadza się... – potwierdziła słabym głosem.

Malarz zamknął oczy. Wciąż trzymał nóż przy szyi kobiety.

„To była ona – myślał gorączkowo. – Naprawdę ona! Muszę wrócić do domu, muszę to sprawdzić. Ciało i krew, błyszczące oczy i włosy targane wiatrem. To ona, bez wątpienia ona!”.

– Niech pan mnie puści – pisnęła ciemnowłosa. – Nikomu nie powiem.

Przyjrzał się jej uważnie. Ocenił. Wyglądała na zdrową, nie licząc krwawiących ust, ale usta sam jej rozbił. Miała około trzydziestki, czyli wystarczająco młoda, by posiadać sporo sił życiowych. „Może się nada - uznał. - Ale najpierw muszę wyjaśnić najważniejszą sprawę".

- Ruszaj - powiedział i machnął nożem przed jej twarzą. - Pokażę ci, jak masz jechać.

- Ale potem mnie pan puści? Dobrze? - dopytywała się z nadzieją w głosie.

- Rób, co każę - syknął. Potem wyjaśnił, którymi ulicami ma jechać.

W milczeniu skinęła głową. Przekręciła kluczyk w stacyjce. Silnik warknął i pojazd włączył się do ruchu. Mijały ich samochody, tramwaje, nieliczni przechodnie. Nikt nie zauważył aktu przemocy, nikomu nie przyszło do głowy, że tuż obok doszło do porwania.

Tomasz odsunął się od ciemnowłosej, nóż trzymał teraz nisko, na wysokości jej brzucha. Wygodnie rozparł się w fotelu. Silnik miarowo szemrał. Marczyk obserwował drogę, co chwila dając kobiecie uzupełniające wskazówki. Nie było daleko, pieszo ze dwadzieścia minut. Autem trzeba było nadłożyć drogi, skręcić kilkakrotnie, ale i tak za kilka minut mieli dotrzeć na miejsce.

Samochód nagle opadł i zaraz podskoczył. Napastnik nie zapiął pasa bezpieczeństwa, więc rzuciło nim na przednią szybę. Uderzył głową w podsufitkę.

- Co jest?! - wrzasnął, spoglądając z wściekłością na porwaną. Spuściła głowę i znów się rozpłakała.

- Przepraszam - szepnęła. - To wyboje. Dziury w jezdni.

- Tylko nie kombinuj. Mówię ci, nie kombinuj - mruknął malarz, posyłając jej wrogie spojrzenie.

Kiedy dojechali, kazał kobiecie zaparkować pod sąsiednią kamienicą. Potem wziął uprowadzoną pod rękę i przycisnąwszy ostrze noża do jej boku, poprowadził do swego mieszkania.

Najpierw musiał wyjaśnić to, co najważniejsze. Dopiero potem zdecyduje, co zrobić z ciemnowłosą.

Rozdział 25

Pierwszą poważną rozmowę Monika przeprowadziła z Cezarym, kiedy po raz piąty czy szósty wylądowali w łóżku. Byli wtedy parą od około miesiąca.

Tego dnia, jak zwykle, kochali się w jego dawnym mieszkaniu, gdzie często zaglądali koledzy z branży, a bywało, że też policja. Jesionówna jednak nic o tych sprawach nie wiedziała, bo zachodziła do kochanka tylko wtedy, kiedy umówili się na randkę.

Był już późny wieczór. Klim wyjął skręta z papierośnicy. Przypalił. Zaciągnął się odurzającym dymem.

– Właściwie nic o tobie nie wiem – powiedziała Monika, zabierając mu blanta. Też się zaciągnęła, ale zaraz zgasiła niedopałek w popielniczce stojącej przy łóżku. – Wystarczy ci jeden mach, bo się upalisz i będziesz do niczego.

Uśmiechnął się i wzruszył ramionami.

– Przecież ja nawet nie znam twoich rodziców – ciągnęła, choć byli w miejscu i stanie niesprzyjającym tak poważnym rozmowom.

– Znasz mojego brata. To wystarczy. Resztą krewnych nie ma co się chwalić – stwierdził. Bo co niby miał jej powiedzieć? Że matka zachlała się na śmierć, a ojciec, skazany na osiem lat za pobicie ze skutkiem śmiertelnym, powiesił się w celi?

Leżeli nadzy na łóżku w sypialni. Jeszcze przed chwilą mieli w planach dalej się kochać. Ale dziewczynie zebrało się na pogaduchy.

- Górek... Jak on właściwie ma na imię? Przecież świętego Górka nie ma w kalendarzu. - Zachichotała.

- Jerzy - wyjaśnił. - Znasz tę przezywankę „Jurek, ogórek, kiełbasa i sznurek"? Jerzy, jak był mały, nie potrafił wymówić ani „Jurek", ani „ogórek". Ale akurat słowo „ogórek" bardzo mu się podobało. Przedstawiał się więc jako Górek i wszyscy na podwórku to podchwycili. Jak widzisz, przyjęło się na całe życie.

- Nie wiem też, czym się zajmujesz - ciągnęła, przyglądając mu się z uwagą. - Za młody jesteś, by zdążyć zarobić tyle pieniędzy, ile masz. Praktycznie rzecz biorąc, od nowa sfinansowałeś naszą fabrykę, a na co dzień nie liczysz się z wydatkami. To nie są pieniądze z legalnego źródła, prawda?

- Nie chcesz tego wiedzieć. - Rozmowa zmierzała w kierunku, który mu nie odpowiadał. - Nawet nie powinnaś się tego domyślać, bo przyrzekam, że z tymi sprawami nie będziesz miała nigdy nic wspólnego.

- Jesteś taki silny i pewny siebie - zamruczała, sunąc paznokciami po jego piersi. - Prawdziwy *self-made man*. Czuję się przy tobie bezpiecznie, chociaż chyba nie powinnam. To co, opowiesz mi, jak ukradłeś pierwszy milion?

Sięgnęła dłonią do jego penisa, zaczęła go pieścić palcami.

- No, zeznawaj, Klim. - Znów zachichotała.

- Nie. - Odsunął się gwałtownie. - Mówiłem już, że te sprawy cię nie dotyczą. Nigdy nie będziesz w nic wplątana.

Przerwał, po czym spojrzał na nią z wyrzutem.

- To miał być miły wieczór, a ty wyjeżdżasz z takim tematem.

– Wieczór nadal może być miły – odparła, uśmiechając się prowokacyjnie. – Jestem przecież grzeczną dziewczynką, a ty niegrzecznym chłopcem. Czyli dobrana z nas para.

Przesunął spojrzenie z jej twarzy na piersi. Nie wiedział, czy to skutek marihuany, ale ukochana wydała mu się tak piękna, że aż doskonała w swej formie. Przecież prawdziwe kobiety tak nie wyglądają! Przekręcił się na bok i położył dłoń na jej lewej piersi. Opuszkami palców dotknął sutka. Był koloru kawy, ciemniejszy od skóry. Poczuł, że brodawka nabrzmiewa.

– I znowu jestem napalona. – Monika zaśmiała się. – Tak na mnie działasz, niegrzeczny chłopaku.

Też przewróciła się na bok, przytknęła czoło do jego czoła. Patrzyli sobie w oczy.

– Mam ochotę na coś niegrzecznego, niegrzeczny chłopaku – zamruczała.

Nie spuszczając Cezarego z oka, ułożyła się na brzuchu. Zakołysała znacząco pośladkami.

– No, chodź tu do mnie – szepnęła. – Wejdź we mnie niegrzecznie, niegrzeczny chłopaku.

Zaczął gładzić jej plecy. Sunął wargami po skórze, potem językiem podążył od karku do pośladków. Czuł jej smak i pożądanie rosło. Włożył dłoń pomiędzy uda, pieścił waginę, potem odbyt. Wsuwał palce w obydwa otwory, rozprowadził wilgoć pomiędzy pośladkami. Potem ukląkł za Moniką, między jej rozłożonymi nogami. Jego członek trochę już zmalał i zmiękł, dzięki czemu Klim mógł go łatwo wcisnąć w odbyt kobiety. Czekała na to, a on zaczął rytmicznie wsuwać się w nią i z niej wysuwać. Po raz pierwszy odbywali stosunek analny, więc zachowywał ostrożność. Nie znał jeszcze jej reakcji i potrzeb. Stopniowo przyspieszał, wchodził głębiej. Penis znów się usztywnił, urósł. Stymulacja silnie podziałała na dziewczynę. Zaczęła dyszeć, potem pojękiwała coraz szybciej i głośniej. Włączyła się w rytm, unosząc i opuszczając pośladki. Cezary starał się panować nad sytuacją, nie skończyć zbyt szybko. Chciał najpierw zaspokoić swoją wybrankę.

Podniecało go, że ma ją bezgranicznie, ale hamował się, by nie dojść przed ukochaną. Wsuwał się w nią i wysuwał, a ona odpowiadała ruchami pośladków, zaciskaniem i rozluźnianiem mięśni odbytu. Nagle krzyknęła, przetoczyła się na bok i zwinęła w kłębek. Nogi jej drżały, szybko oddychała.

Klim klęczał obok. Monika była jego. I pokazywała, że chce być jego.

Przewróciła się na plecy. Rozłożyła nogi, uginając kolana na zewnątrz, stopy złączyła podeszwami. Wsunęła dłonie między uda, palcami pieściła wargi sromowe i łechtaczkę.

- Spuść się na mnie - szepnęła, patrząc na jego członek. Wciąż miał erekcję. - Lubię go mieć w sobie. I lubię na niego patrzeć. Nigdy nie miałam w sobie tak wielkiego. Spuść się na mnie, Cezary. Pokryj mnie całą.

Podniecała go, a i sam czuł zapach jej podniecenia. Stanął nad kobietą i zaczął się onanizować. Patrzył w jej oczy, a ona w jego. Poruszał dłonią coraz szybciej, ona też przyspieszyła. Oddychał coraz ciężej, wreszcie wytrysnął. Nasienie spadło na jej twarz, piersi, brzuch. Zaraz po tym jęknęła. Też miała orgazm. Przewróciła się na bok z dłońmi wciśniętymi między uda. Nie odrywała wzroku od prącia kochanka.

Ukląknął, ułożył się za nią, przywarł do jej pleców i pośladków. „Wiele wysiłku kosztowało mnie jej zdobycie, ale było warto" - pomyślał.

Wtedy, trzy lata temu, musiał najpierw zniszczyć to, co dawało Monice pewność siebie i poczucie bezpieczeństwa. Doprowadzenie starego Jesiona na skraj bankructwa okazało się stosunkowo łatwe. Klim zakładał zresztą, że akurat ta część planu nie nastręczy mu problemów. Skupił się więc na tym, co uznał za naprawdę trudne, czyli na zdobyciu dziewczyny.

Jedyną osobą, której wyjawił swój plan, był Górek. Tylko do niego Cezary miał absolutne zaufanie. Młodszy brat był twardy, ale nie miał cech przywódczych. Ambicja go nie zżerała, władza nie podniecała. Lubił za to przygody i wygody, a jedno i drugie zapewniał mu właśnie Cezary. Po cichu marzył też o innych przygodach, o wędrowaniu po świecie, o wyprawach w miejsca tak odległe, że na mapach prawie ich nie widać. Jerzy Klim miał dość inteligencji, by zdawać sobie sprawę, że wspierając plan starszego brata, wkrótce będzie mógł wieść życie, jakiego pragnie.

- Dobra, Cezary. Wezmę Szczypiora i puścimy fabrykę Jesiona z dymem. Szczypior wie, jak to zrobić bez zostawiania śladów - powiedział, gdy dowiedział się, na czym polega wielki plan, a w nim część dotycząca wymuszenia na Jesionie, by ten wszedł w spółkę z Cezarym. - Mamy już tyle lewej kasy, że przyda się prywatna pralnia. I w ogóle dobrze byłoby przejść na legal. Ale widzę tu dwie śliskie sprawy.

- No? - mruknął starszy, domyślając się toku rozumowania brata.

- Po pierwsze, jak załatwimy to z panem Kazimierzem?

- Nie załatwimy. Będziemy tak kombinować, żeby za parę lat całą kasę mieć na legalu.

- Pan Kazimierz będzie chciał działkę z fabryki Jesiona. Znasz go, stary pierdziel nie odpuści - zgłosił zastrzeżenie Górek.

- Na razie niczego nie skuma. A jak przyjdzie czas, wcisnę mu kawałek o miłości i potrzebie wsparcia rodziny mojej ukochanej. Może łyknie bajer, a jak nie, będziemy na bieżąco reagować na jego posunięcia. Zresztą... - Cezary na chwilę zawiesił głos, a potem dodał zdecydowanym tonem: - Żeby mieć spokojną głowę, musimy starego odstrzelić. Jeśli nie będzie nam bruździł, załatwimy go za rok albo dwa. Ale jak teraz zacznie się stawiać, bądź gotowy na szybką akcję.

- Racja, brat, inaczej się nie da. Przecież jak już będziemy na legalu, to on będzie chciał nas doić - przytaknął Górek, a potem spojrzał z uwagą w oczy starszemu. - Pomysł z interesem jest dobry, ale z dziewczyną już nie. To ta druga śliska sprawa. Mówię ci, takie jak ona to tylko kłopoty dla takich jak my. Proszę cię, brat, odpuść sobie tę laskę.

- Nie ma, kurwa, takiej opcji - odparł Cezary twardo, podkreślając, że nie będzie więcej rozmów na ten temat.

Młody sprawił się jak trzeba. Fabryka spłonęła. Surowce i wyprodukowane już obuwie zamieniły się w popiół, a maszyny w złom. Starszy Klim umiał być cierpliwy, chociaż zachowanie spokoju w tej sprawie nie przyszło mu łatwo. Teraz jednak musiał czekać, aż Jesionowi wypłacą odszkodowanie z ubezpieczenia, a potem zaciągnie kredyt, by zgromadzić fundusze na ponowny rozruch rodzinnego biznesu.

Usunięto zgliszcza, zwieziono materiał do budowy nowej hali. Równocześnie, by oszczędzić na czasie, wzniesiono dwa magazyny z lekkich konstrukcji. Kiedy tylko przyjechały okazyjnie kupione pierwsze maszyny, na teren firmy wrócili Górek ze Szczypiorem. Moduły, z których zmontowano tymczasowe pawilony, były wykonane z substancji ogniotrwałych, a maszyny głównie z metalu, jednak Szczypior był ekspertem. Potrafił spalić nawet to, co niepalne. Z benzyny, srebrzanki w proszku, płatków owsianych i czegoś tam jeszcze zrobił termit, po czym włożył substancję do tekturowych pudeł po butach. Ładunki zapakował do czterech najtańszych plecaków z poliestru, kupionych za gotówkę w różnych supermarketach. Tak życzył sobie Cezary, bo ostrożności nigdy za wiele.

- Tylko żużel i dziura w ziemi, kurwa, tam zostanie - powiedział Szczypior. Wręczył dwa plecaki Górkowi, sam wziął pozostałe. Potem zwrócił się do młodszego Klima: - Pamiętaj, że jak odpalę, to zaraz spieprzamy. Tam będzie jak w piecu hutniczym!

W takich sprawach się nie mylił. Miał jeszcze tę zaletę, że jeśli bracia chcieli, by coś zrobił, robił to, nie zadając pytań. Przecież byli kolegami jeszcze z piaskownicy.

Oficjalnie teren budowy fabryki nadzorowała firma ochroniarska, ale sprowadzało się to do zamontowania kilku kamer przemysłowych. Gdyby działo się coś podejrzanego, dyżurny w centrali zawiadamiał patrol, a ten podjeżdżał w kilka minut, by interweniować. Metoda ta mogła być skuteczna przy próbach kradzieży materiałów budowlanych, ale nie w przypadku działań Górka i Szczypiora. Kamery zdołały utrwalić dwie ciemne sylwetki bez twarzy, i tyle.

Zgodnie z planem obaj młodzi mężczyźni, po przygotowaniu w garażu Szczypiora niszczącej substancji, ubrali się w ciemne spodnie i kurtki z kapturami. Dobrze wyliczyli czas, na miejsce dotarli o zmroku. Przyjechali samochodem, który młodszy Klim ukradł specjalnie do tej roboty. Wiadomo, ostrożności nigdy za wiele.

Wóz zaparkowali na chodniku. Wkoło panowała cisza, więc ruszyli do akcji. Naciągnęli kaptury, przecięli nożycami drucianą siatkę ogrodzenia, po czym objuczeni termitem wbiegli na teren firmy. Pawilony były dwa, więc bandyci rozdzielili się i w tym samym czasie każdy z nich rozbił łomem zamek magazynowej bramy. Górek wszedł do jednego baraku, Szczypior do drugiego. Ułożyli plecaki na dopiero co przywiezionych maszynach. Potem Szczypior ruszył biegiem, podpalając krótkie lonty kolejno w każdym z budynków. Wszystko zajęło ledwie minutę. Kiedy przeciskali się przez dziurę w ogrodzeniu, za ich plecami już huczał ogień.

Wskoczyli do wozu, przejechali przez miasto, ale wyłącznie bocznymi ulicami, by nie uchwyciły ich kamery na dużych skrzyżowaniach. Potem porzucili samochód w zaułku, polali wnętrze benzyną, dołożyli zachowaną w tym celu paczkę termitu i podpalili. Z wypalonego wraku nie można zdjąć odcisków palców ani pobrać próbek DNA.

Spacerkiem przeszli kawałek. W pierwszym z brzegu pubie zamówili po drinku, zapłacili gotówką, dali barmanowi napiwek i kazali mu wezwać dwie taksówki. Wiadomo, ostrożności nigdy za wiele, dlatego, jak kazał im Cezary, nie zabrali na akcję telefonów. Komórka jest użyteczna, ale ma tę wadę, że kiedy się przemieszczasz, loguje się do każdej najbliższej stacji przekaźnikowej. W ten sposób pozostawia trwały ślad obecności właściciela telefonu w konkretnych miejscach. Teraz zaś, nawet gdyby ktoś podejrzewał o podpalenie fabryki właśnie Górka i Szczypiora, nie znalazłby na to dowodów u operatora sieci. Nie znalazłby jakichkolwiek dowodów, bo Cezary wszystko przemyślał.

Zniszczenie maszyn kupionych na kredyt było gwoździem do trumny Jesiona. Fabrykant miał co prawda dostać odszkodowanie za ten sprzęt, ale że po pożarze starych budynków prządł cienko, wykupił symboliczne ubezpieczenie. Do tego czekały go kary umowne. Na przykład z firmą eksportową miał spisany długoterminowy kontrakt. Po pierwszej katastrofie kontrahent poszedł Jesionowi na rękę, prolongując terminy dostaw. Kiedy jednak - zgodnie z zapowiedzią Szczypiora - nowo zakupione maszyny zamieniły się w żużel, a po magazynach została tylko dziura w ziemi, fabrykant był załatwiony. Nie miał już nawet domu, bo wisiał na nim milionowy kredyt hipoteczny. Miał tylko długi nie do spłacenia. Lecz czuwał nad nim anioł. Anioł nazywał się Cezary Klim i w tej jakże trudnej chwili wyciągnął do Jesiona pomocną dłoń.

Młody bandyta otrząsnął się ze wspomnień. Był tutaj i teraz. Pierwsze etapy wielkiego planu dawno już zrealizował.

Przesunął dłońmi po ramionach Moniki, po udach, wilgotnym brzuchu. Zamruczała, poruszyła się delikatnie, przykuwając tym uwagę męża.

Dotknął wargami jej wilgotnego od potu karku.

Była bardzo zmysłowa, chwilami miał nawet wrażenie, że ukochana jest niczym instrument muzyczny, na którym tylko on potrafi zagrać dowolny utwór. Raz melodię dynamiczną, o tempie szybko narastającym i w ciągu kilku minut prowadzącym do ekstazy. Kiedy indziej zmysłowe, powolne ruchy stanowiły długą, krętą linię symfonii snującej się przez godzinę, zanim eksplodowała finalnym akordem orgazmu.

Czasem brał ją gwałtownie, w klasycznej misjonarskiej pozycji. Zarzucała mu wtedy nogi na ramiona, on chwytał rękami jej biodra, wyczuwał członkiem wejście i wsuwał się szybko. Lubił też, kiedy to Monika wykazywała inicjatywę. Miał wtedy wrażenie, że nie tylko pozwala mu się kochać, ale że naprawdę go pożąda.

A on? Kochał ją, pożądał jej. Nie istniały występki ani zbrodnie, których by nie popełnił, by mieć Monikę przy sobie na zawsze.

Rozdział 26

Kazał kobiecie usiąść w kącie największego pokoju. Zdezorientowana, nawet nie próbowała walczyć ani uciekać.

Marczyk podszedł do ściany. Namalowany na niej portret wciąż ciemniał, a stara farba i tynk stanowiły banalne, brudne tło ponurej kompozycji. Tomasz przypomniał sobie ukochaną widzianą niedawno na ulicy. Wizja czy realne spotkanie? Musiał to ustalić, by wskrzesić emocje, miłość, piękno.

Podszedł do malowidła, oparł się o nie czołem, a potem uderzył pięścią w mur. Choć głuchy łomot był oznaką rozpaczy, a nie pytaniem, jednak coś na niego odpowiedziało. Odezwało się w umyśle malarza pod warstwą tego, co świadome.

– Co mówisz, co? – dopytywał się szeptem, przykładając ucho do ściany.

Czy to morze znów szumiało w jego poranionej głowie? Uderzył w mur raz jeszcze, ale rozumiał, że w ten sposób niczego nie ustali. Skoncentrował się, a następnie skupił rozpierzchnięte myśli na wykonaniu konkretnego zadania.

Podszedł do porwanej i uderzył ją z całej siły w głowę. Nie zdążyła zareagować, nieprzytomna upadła na podłogę. Tomasz ruszył do piwnicy. Wkrótce wrócił z łomem i murarskim młotkiem. Stanął przed nagą ścianą w salonie, zważył łom w ręku, wziął zamach i uderzył. Z boku, z portretów, patrzyło na niego kilka twarzy ukochanej.

Rudowłosa zdawała się przyglądać temu, co robi Marczyk. Wpatrywała się w niego uporczywie, z wyrzutem. Oskarżała spojrzeniami z obrazów, które sam namalował.

Przebił się przez mur. Posypały się okruchy budulca. Odłożył łom, zaczął wyjmować poluzowane cegły. Rzucał je na podłogę bezładnie, obok i za siebie. Nagle jego ruchy stały się nerwowe, przyspieszył. Czuł, że musi jak najprędzej ustalić, czy jego dzieło nadal jest tam, gdzie je ukrył.

– No już, postaraj się – napominał sam siebie, wymawiając słowa coraz głośniej i głośniej.

Rozbił mur dzielący go od wspomnień, rozbił skorupę, którą kiedyś stworzył. Kolejna cegła spadła na podłogę, kolejny kawał tynku uderzył w deski. W salonie unosił się pył, cięższe jego cząstki osiadły na twarzy malarza, na jego rękach, na portretach rudowłosej.

Tomasz zaczął odsłaniać niszę w murze, którą kiedyś biegł przewód kominowy. Otwór stał się na tyle duży, by mężczyzna mógł stwierdzić, czy we wnęce nadal znajduje się to, o czym myślał. Ciemny, nieregularny kształt. Nie przypominał człowieka. Nie przypominał niczego, co dotąd widział Marczyk.

Włożył głowę w otwór, wcisnął ręce i chwycił amorficzny tłumok ukryty w mroku niszy. Objął coś o nieznanej mu strukturze, po czym mocno pociągnął. Rzecz, którą wyjął z wnęki, nie była ani duża, ani ciężka, ale impet, z jakim malarz wykonał ruch, rzucił nim na środek salonu.

Otrząsnął się, zakaszlał, bo pył z rozbitej ściany osiadł mu w gardle. Podniósł głowę. W poprzek jego torsu leżało coś o trudnym do zdefiniowania kształcie. Z jednej strony zakończone była owalem przypominającym ludzką głowę. Po przeciwnej stronie widać było dwie podłużne struktury, jakby pogięte metalowe pręty owinięte starymi sznurami. Mężczyzna zrzucił z siebie ciężar. Odskoczył w bok, przykucnął. Przypatrywał się uważnie obiektowi wydobytemu z niszy. Dopiero po chwili nabrał pewności, że ma przed sobą ludzkie ciało.

To nie była jego kochanka. To po prostu nie mogła być ona! Na środku salonu leżało jednak czyjeś truchło. W splotach wysuszonych tkanek, w poczerniałych kościach, gdzieniegdzie powleczonych zmumifikowaną skórą, trudno było dopatrzeć się ludzkich kształtów. Tym bardziej tak doskonałych, jakie miała kobieta jego życia. Tak, ukochana musiała żyć, przecież widział ją dzisiaj na ulicy! A to coś, ten zewłok? Marczyka znów rozbolała głowa.

– Co mam robić? Co robić? – pytał na głos. Pytał siebie i pytał ukochanej.

Coś zrobić musiał. Wiedział, że musi. I szybko odkrył, co takiego. W głowie szumiał mu ocean. Opuchlizna pulsowała bólem. Wówczas na tle ściany ujrzał wirujące drobiny pyłu. Zbijały się w smugi, fale, a te zaczęły tworzyć ledwie widoczną postać kobiety ni to szarej, ni czerwonej barwy.

– Chcę ciała – szeptała zjawa koloru krwi. – Jestem piękna, a piękno to forma. Muszę mieć ciało, bo jestem piękna.

Odwrócił się do kobiety, którą porwał pół godziny wcześniej. Miała to, co pomoże mu spełnić żądania ukochanej.

Uprowadzona właśnie odzyskiwała przytomność. Jęknęła, uniosła głowę, potem podparła się łokciem. Próbowała wstać, ale zabrakło jej siły. I wtedy zobaczyła szczątki, które Tomasz wydobył z niszy w ścianie.

Krzyknęła. Nagły dźwięk uporządkował myśli Marczyka. Musi działać, zrobić coś, by życie i śmierć znów stały się piękne. Sięgnął po swe ulubione narzędzie, tak pomocne w tworzeniu.

– Człowiek rodzi się z krzykiem, a potem już tylko czeka w strachu na śmierć – powiedział, podchodząc z nożem do ciemnowłosej. – Ty już nie musisz się bać.

Poderżnął jej gardło.

Pociągnął ciało w stronę zmumifikowanych zwłok. Krew zaczęła wsiąkać w wyschnięte szczątki. Wciąż jednak było zbyt mało i koloru, i energii życiowej.

– Chcę ciała – znów szeptała do malarza zjawa barwy krwi. – Muszę mieć ciało, tak piękne jak wtedy.

W tej chwili dla Tomasza dręcząca go dotąd kwestia stała się jasna. Kochanka widziana tego wieczoru na ulicy była zwidem, omamem. „Ale jeśli jej tam nie było, to znaczy, że ześwirowałem – pomyślał zaniepokojony. – A przecież nie ześwirowałem – zaraz napomniał się w duchu. – Kontroluję to, co ze mną i wokół mnie się dzieje. Kontroluję? Czy na pewno?". Sam w sobie posiał ziarno wątpliwości, a stan, do którego się doprowadził, bardzo go zdenerwował.

Zaraz, zaraz! Przecież ma świadka. Ruszył w stronę kobiety, która nie tylko widziała jego kochankę, ale nawet z nią rozmawiała. Mężczyzna, usiłując przypomnieć sobie przebieg dzisiejszych zdarzeń, pochylił się nad uprowadzoną. Leżała bez ruchu. Trącił ją nogą, ale nadal się nie poruszała. No tak, przecież miała poderżnięte gardło.

Jęknął. Niczego nie sprawdzi u źródła, bo przecież wycisnął z porwanej całą farbę. Już niczego nie potwierdzi ani niczemu nie zaprzeczy. Gonił w piętkę, bijąc się z myślami. Wreszcie podjął decyzję. W końcu sprawa dotyczyła jego, kto więc miał wiedzieć lepiej niż on? „Nie zwariowałem" - zapewnił samego siebie stanowczym tonem. Postanowił trzymać się tego ustalenia, nie wnikając w szczegóły.

„Tam jej nie było, bo jest tutaj. I musi mieć piękne ciało" - powtarzał gorączkowo w myślach. Pobiegł do łazienki. Zimną wodą umył twarz. Osiadły na niej pył zalepiał oczy i utrudniał oddychanie. Tomasz nawet się nie wytarł. Czuł, że musi się spieszyć, że im szybciej zrobi, co trzeba, tym rychlej wypełni wolę kochanki, a potem zaspokoi jej i swoje potrzeby.

Nie wrócił do salonu, gdzie musiałby słuchać widma, oglądać namiastkę kobiety, którą kochał jak nikogo wcześniej ani później. Poszedł do przedpokoju. Włożył kurtkę, wsunął nóż do kieszeni. Wyszedł z mieszkania.

Przemierzał ulicę pospiesznie, ruchy miał nerwowe, niespokojnie rozglądał się wkoło. Zapadł zmierzch i włączyły się latarnie. Marczyk parł przed siebie - chaotycznie, choć z planem. Minął rozświetloną witrynę sklepu spożywczego, tego obok monopolu i apteki. Dostrzegł przez szybę coś, co zwróciło jego uwagę, zatrzymał się więc w pół kroku, a potem zawrócił. Stanął przed wystawą. W sklepie była samotna ekspedientka, zbierała się do wyjścia.

„Tak, o to właśnie chodzi" - pomyślał. Cofnął się kilka kroków i zaczekał, aż kobieta wyjdzie. Nieświadoma obecności mordercy, zamknęła drzwi, wrzuciła pęk kluczy do torebki. Wtedy ruszył. Zanim ekspedientka zrozumiała, co się dzieje, objął ją ramieniem i przyłożył nóż do szyi.

– Idziesz ze mną – powiedział głośno. – Jeśli krzykniesz, to cię zarżnę. Jak kurę. Zarżnę na ulicy.

Zmartwiała. Milczała. Słychać było tylko jej ciężki oddech. Łapała powietrze szeroko rozwartymi ustami. Trupio blada, posłusznie ruszyła w rytm kroków prowadzącego ją Marczyka.

– Jolka, dokąd ty idziesz? Co to za facet? – Gniewny męski głos rozległ się tuż za plecami malarza.

Tomasz odwrócił się, w mgnieniu oka ocenił sytuację. Stał przed nim człowiek, którego wcześniej nie zauważył. Chyba też czekał na ekspedientkę. Marczyk podjął decyzję w ułamku sekundy. Uznał, że intruz zagraża jego planom, chce mu odebrać potrzebną rzecz. Ale farba jest jego, z nikim nie będzie się nią dzielić.

Znajomy porwanej nie zdążył zareagować, a kobieta krzyknąć. Nie próbowała też uciec. Malarz skoczył na przeciwnika i zadał mu z wielką siłą kilkanaście pchnięć. Mężczyzna był tak zaskoczony, że nawet się nie bronił. Pod nawałą ciosów upadł, a potem leżał cicho na chodniku. Tylko rozpostarte palce lewej dłoni trzepotały bezgłośnie.

– Milcz, bo zabiję – warknął Tomasz do ekspedientki.

Ostrzeżenie okazało się zbyteczne. Stała sztywna z przerażenia.

Wokół było pusto. Pomimo krwawego incydentu nikt nie zwrócił uwagi na odchodzącą parę.

Na nielicznych mijających ich przechodniach mogli sprawiać wrażenie zakochanych, którzy odkryli wielką miłość dopiero po wkroczeniu w wiek średni. Marczyk szedł przytulony prawym bokiem do lewego boku uprowadzonej. Obejmował ją za szyję prawą ręką. Także w prawej dłoni trzymał nóż. Ostrze było niewidoczne dla postronnych osób, bo wsunął je pod kołnierz palta kobiety. Ona jednak czuła zapach krwi zamordowanego na jej oczach bliskiego mężczyzny, czuła chłód stali na skórze, w miejscu, gdzie pod cienką warstwą tkanek kryły się tchawica i aorta.

Szybkim krokiem przebyli kilkaset metrów. Weszli do domu malarza. Na schodach nikogo nie było. Na drugim piętrze, przed drzwiami do swojego mieszkania, Tomasz zwolnił uścisk ramienia i przycisnął ofiarę do ściany. Ostatnio porzucił zwyczaj zamykania drzwi na klucz. Naciskał klamkę i wychodził, naciskał klamkę i wchodził. Teraz też nacisnął klamkę i wszedł. Pociągnął za sobą kobietę. Zamknął drzwi. I już było po ekspedientce.

Poprowadził ją do salonu. Zdarł z niej płaszcz i mocno popchnął. Upadła na podłogę. Była tak przerażona, że nie wydusiła z siebie słowa sprzeciwu. Jednak okazało się szybko, że jej strach nie był bezgraniczny, bo wzmógł się jeszcze, gdy poczuła na gardle nóż. Porywacz popatrzył na nią groźnie i kazał się rozebrać.

Była w średnim wieku, ani ładna, ani brzydka, za to w szoku. Leżała na podłodze w mieszkaniu obcego człowieka. Czuła się zniewolona. Zacisnęła powieki. Uległa woli mężczyzny, który groził jej śmiercią i zaledwie przed chwilą w bezwzględny sposób zamordował bliską jej osobę. Zesztywniałymi palcami rozpięła guziki bluzki, potem zamek błyskawiczny spódnicy. Nie podnosząc się, tylko niezdarnie poruszając ciałem, zdjęła ubranie. Została tylko w bieliźnie. Dopiero wtedy się rozejrzała. Zobaczyła gruz, zmumifikowane szczątki, obok ciało młodej kobiety z poderżniętym gardłem. Jęknęła. Zemdlała.

- Głupia suka - warknął Marczyk.

Zaczął jedną ręką szarpać stanik, którego nie zdążyła zdjąć. Nie szło mu. Dopiero po chwili przypomniał sobie, że w prawej dłoni wciąż trzyma nóż. Odłożył narzędzie i pospiesznie zdarł bieliznę z ofiary.

Przysunął nieprzytomną kobietę do szczątków Marioli. Sięgnął po nóż i rozkroił ciało ekspedientki w newralgicznych miejscach, by jak najszybciej wyciekła z niego krew. Uprowadzona nie wydała żadnego dźwięku. Chyba nawet nie była świadoma tego, że życie z niej ulatuje. Tomasz czerpał z niej krew pełnymi garściami i pokrywał nią truchło wydobyte zza ściany.

- To dla ciebie - pomrukiwał, wcierając ciecz w wyschnięte szczątki. - No, przypomnij sobie, jaka byłaś kiedyś. Przypomnij sobie, jaka byłaś piękna. Zaraz wszystko wróci, będziesz piękna.

Znowu rozbolała go głowa. Szumiało w niej morze. Nie słyszał słów ukochanej, a jej ciało nie chciało się odradzać. Gdzie niegdysiejsza chwała urodziwej rudowłosej?! Najpiękniejsza kobieta na świecie wciąż była tylko splotem wysuszonych tkanek, skóry i kości. Czymś poczerniałym, nienaturalnie lśniącym od warstwy świeżej krwi.

Marczyk usiadł na podłodze i zapłakał. Potem zwinął się w kłębek. Nieskładnie rozmawiał ze swymi myślami. Zasnął. I w tym śnie nagle szeroko otworzył oczy.

Obok niego stała naga cudowna kobieta koloru krwi. Od razu ją rozpoznał, mimo że nawet włosy, niegdyś rude, teraz miała jaskrawoczerwone.

Uniosła ręce, jej piersi zakołysały się, nogi ugięły w kolanach. Krwawa postać przebiegła przez pokój i zaczęła tańczyć. Biła od niej powalająca uroda i dzikość, przez co kobieta przypominała zbryzgane posoką zwierzęta, które kiedyś zabijali ojciec i dziadek Tomasza.

– Jestem – śpiewała, krzyczała. – Mam ciało! Ciało piękne jak kiedyś, jak zawsze!

Usiadł na podłodze. Wodził wzrokiem za tańczącą. Wirowała coraz szybciej i szybciej. Nagle coś zaczęło iść źle. Materialna forma traciła spójność. Roztańczona piękność stawała się mgłą, a tę zaraz potargał wiatr. Malarz nie słyszał już głosu ukochanej w swojej głowie. Pośrodku pokoju majaczył jeszcze tylko purpurowy opar. Dym z mikroskopijnych drobin krwi otoczył zmumifikowane ciało. Przesłonił je przed wzrokiem Marczyka. Potem wniknął w truchło.

– Nie odchodź! – krzyknął do kochanki.

Doczekał się odzewu. Zewłok skropiony krwią poruszył się, tkanki zaczęły pęcznieć, przyjmować dawną formę. Proces przebiegał szybko, trwał ledwie sekundy. Ciało uniosło się, stanęło o własnych siłach. Kobieta. Kobieta z krwi i kości. Jej skóra miała naturalną kremową barwę, a długie rude włosy znów układały się w gęstą grzywę.

– Chodź do mnie, przytul mnie. – Usłyszał Tomasz.

To była ona! Taka jak kiedyś, taka, jaką przechował w pamięci.

Podeszła, ułożyła się przy nim na podłodze i objęła go ramionami. Wtulił się w jej ciepłą skórę, poczuł zapach ukochanej. Zapłakał.

- Jestem twoją miłością, jestem wszystkim, co masz. - Znów dobiegł go jej głos.

Objęła malarza jeszcze silniej. Zapach stał się intensywny - taki, jaki pamiętał z chwil, kiedy się kochali. Czuł gorący oddech na swojej szyi, tak jak kiedyś. Czuł drżenie ciała ogarniętego pożądaniem. On też zaczął doznawać silnych emocji. Narastała ekstaza.

Nagle wszystko się skończyło. Marczyk otworzył oczy. Już nie spał. Leżał na podłodze salonu, umazany ludzką krwią. Odzież miał porozpinaną, pomiętą. Po jednej jego stronie leżały zwłoki ciemnowłosej kobiety i ekspedientki, po drugiej truchło wydobyte ze ściany. Po trzeciej ziała dziura w murze, a po czwartej, obok drzwi prowadzących do przedpokoju, stały portrety ukochanej. Namalowane oczy przyglądały się mężczyźnie badawczo, jakby oceniały, na ile jeszcze istnieje, a na ile już nie.

Wstał i poszedł w czwartą stronę. Tam były nie tylko spojrzenia wybranki serca. Tam były też drzwi. Zatrzymał się w przedpokoju. Nie wiedział, co z sobą zrobić, co zrobić z tym wszystkim. Wspomnienia i krew go zawiodły, już nie tkwiła w nich moc. Potrzebował miłości. Tylko wspomnienie o niej trzymało go przy życiu. Ile trzeba krwi, by kochanka wróciła do niego, by wróciła do tego świata? Po raz pierwszy pomyślał, że nie nadąży z zabijaniem, by do syta nakarmić widmo. Zdał sobie sprawę, że ma już dość. Chciał, żeby to wszystko nareszcie się skończyło. Chciał umrzeć.

Rozdział 27

Jan był zdenerwowany. Miał powody. Baśka wciąż szukała wykwalifikowanego kucharza na czas choroby Przemka, a Wirski po odkryciu, że coś czuje do przyjaciółki, nawet nie potrafił zrobić jej solidnej awantury. A przecież było o co! Właściwie nawet jej unikał, bo nadal nie wiedział, jak postąpić. Na dodatek praca w kuchni faktycznie była absorbująca, nie miał więc czasu na pogawędki ze wspólniczką. Kilka razy wymienili parę zdań na tematy bieżące, i tyle.

Zaciskając zęby, już drugi dzień krzątał się w kuchni „Kina Cafe". Lubił smacznie zjeść, lubił też gotować. Co innego jednak przyrządzić potrawy dla kilku gości na małe przyjęcie, a co innego karmić tłum klientów w restauracji cieszącej się powodzeniem.

Czuł się jak w potrzasku. Nie dość, że utknął przy garach i zaczął mu chodzić po głowie seks z Baśką, to jeszcze sprawa obrazów i podejrzanego lowelasa Justyny stała w miejscu. Jak przycisnąć pasera, by zaczął gadać? Przecież dane na jego temat, które dostarczył Drwęcki, to tyle, co nic. Jan i tak od razu się domyślił, że z Kwaśniaka podejrzany typ. Wystarczyła jedna rozmowa z marszandem od siedmiu boleści. Informacje zgromadzone przez komendanta tylko potwierdziły przeczucia restauratora. I co? Wirski wciąż czuł się niedoinformowany. Ciemny jak tabaka w rogu.

Podkuchenny siekał kapustę na surówkę, zrazy dusiły się w brytfannie. Kotlety ze schabu były już rozbite i ułożone w chłodni. Obok czekała cielęcina, z której Jan mógł w każdej chwili usmażyć dwa tuziny sznycli wiedeńskich.

Tymczasowy kucharz wyprostował się, poczuł ból i usłyszał, jak w krzyżu chrupnęło. Skrzywił się, pomrukując, że jeszcze jeden taki dzień, a wyląduje w szpitalu.

Akurat nie było zamówień z sali, a sprawa aktów Justyny i malarza, a zarazem domniemanego szantażysty, nie dawała Wirskiemu spokoju.

- Przerwa na papierosa - krzyknął do podkuchennego i wyszedł do biura na zapleczu.

Usiadł, zapalił. Bo znów zaczął palić. „To wszystko z nerwów" - bronił sam siebie. Potem się zadumał. Namysł przyniósł owoce. Najpierw Jan zgasił na pół wypalonego papierosa, a potem zdecydował, że w swej niezdarnej detektywistycznej działalności pójdzie na skróty. Zadzwoni po prostu do Justyny. I zadzwonił.

- Justysia? Wujek z tej strony. Zapraszam cię do „Kina Cafe". Tak, dobrze słyszałaś, ja zapraszam, czyli stawiam. Urządzamy bankiecik na koszt firmy. Za dwa dni. Z jakiej okazji? Ano pięciolecia naszej działalności. Widzisz, jak czas zleciał? Przyjdź z osobą towarzysząca. No nie, Justysia, córkę masz wspaniałą, ale dziecka nie zabieraj. To impreza dla dorosłych, więc trzeba przyjść z kimś dorosłym. Najlepiej z facetem. Przecież taka ładna dziewczyna musi kogoś mieć! No widzisz? „Ktoś", mówisz? No to zeznaj staremu wujowi, co to za ktoś.

Bratanica początkowo zachowywała rezerwę, ale wystarczyło, że okazał zainteresowanie, trochę nacisnął, a już rozgadała się na temat swego nowego mężczyzny. Wirski ucieszył się, że poszło tak gładko. Poznał nazwisko podejrzanego typa i uzyskał potwierdzenie, że to artysta. Niszowy, kontrkulturowy, multimedialny i co tam jeszcze. Pisze, filmy kręci. No i maluje. Maluje, a jakże!

Chwilę jeszcze pożartowali, potem Jan pożegnał się i rozłączył. Wzruszył ramionami. Doszedł do wniosku, że trzeba będzie zarazić Baśkę wymyślonym przed chwilą pomysłem bankietu. Faktem było jednak, że „Kino Cafe" otworzyli jakieś pięć lat temu. „A może sześć? Trzeba sprawdzić w papierach, kiedy dokładnie - pomyślał. - Jak by co, przekonam Baśkę. Muszę poznać tego ktosia Justyny. Obiecałem Zygmuntowi, że gnojowi nie popuszczę. Więzy krwi zobowiązują, nikt nie będzie wystawiał na szwank honoru mojej bratanicy".

Zadzwonił do Drwęckiego. Rozmowa była krótka. Podał komendantowi nazwisko mężczyzny, który kręcił się przy Justysi, i zażyczył sobie natychmiastowego sprawdzenia delikwenta.

„Widzisz, mogłeś już dawno mieć go na widelcu. Jesteś dupa, nie detektyw - zganił się w myślach. - Przecież uczyli cię, że z zasady najprostsze rozwiązania są najskuteczniejsze".

Był detektywem, był śledczym, potem przez tyle lat agentem, a o tak podstawowych metodach zapomniał, gdy przyszło co do czego. Jakim cudem radził sobie kiedyś w tej branży? Jak w ogóle może zostać detektywem i agentem pracującym pod przykrywką ktoś taki jak Jan Wirski?! Początkowo - podobnie jak teraz, na emeryturze - stanowił zaprzeczenie typowego śledczego. Z drugiej jednak strony przez długi okres pracy w służbach udowodnił, że nadaje się do tej roboty jak mało kto. Ot, paradoks.

Studiował historię sztuki, później wstąpił do milicji. Z czasem został śledczym kryminalnym, a potem agentem tajnych służb. Zwierzchnicy szybko ocenili potencjał Wirskiego. Postanowili wykorzystać jego szeroką wiedzę, wrodzoną przenikliwość i intuicję, cechę cenioną w sekretnej branży. Przeniesiono go do tajnego wydziału, a on nie protestował. Fakt, trochę się bał, że jeśli odmówi, będzie miał w życiu pod górkę, bo służby nie zapomniałyby o jego braku lojalności wobec systemu. I choć część spraw, którymi musiał się zajmować, budziła w nim niesmak, nie umiał żyć bez adrenaliny. Bez pracy śledczej, bez atmosfery spisków, bez prowadzenia gry z przeciwnikiem. Tym bardziej że jego wydział zajmował się głównie tymi wrogami systemu, którzy trafiali do kraju z zewnątrz. Z rzadka on i jego koledzy prowadzili śledztwa w sprawie opozycjonistów – z zasady wtedy, gdy obce służby próbowały zakładać wśród nich komórki.

W tamtym czasie żył w ciągłym napięciu. Stał się nałogowcem, jak alkoholik, narkoman, hazardzista. Najważniejsze było odkrycie prawdy albo jej umiejętne ukrycie. Tym zajmował się przez dziesięć lat.

Wszystko, co robił, było tajne. Tajne też było, jak się nazywał i gdzie mieszkał. Aż któregoś dnia poczuł, że tajne stało się dla niego nawet to, kim właściwie jest, o czym myśli i co sądzi o tym czy owym. Gdy to odkrył, wypalił się z dnia na dzień. Miał szczęście, bo w tym właśnie czasie zmienił się też porządek świata.

Rodzice braci Wirskich pomarli dawno temu. Niewielu pozostało krewnych, ze starszych wiekiem tylko ciotka Melania. Pozostali, najczęściej młodzi i znani słabo albo wcale, byli siódmą wodą po kisielu. Jan widywał się z nimi jedynie na pogrzebach, weselach i chrzcinach. Z kolei z Zygmuntem, wiadomo, nie układało się najlepiej, a Justyna miała własne życie. Córkę, firmę, karierę w mediach. No, to ostatnie było przesadą. Jak podkreślała sama bratanica, została nie dziennikarką, tylko felietonistką, bo ta forma przedstawiania własnych poglądów ją bawi, poza tym przydaje się w interesach. Ma przecież firmę reklamową, a w tej branży związek z mediami przynosi korzyści. Z kolei zarząd rozgłośni nie przejmował się konfliktem interesów, uznając Justynę za swego rodzaju celebrytkę. W końcu była i człowiekiem reklamy, i mediów, i córką samego senatora Wirskiego. Pewnie w związku z tym zarząd liczył na ugranie czegoś korzystnego.

Tak więc Justyna miała radości i kłopoty osobiste, od których Jan powinien trzymać się z daleka. I na co dzień trzymał, co nie przeszkadzało mu widywać się z bratanicą co miesiąc albo dwa, by prowadzić sympatyczne rozmowy o niczym. Teraz jednak była sytuacja wyjątkowa. Justyna wdała się w romans z niegodnym zaufania kochankiem. Gnojkiem, który wystawił na widok publiczny naturalistyczne akty córki senatora.

Ni z tego, ni z owego przypomniała się Janowi rudowłosa Zuzanna. Uzmysłowił sobie, że nieprzypadkowo. Przecież Zuza i Justysia fizycznie były do siebie podobne jak siostry. Chciał odegnać to skojarzenie, uznał je za wręcz nieprzyzwoite, ale wciąż miał przed oczami kadry z filmu, Panią Doktorową obrabianą przez dwóch klubowych bramkarzy.

Coś w tej scenie, oglądanej zaledwie przez chwilę, nie dawało mu spokoju. Było tam coś jeszcze, jakby drugie dno. Zwiastun zagrożenia. Ale co takiego, że uznał to za realnie niebezpieczne? „Nic nie było - napomniał sam siebie. - Po prostu jesteś wkurzony, bo Pani Doktorowa podeszła cię jak dziecko. Zapomnij o tym, zapomnij o niej". By jak najszybciej zapomnieć, zajął się bieżącymi sprawami, których nie brakowało w takim miejscu jak kuchnia „Kina Cafe".

Rozdział 28

Ostatecznie Marczyk się nie zabił. Trochę popłakał, potem pokrzyczał na coś, co inni uznaliby za irracjonalne. Wreszcie poszedł do łazienki, zdjął odzież przesiąkniętą krwią ofiar, wziął prysznic. Nagi i mokry, usiadł na podłodze w salonie. Palił papierosa. Patrzył na dziurę w ścianie. Omijał wzrokiem szczątki ukochanej i zwłoki kobiet zabitych poprzedniego dnia. Potem ubrał się w czyste ciuchy i wyszedł z mieszkania. Znów wziął nóż.

Na klatce schodowej spotkał jakąś kobietę. W ręku trzymała plastikową torbę z kilkoma butelkami piwa. Tomasz spojrzał na jej ponurą, poznaczoną zmarszczkami twarz. Kto to jest? Dlaczego wydaje mu się, że ktoś ważny? A, Ciotka Lutka. Wtedy przypomniał sobie dzień, kiedy go okradziono. Od tego przecież zaczęło się wszystko, co złe.

– Pani Lutko, pani Lutko! – krzyknął, łapiąc ją za rękę. – Musi mi pani powiedzieć, kto zabrał moje obrazy! Pani ich zna! Przecież pani ich zna!

– Puść pan! – warknęła. – Flaszki potłuczesz!

– Kto ukradł moje obrazy? – spytał, starając się opanować.

– Matko Boska, jak pan wygląda?! – Dopiero teraz spojrzała na sąsiada i odkryła, że twarz ma całą w siniakach, a z lewej strony głowy, pomiędzy uchem a ciemieniem, pęcznieje opuchlizna wielka jak pięść. – Oni to panu zrobili?

– Kim oni są, gdzie ich znajdę?!

– Trzeba z tym iść do lekarza – kontynuowała, przyglądając się ze współczuciem obrażeniom.

- Lekarz nieważny! Co to za ludzie?

- Panie Tomuś, dla pana lepiej, żebyś pan nie wiedział - odparła, odsuwając się od Marczyka.

- Ale ja muszę wiedzieć. Muszę odzyskać obrazy.

Trzasnęły zewnętrzne drzwi domu. Ktoś wchodził po schodach. Ciotka Lutka kiwnęła głową na mężczyznę i dodała:

- Chodź pan. To nie miejsce na rozmowy.

W mieszkaniu kobiety usiedli w kuchni na odrapanych krzesłach. Lutka postawiła przyniesione butelki na stole okrytym ceratą, pustą torbę rzuciła w kąt.

- No to po piwku, panie Tomuś - powiedziała. - Niech stracę, ja stawiam.

- Pani Lutko, co to za ludzie? - spytał malarz, odruchowo biorąc podaną flaszkę. Wypił łyk piwa wprost z butelki.

- To nie ludzie, to bydlaki. Za byle co zatłuką na śmierć.

- To znaczy?

- To nie są zwyczajni złodzieje. Oni żyją z tego, że ludziom robią krzywdę. Prawdziwą krzywdę. A jak im się ktoś nie spodoba, zabiją. Lepiej zapomnieć o tych obrazach.

- A gdybym je od nich odkupił?

- To może być inna rozmowa. - Kobieta się zastanowiła. - Oni robią to, co robią, właściwie dla forsy. Fakt. Może jakbyś pan z nimi ponegocjował, to by obrazy oddali. Tyle że Cezary jest pazerny, jak mu coś w łapy wpadnie, to nie puści. Tanio nie będzie, panie Tomuś.

- Gdzie go znajdę, pani Lutko?

- No dobrze, pomogę. Ale pamiętaj pan, z nimi tylko spokojnie. Żadnych krzyków, bo od ręki gębę obiją albo coś panu połamią. Jest taka knajpa, niedaleko. Tam Cezary przesiaduje ze swoimi lumpami. Dziś sobota, to pewnie już tam są i chleją.

Wyjaśniła, gdzie dokładnie znajduje się lokal. Potem jeszcze raz napomniała Marczyka, by zachował ostrożność.

Podziękował i wyszedł, nie dopijając piwa. Wrócił do mieszkania, włożył najlepsze ubranie, a na pokiereszowaną głowę - kapelusz pamiętający dawne dobre czasy. Rzucił okiem na swoje odbicie w lustrze. Wyglądał niespecjalnie, ale lepiej się nie dało.

Spieszył się. Już był na ulicy. Szybkim krokiem ruszył do restauracji, w której mogli być ci, którzy go okradli. „Złodzieje miłości, złodzieje pamięci" - pomstował.

Wkroczył do przeciętnej knajpy, jakich wiele w mieście. Spytał barmana, czy jest Cezary. Usłyszał, że ten jeszcze nie przyszedł. Zamówił więc herbatę, zapłacił, usiadł przy stoliku w głębi i czekał. Czekał ponad godzinę. Już chciał wyjść, by na ulicy zapalić papierosa, kiedy weszło trzech młodych, wysokich, barczystych mężczyzn ubranych w marynarki z czarnej skóry.

Nie miał pewności, czy to złodzieje jego obrazów. Nie pamiętał twarzy ludzi, którzy go napadli, tylko ogólny przebieg zajścia. Usłyszał jednak, że barman, witając jednego z przybyłych, powiedział do niego „panie Cezary". Wstał więc i podszedł do stolika zajętego przez młodzieńców.

- Przepraszam, czy pan Cezary? - spytał.

Starał się mówić uniżonym tonem, jak doradzała Lutka. Nie dałby rady trzem rosłym mężczyznom, nawet gdyby wyjął nóż ukryty pod krótkim wełnianym płaszczem.

Pamiętał, że jeden z tych ludzi powalił go w mgnieniu oka. Pamiętał swoją bezradność. Skoro nie miał szans w starciu, to zgodnie z radą sąsiadki musiał negocjować.

– Czego? – warknął starszy Klim, uważnie przyglądając się intruzowi.

– Może pan mnie pamięta? Pan ma moje obrazy.

– A! Twardziel z nożem! Widzisz, Górek? To ten gościu od gołych lasek. – Szef bandytów się roześmiał. Zaraz jednak spoważniał. – No, tośmy się sobie poprzedstawiali. Czego chcesz, gościu od obrazów?

– Te obrazy są pamiątkowe, panie Cezary. Chcę je odzyskać – powiedział Marczyk z ugodowym uśmiechem. Przestąpił z nogi na nogę, przygarbił się, by wyglądać na jeszcze pokorniejszego.

– Proponujesz interes? Spóźniłeś się. Ja obrazów nie mam.

– A kto je ma? – dopytywał malarz. Zachowywał spokój, choć w duchu zaczął drżeć z gniewu i niepokoju.

– Jeden gościu, co handluje takim towarem. Ale nie, on też już ich nie ma. Opchnął jakiemuś klientowi.

– Czy może mnie pan skontaktować ze sprzedawcą obrazów? Może powie mi, komu je sprzedał.

– Jaja sobie, gościu, robisz? Z pana Cezarego? – spytał starszy Klim, spoglądając spod oka na kulącego się mężczyznę. – Ja mam po mieście biegać za jakimś handlarzem?

Tomasz z miną, jakby serce wyrywał z własnej piersi, wyjął z kieszeni pięćdziesięciozłotowy banknot i położył go na stoliku, pomiędzy szklaneczkami z wódką.

– Panie Cezary, to wszystko, co mam – powiedział płaczliwie. – Kiedyś moja rodzina była zamożna, ale wszystko straciliśmy. Ostatnie, co zostało, to te obrazy. Są pamiątkowe, mój schorowany ojciec nie przeżyje tej straty. Bardzo pana proszę. Nich pan mi powie, gdzie znajdę handlarza, który sprzedał moje obrazy.

Klim spojrzał Marczykowi głęboko w oczy. Nie wiadomo, co tam zobaczył, ale schował banknot do kieszeni.

- Może ty i prawdę mówisz? Może to wszystko, co masz, a obrazy są rodzinną pamiątką? - mruknął. - Żal patrzeć na takich jak ty, przegranych. Dobra, jeśli to pamiątkowe obrazy, niech się z tobą Zdzisiek użera. Handlarz nazywa się Kwaśniak, Zdzisław Kwaśniak. Ma galerię „Oaza Artystów" w jednej z tych uliczek przy Starym Rynku. Wiesz, gdzie to jest?

- Wiem, panie Cezary. I bardzo, bardzo dziękuję za pomoc.

Tomasz skłonił się głęboko, odwrócił i wyszedł z lokalu, nie oglądając się za siebie. Ruszył prosto do „Oazy Artystów". Nie było daleko, kilkanaście minut piechotą. Tyle że galeria okazała się zamknięta. Malarz przeczytał wywieszkę z informacją o godzinach otwarcia salonu. Powinien być czynny! Ale nie był. Marczyk musiał czekać.

Po trzech godzinach, późnym popołudniem, kiedy już uznał, że tego dnia niczego nie załatwi, do drzwi galerii podeszła kobieta w średnim wieku. Miała włosy ufarbowane na kolor, który Tomasz dotychczas widywał tylko na samochodach. Czerwony, jakby lekko wiśniowy i z metalicznym połyskiem. Ubrana była w wełniane ponczo, spod którego wymykały się fałdy obszernej indyjskiej sukni. Wyjęła klucz, weszła do przybytku sztuki. Malarz obserwował z ulicy, jak zdejmuje okrycie, zanosi je do pomieszczenia na zapleczu, potem parzy herbatę i rozmawia przez telefon. Mogła wiedzieć, gdzie jest wymieniony przez Cezarego Kwaśniak.

Wszedł do galerii i podszedł prosto do biurka, przy którym siedziała.

– Czy zastałem pana Kwaśniaka?

– Nie, a o co się rozchodzi? – spytała, podejrzliwie przyglądając się klientowi znad szklanki herbaty.

– Mam interes.

– Może ja pomogę, Kwaśniakowa jestem. To o co się rozchodzi?

Marczyk pomyślał, że żona handlarza pewnie jest wtajemniczona w interesy i będzie wiedziała, kto kupił jego obrazy.

– Kilka dni temu sprzedaliście państwo kilkanaście obrazów, aktów pięknej rudowłosej kobiety.

– A, te... – Spojrzała nieufnie na Tomasza. Nerwowym ruchem zamieszała herbatę. Łyżka zadzwoniła o ściany szklanki, zabrzęczały metalowe bransoletki na ręce Kwaśniakowej. – Znaczy, o co się rozchodzi z tymi obrazami? My reklamacji nie przyjmujemy!

– Zaraz, zaraz, przecież ja tych obrazów nie kupiłem!

– Tyle to i ja wiem. No to o co się rozchodzi?

– Chcę skontaktować się z osobą, która je kupiła.

– A to po co? – Szczerze się zdziwiła.

– To już moja sprawa! – zdenerwował się Marczyk.

– No właśnie. Pańska sprawa. To do widzenia.

Nie o taki skutek rozmowy Tomaszowi chodziło. Uznał, że musi zmienić taktykę.

– Proszę pani, to ważne. Muszę skontaktować się z osobą, bo chcę od niej odkupić obrazy.

– To one są coś warte? – zaciekawiła się czerwonowłosa.

– Są bardzo cenne – kontynuował, bo dostrzegł, że pieniędzmi zainteresuje handlarkę. – Może coś z tego i pani skapnie, ale potrzebuję pomocy.

– Mów pan, ja posłucham – rzuciła z chytrym uśmieszkiem.

– Czy ten, kto kupił obrazy, zna się na sztuce?

– Mówił, że do nowego domu będą mu pasować. Chyba jakiś biznesmen, bo był przy forsie.

– No to, pani Kwaśniakowa, możemy zrobić dobry interes. Proponuję pani udział w tej transakcji. Dużo za te obrazy wzięliście?

– A co pan, ze skarbówki? Wzięlim, ile wzięlim.

Marczyk westchnął i wyjaśnił, że jeśli człowiek, który nabył akty, zapłacił grubo poniżej ich wartości, można mu zaproponować większą sumę, a potem sprzedać obrazy za ich rynkową cenę. Kobieta pomyślała, że interes może się opłacić. I że sama go ubije. Zdzisiek obejdzie się smakiem. Za karę, bo ostatnio żałował jej pieniędzy.

– Ale wie pan, ten klient też pytał, czy więcej takich obrazów nie mamy. To może on wie, ile są warte?

– Może – przyznał Tomasz – ale bez rozmowy z nim tego się nie dowiemy. To co, da mi pani namiary na tego człowieka, pani Kwaśniakowa?

Odsunęła się od biurka, otworzyła szufladę i zaczęła szperać w papierach. Po chwili uśmiechnęła się tryumfalnie i wyjęła wizytówkę.

– O, jest. – Pomachała Marczykowi białym kartonikiem. Wyciągnął rękę, ale zrobiła unik.

- Zaraz, zaraz. Za ile?

Malarz przestał się hamować. Eksplodował w nim cały gniew tłumiony w trakcie spotkania z Cezarym i obecnie prowadzonej rozmowy. Uderzył kobietę pięścią w twarz. Upadła, jej włosy rozsypały się na posadzce. Tomasz pochylił się nad ofiarą, wydarł wizytówkę z jej zaciśniętych palców.

- Ratunku! - wrzasnęła, podnosząc się niezdarnie.

Morderca szybko ocenił sytuację. Spojrzał w stronę drzwi galerii i stwierdziwszy, że nikt nie wchodzi, jeszcze raz uderzył żonę właściciela galerii. Znów upadła, już nieprzytomna.

Chwycił ją za włosy i zawlókł do pomieszczenia na zapleczu. Po drodze zgubił kapelusz. Odwykł od noszenia nakrycia głowy.

W pokoiku na tyłach galerii Kwaśniakowa odzyskała świadomość. Próbowała się podnieść, bronić, ale zabrakło jej czasu i siły. Marczyk złapał ją za włosy, owinął je wokół swojej dłoni i uderzył głową kobiety o stary żeliwny kaloryfer. Mocno. Raz, drugi, trzeci. Wyjął nóż.

Zachowywał się gwałtownie. Był brutalny i szybki. Nie chciał, by ktokolwiek przeszkodził mu w załatwieniu najważniejszej sprawy życia.

Kiedy ofiara była już martwa, wrócił do głównego pomieszczenia. Po drodze zgarnął z podłogi kapelusz i nasadził na obolałą głowę. Zatrzymał się przy biurku, podniósł do oczu wizytówkę. Prostokątną, białą, z tekturki, trochę wygniecioną w trakcie szamotaniny z Kwaśniakową. Widniało na niej nazwisko Jan Kwiatkowski i numer telefonu komórkowego. Tylko tyle.

„Ten człowiek ma moje obrazy - pomyślał malarz. - Bez nich nie wróci moja ukochana, moja miłość. Ten człowiek to mój największy wróg”.

Rozdział 29

Nareszcie mógł posiedzieć w domu. Baśce, po dwudniowych poszukiwaniach, udało się znaleźć tymczasowego zastępcę Przemka, doświadczonego kucharza, który utrzyma wysoką jakość potraw w „Kinie Cafe". Wirski z radością przekazał mu pałeczkę, czy raczej chochlę.

Nogi go bolały, bolał kręgosłup. Nic dziwnego, w kuchni trzeba stać od rana do wieczora, wciąż coś podnosić i przekładać. „Ciężka praca fizyczna, a ze mnie już piernik" - myślał Jan, parząc sobie kolejna kawę. Nawet nie chciało mu się jeść, tak był zmęczony po dwóch dniach karmienia klientów restauracji.

Ledwie upił pierwszy łyk gorącego napoju, a zadzwonił Drwęcki. Rozmowa była krótka. Komendant oświadczył, że wystarczy mu tej konspiracji, bo kogo mogłoby obchodzić, o czym rozmawiają? I tak po wszystkim wyrzucą telefony komórkowe.

– Nie będę się tłukł po jakichś parkach w taką pogodę - warczał. – Lepsze rzeczy mam do zrobienia. Jak się nie podoba, to się rozłącz.

Wirski się nie rozłączył, inspektor mówił więc dalej, a Jan notował to, co istotne. Drwęcki podał mu dane kochanka Justyny, z peselem i NIP-em włącznie. Ustalił, że gość nie był karany. Wymienił instytucje, w których pracował i z którymi współpracował. Podał nawet otrzymane przez niego nagrody. Policjantowi udało się też ustalić stan majątkowy prześwietlanego, przepływ środków na jego koncie i to, czy na artyście ciążą jakieś zobowiązania, na przykład kredyty. Dużo tego było, ale Jan skonstatował, że najistotniejszą informację stanowił adres zameldowania. „Nawet jeśli gnojek tam nie mieszka, to mam punkt wyjścia, by go zlokalizować - pomyślał, gdy komendant się rozłączył. - Ale już nie dziś, bo padam na pysk. Zajmę się sprawą jutro, od rana ruszę w miasto i w try miga gnoja utemperuję".

Odłożył notes, upił kolejny łyk kawy. Naprawdę czuł się zmęczony i stary, jak rzadko. Ostatnie dwa dni za bardzo dały mu w kość. Spojrzał na zegarek. O tej porze nadawali w radio powtórkę programu Justyny.

Włączył odbiornik. Leciał jakiś utwór z gatunku, którego restaurator nie potrafił określić, miał jednak pewność, że słuchanie takiej muzyki nie sprawia mu przyjemności. Na szczęście zaraz potem z głośnika popłynął głos bratanicy:

- Tu Radio Miasto. Przed mikrofonem Justyna Wirska. U nas każdego dnia jest święto!

„A pewnie" - pomyślał z uśmiechem Jan. Wiedział, że Justyna bardzo lubi tę robotę. Po prawdzie, trzeba było ją lubić, bo w radiu płacili przecież grosze. Na szczęście miała z czego żyć.

- Cieszmy się dniem, świętujmy z dzisiejszymi solenizantami i jubilatami - ciągnęła. - A teraz czas na felieton. Słuchacie „Wirowania w Radiu Miasto".

Współwłaściciel „Kina Cafe" rozsiadł się wygodniej. „Ciekawe, czym mnie dziś zaskoczy" - przemknęło mu przez głowę.

– „Wielki mój lament, bo myślałem, że może trwać rozpacz i że może trwać miłość", pisał Czesław Miłosz w wierszu *Biel*. Takiej miłości wiecznej, której poeta nie poznał, doświadczyli bohaterowie filmu *Między niebem a piekłem*, wyreżyserowanego przed laty przez Vincenta Warda. Miłość Annie i Chrisa jest tak wielka, że gdy mężczyzna umiera, jego żona targa się na swoje życie, bo utraciło ono dla niej sens. Oboje potem przeżywają w zaświatach rozmaite przygody, ale to już „całkiem inna opowieść", by zacytować Rudyarda Kiplinga. Dla nas ważna jest potęga miłości Annie i Chrisa, która sięga poza grób i pozwala przemierzyć piekło, po nim czyściec, a nawet dotrzeć do nieba. Twórcy filmu, ujmując rzecz słowami klasyka amerykańskiej literatury, Edgara Allana Poe, mówią do widzów: „Pójdź za mną w tę noc zagrobową, a odsłonię ci tajnie". My zaś zostaniemy w najlepiej nam znanym świecie, próbując znaleźć odpowiedź, czy miłość na całe życie jest możliwa.

„Miłość na całe życie... – Jan się zadumał. – Temat szczególnie interesujący dla kogoś na rozdrożu, kogoś takiego jak ja".

– Prawdziwa miłość na całe życie nie jest wyłącznie imaginacją poetów ani mitem, ale naukowo dowiedzionym faktem – kontynuowała Justyna. – Potwierdza to zespół naukowców z Nowego Jorku. Uczeni przeanalizowali procesy zachodzące w mózgach ludzi połączonych w pary. Badali związki trwające ponad dwadzieścia lat oraz nowe, osób dopiero co zakochanych. Za pomocą technologii rezonansu magnetycznego eksperci ustalili, że wbrew hipotezom, iż miłość trwa od kilkunastu miesięcy do najwyżej kilku lat, aż dziesięć procent par z dwudziestoletnim stażem miała takie same wyniki jak świeżo zakochani.

„Moja krew - pomyślał restaurator z dumą. - Znaczy się, krew Wirskich" - uzupełnił, bo przecież do przyjścia na świat Justyny on akurat się nie przyczynił. Od dawna jednak, jako że sam dzieci się nie dorobił, część swego nierozbudzonego instynktu ojcowskiego przelewał na bratanicę. Interesował się jej życiem i, w odróżnieniu od Zygmunta, miał z dziewczyną dobry kontakt.

Potem wrócił do niego echem temat dzisiejszego felietonu. Jan pomyślał o Baśce, o tym, że czuje do niej coś więcej niż przyjaźń. No właśnie, przyjaźń i miłość czy raczej przyjaźń albo miłość? Tyle pytań! Pożądanie czy emocje? Seks czy zakochanie? Doznania czysto fizjologiczne czy namiętność podszyta duchowością? Trudno to wszystko porozdzielać, by przeanalizować, co się odczuwa, a jeszcze trudniej poskładać w sensowną całość.

Nie dane mu jednak było dłużej snuć rozważań na ten temat, bo zadzwonił telefon. Tym razem odezwała się prywatna komórka Jana. Ściszył radio, choć niechętnie, bo Justyna jeszcze nie skończyła audycji. Rzucił okiem na wyświetlacz aparatu. Nieznany mu numer miejscowego telefonu stacjonarnego. Odebrał połączenie.

– Pan Kwiatkowski? Jan Kwiatkowski? - spytał jakiś mężczyzna.

Pomyłka nie wchodziła w grę. Rozmówca wymienił nazwisko, które Wirski umieścił na wizytówce zostawionej w „Oazie Artystów". „Zdzisław Kwaśniak nareszcie raczył zadzwonić? - pomyślał Jan. - Pewnie chce sprzedać jakieś wiadomości. No to dowiedzmy się, co to za rewelacje i ile za nie zażąda".

– Tak, tu Kwiatkowski. Słucham – odpowiedział.

– Pan kupił pewne obrazy, akty młodej kobiety, prawda?

– Prawda.

– I jest pan zainteresowany innymi podobnymi obrazami?

– Tak. Czy rozmawiam z panem Kwaśniakiem? – Restaurator uśmiechnął się do niewidocznego interlokutora.

– Nie, nie nazywam się Kwaśniak. Ale mam kilka obrazów tego samego autorstwa. Jest pan zainteresowany?

Wirski był więcej niż zainteresowany. To, co usłyszał, zmieniało całą sytuację. Poczuł przypływ adrenaliny, a całe dotychczasowe zmęczenie znikło, wyparowało. „Z kim ja, u diabła, rozmawiam? – zastanawiał się. – Może to właśnie ten gnój, co Justynę wystawił? Trzeba to wybadać".

– Jak rozumiem, chce mi pan te obrazy sprzedać? A z kim rozmawiam?

– Moje nazwisko nie ma znaczenia. Ale mam to, czym jest pan zainteresowany. To co, przywieźć panu obrazy? Mogę być zaraz. Proszę tylko podać adres.

„Zaraz? Chwila, chwila – zreflektował się Jan. – O co tu chodzi?"

– Wie pan co? Zrobimy inaczej – rzucił do słuchawki. – To ja do pana zaraz przyjadę.

W telefonie zapadła cisza. Wirski zdążył już pomyśleć, że za mocno zagrał i rozmówca się rozłączy, gdy ten znów się odezwał. Powiedział, że zgadza się na spotkanie. Podał adres. Samo centrum miasta, ulica Pomorska. „Łatwo tam trafić - zapewniał. - Dom ma elewację pomalowaną na żółto".

Zakończyli rozmowę ustalając, że Jan zjawi się na miejscu najdalej za pół godziny. Audycja bratanicy już się skończyła, ale nawet tego nie zauważył. Dopijając kawę, intensywnie myślał. Treść rozmowy go zaskoczyła. Sprawa aktów Justyny stawała się coraz bardziej zawikłana, nie miał więc pojęcia, w jakim kierunku może go zaprowadzić.

Rozdział 30

Zapadał wczesny jesienny zmierzch, a oni, mimo soboty, nadal siedzieli w biurze. Czyli w knajpie, którą obrali na siedzibę, odkąd Cezary się ożenił i oddzielił życie kryminalne od rodzinnego. Klientów było niewielu, co jakiś czas ktoś wpadł, zjadł szybko i wypadł, spiesząc do swoich obowiązków.

W sprawie zabitych dziewczyn nic się nie wyjaśniło. Klimom pozostawało tylko czekać, aż ktoś gdzieś kiedyś coś odkryje. Na wszelki wypadek zabrali ze schowka broń i każdy miał teraz za pazuchą giwerę. Jak mawiają, strzeżonego Pan Bóg strzeże, no to się strzegli, by siłę wyższą mieć po swej stronie.

Cezary siedział jak na szpilkach, ale jego brat i Szczypior nie mieli tego dnia konkretnych zajęć, więc po prostu zbijali bąki. Obaj zachowywali się trochę jak na wakacjach, a trochę jak w domu. „Nic dziwnego, że tak im tu dobrze, przecież lokal jest prawie nasz. Prawie, bo należy do pana Kazimierza. Ale, jak w domu, płacić nie musimy. To kolejny bonus dla ludzi pracujących dla tego zgreda...". Starszy Klim westchnął.

Wychylił pięćdziesiątkę czystej, popił colą. „I na dziś wystarczy - zdecydował, stawiając szklaneczkę do góry dnem. - Muszę mieć jasny umysł".

Górek zapalił skręta, zaciągnął się dymem, podał bratu. Ten odmówił, ale Szczypior chętnie sięgnął po blanta.

Cezary zatopił się w myślach. Przypomniał sobie rozmowę z Jesionem, którą przeprowadził kilka dni po drugim pożarze fabryki. Usiedli wtedy w fabrycznym biurze, jednym z nielicznych pomieszczeń, które nie ucierpiały w pożarze. Po jednej stronie biurka, na krześle dla petentów, siadł młodzieniec, po drugiej stronie, w fotelu prezesa, rozparł się właściciel firmy.

Był po pięćdziesiątce, miał lekką nadwagę i przerzedzone, szpakowate włosy. O jego statusie materialnym mówiła marynarka z gatunkowej wełny, błękitna koszula ze złotymi spinkami i jedwabny krawat. Sytuacja jednak, w jakiej się znalazł, nie była najlepsza, co potwierdzały nerwowe gesty.

Najpierw Cezary zaproponował, że jako cichy wspólnik sfinansuje odbudowę rodzinnego interesu. Stary początkowo nie chciał nawet o tym słyszeć. Krzyknął, że Jesionowie rodzinną firmę zawsze prowadzili uczciwie i nawet łapówek nie musieli dawać urzędnikom, bo taki porządek mieli w dokumentach. Ale że był realistą, więc – tak jak założył w swym planie bandyta – zaczął przemyśliwać sytuację swojej rodziny. Perspektywy Jesionów były marne. On i żona musieliby na stare lata znaleźć pracę. Dom pod miastem zostałby zlicytowany, a nie mieli funduszy na zakup choćby najmarniejszego mieszkanka w bloku. Co prawda stary przepisał apartament na Monikę, więc dziewczyna miałaby własny kąt, ale i jej groziło szukanie pracy. Cała rodzina musiałaby zapomnieć o życiu na dotychczasowym poziomie. Jesion dodał dwa do dwóch i wyszło mu, że lepiej podjąć ryzyko. Gdy Cezary odezwał się do niego po raz kolejny, zgodził się wykorzystać pieniądze Klima i po cichu dzielić się z nim zyskami pół na pół.

Właściciel firmy rozumiał, że wchodząc w takie układy, jedną nogą siedzi w kryminale, ale nie zdawał sobie sprawy, że zadał się z diabłem. A jak mówi stare porzekadło, skoro dasz diabłu palec, zabierze ci całą rękę. Kiedy więc tylko fabrykant wydał pierwszy milion na odbudowę hali, Cezary odbył z nim kolejną rozmowę. Siedli w firmowym biurze, napili się koniaku. Początkowo atmosfera była familiarna, ale już po chwili zapachniało siarką. Bandyta uchylił wrota piekieł i tym razem nie zadowolił się palcem. Sięgnął po rękę. Dosłownie, bo poprosił Jesiona o rękę jego córki.

Stary w pierwszej chwili oniemiał. Spojrzał na rozmówcę z niedowierzaniem.

- Po co ci Monika? Przecież masz pół fabryki, a moja córka nie ma udziałów w interesie.

- Kocham ją - odparł Klim, pierwszy raz szczerze.

- Znacie się z Moniką? - spytał zdziwiony właściciel wytwórni butów.

- Ja ją znam. Ona mnie nie bardzo - odrzekł młodzieniec, balansując na granicy prawdy. Nie zamierzał wyjaśniać szczegółów. Przecież w zabiegach o Monikę ponosił na razie porażki, a mało kto lubi obnosić się z przegraną.

- Nie rozumiem. Co to w ogóle za pomysł? - Tym razem w swym zdziwieniu szczery był Jesion.

- Kocham ją tak bardzo, że tego nie zrozumiesz - wyjaśnił Cezary. - W naszych stosunkach jednego możesz być pewien. Właśnie tego, że kocham Monikę. Cokolwiek by się działo, nie skrzywdzę jej i nie dam skrzywdzić, więc możesz spać spokojnie.

Fabrykant pokręcił głową z niedowierzaniem, patrząc uważnie w oczy nowemu wspólnikowi. Klim zaś zaczął naciskać, by stary wsparł go w staraniach o Monikę. Ojciec dziewczyny się wzdragał, ale młodszy z mężczyzn wiedział, że tamten ulegnie. Każdy ma jakąś cenę, a ceną Jesiona był dobrostan rodziny. Poddał się po kilku minutach.

– To twoja córka, kto więc zna ją lepiej niż ty? Wiesz, co zrobić – powiedział Cezary i pchnął w poprzek biurka telefon komórkowy starego.

Aparat zatrzymał się przed prezesem firmy. Ten westchnął, sięgnął po komórkę i wybrał numer. Po trzech sygnałach ktoś odebrał.

– O, tata. Co słychać? – W słuchawce rozległ się kobiecy głos.

– Dzień dobry, córeczko. Zapraszam cię jutro na kolacyjkę, odmowy nie przyjmuję. Chcę, żebyś kogoś poznała.

Ustalili godzinę i nazwę lokalu, po czym się rozłączył.

– Nie wiem, czy coś z tego wyjdzie. Monika ma niezależną naturę.

– Przekonaj ją – odparł zakochany bandyta. – To jest w naszym wspólnym interesie, że tak sprawę ujmę.

Szpakowaty mężczyzna był wyraźnie zdenerwowany. Schował telefon do wewnętrznej kieszeni marynarki i spojrzał na rozmówcę. Przez chwilę zmagali się wzrokiem. Jesion szybko się poddał. Cezary znów dał mu odczuć, kto rozdaje karty.

– Przecież świetnie sobie radzisz – pochwalił ojca Moniki. – Masz talent aktorski. Mówię ci, zmień branżę, bo w obuwnictwie się marnujesz.

Fabrykant spojrzał na niego z odrazą.

– Wcale bym się nie zdziwił, gdybyś wiedział, kto mi fabrykę puścił z dymem – ni to spytał, ni stwierdził.

- A co ja tam mogę wiedzieć, mały miś? - Klim odwzajemnił się uśmiechem.

- Gdyby nie te nieszczęścia, nawet do przedpokoju bym cię nie wpuścił - warknął właściciel firmy. Chyba wciąż nie mógł się pogodzić z myślą, że bierze udział w spisku mającym na celu usidlenie córki.

- Możliwe, ale nieszczęścia się zdarzyły, więc sytuacja jest inna - skwitował młodzieniec przyjacielskim tonem, jakby nie dostrzegał wrogiego nastawienia przyszłego teścia. - Rozkręcimy fabrykę na nowo, rodzinna tradycja nie zaginie. Buty marki Jesion zasłyną na całym świecie, a przynajmniej w całym kraju. Jeśli będzie potrzebna kasa na reklamę, moja w tym głowa, by się znalazła. Monika kończy studia, a pewnie chcesz, by tutaj pracowała. Ja ten pomysł popieram, niech dla dobra rodziny użyje tego, czego się nauczyła. Nikt nie straci na naszej cichej umowie. Wszyscy zyskają. Ty, Monika. Ja też. To chyba lepsze niż klepanie biedy?

Stary skrzywił się i wzruszył ramionami.

- To groźba? - spytał z niesmakiem.

- Gdzieżby tam - mruknął Klim. - Bez urazy, teściu, ale gdyby nie ja, za miesiąc byłbyś bankrutem. Lepiej być bogatym i zdrowym niż chorym i biednym. Nie martw się, będzie dobrze. A jeśli poprzesz moje starania o Monikę, będzie lepiej niż dobrze.

Wypowiadając te słowa, był szczery jak rzadko. Naprawdę wierzył, że wszystko ułoży się po jego myśli. Będzie dbał o Monikę. Będzie przy niej szczęśliwy, a ona przy nim. Jesionowi też nawet ptasiego mleka nie zabraknie.

Młody mężczyzna uśmiechnął się do swych myśli. Na razie wszystko szło zgodnie z planem. Kobieta, którą kochał, była na wyciągnięcie ręki, a przejmując fabrykę jako cichy wspólnik, stworzył przy okazji pralnię brudnych pieniędzy. Pralnię, ale tylko dla własnych nielegalnie zdobytych funduszy. Bandyta sięgał planami w odległą przyszłość. Firma Jesionów miała pozostać absolutnie legalnym interesem. Zamierzał mieć z Moniką dzieci, więc chciał tak ustawić sprawy finansowe, że cokolwiek by się z nim stało, rodzina musiała mieć zapewniony dożywotni dobrobyt. Skoro trzymał w garści starego Jesiona, trzymał zarazem wszystkie sroki za ogon. I do dziś je trzyma. Ma Monikę, syna, fabrykę i widoki na bezpieczną przyszłość.

Ktoś wrzasnął. To Szczypior zerwał się od stolika. Zaczął wymachiwać pustą butelką, coś nucił pod nosem. Miał już mocno w czubie. Nie wiadomo, co silniej go poniewierało - alkohol czy marihuana.

– Wódka za wódką w bufecie! - rozdarł się. - Cezary, pamiętasz? Razem widzieliśmy, jak w telewizji śpiewała to taka jedna. Pamiętasz? Taka mała, czarna, stara.

– Siadaj i nie drzyj ryja. Łeb mi od tego napieprza - warknął w odpowiedzi starszy Klim.

Szczypior potulnie wykonał polecenie szefa. Pomrukiwał tylko pod nosem stary szlagier.

Barman, też prawie jak rodzina, przyniósł im po kotlecie z surówką i dostawił jeszcze jedną flaszkę.

Cezary wbił widelec w mięso, odkroił kawałek i włożył do ust.

– Dobre – mruknął. Kuchnia w tym lokalu pana Kazimierza była prosta, ale składniki najlepsze i kucharz też niczego sobie.

Mąż Moniki przymierzał się do następnego kęsa, gdy zadzwonił telefon Górka. Młodszy Klim odebrał. Słuchał, odpowiadając rozmówcy monosylabami, potem się rozłączył.

– Ale jaja – mruknął, chowając komórkę do kieszeni. Kręcił przy tym głową z niedowierzaniem.

– Co jest? – spytał Cezary znad kotleta. Zaintrygował go ponury wyraz twarzy brata.

– Dzwonił Borsuk. Babę Kwaśniaka zatłukli.

– Jak to „zatłukli"?

– Kwaśniak przyszedł do tej swoje galerii i patrzy, a tam trup jego starej – wyjaśnił Górek. – Nie jego robota, ale baba jego, no to zadzwonił po psy. A psy, jak to psy, od ręki zapuszkowały Zdzicha. Teraz robi u nich za głównego podejrzanego.

– Ale on swoją starą zawsze chwalił. No, że ona mu interesu pilnuje i takie tam – włączył się do rozmowy Szczypior. Już nie nucił pod nosem.

– Mnie też nie pasuje, żeby Kwaśniak własną żonę stuknął – powiedział starszy z Klimów. – Czy on głupi? Jakby miał jej dość, toby ją zostawił. A jakby faktycznie poszło na ostro, toby się postarał, żeby baby nikt nigdy nie znalazł. To jak było, Górek, z Kwaśniakową? Jakieś szczegóły?

– Ktoś jej łeb o kaloryfer rozwalił, a potem nożem gardło poderżnął. – Brat przekazał mu tyle, ile sam się dowiedział.

- Zaraz, zaraz... Nożem, mówisz?... - Cezary się zamyślił.

Górek spojrzał mu w oczy. Widać było, że obaj pomyśleli o tym samym.

- Gościu z nożem, brat - szef bandy mówił powoli, a z każdym słowem alkohol z niego wyparowywał. - Ten świr, co tu dzisiaj był i szukał Kwaśniaka. No nie! Nikt nie będzie odwalał mokrej roboty na moim terenie. Chłopaki, zwijamy się.

Szczypior, który zdążył przysnąć z twarzą na stoliku, tuż obok przydziałowego kotleta, uniósł głowę.

- A o co się rozchodzi? - spytał bełkotliwie.

- Rusz dupę. Mamy sprawę do załatwienia - warknął Cezary. Potem spytał brata: - Pamiętasz, gdzieśmy wtedy byli? Chyba u Ciotki Lutki?

- Dokładnie.

- No to wiesz, gdzie jechać. Ty prowadzisz.

Rozdział 31

Marczyk pił wino prosto z butelki, odpalał papierosa od papierosa. Czekał na mężczyznę od obrazów. Czekał na swego najgorszego wroga.

Znów bolała go głowa. Czuł, jak opuchlizna pulsuje. Siedział na podłodze w salonie, a obok niego unosiła się niemal przezroczysta kobieta koloru krwi. Słyszał jej bezgłośne napominania.

– Chcę ciała – mówiła w jego głowie. – Oddaj mi piękno, oddaj mi życie.

Tak, zabrał jej ciało. Zabrał jej życie. Kiedy? Prawie trzydzieści lat temu? Jak mógł do tego dopuścić, jak do tego doszło? W jednej chwili przypomniał sobie wszystko z najdrobniejszymi szczegółami.

– Mam dosyć, odchodzę – powiedziała.

Nawet nie podniosła głosu, nawet oczy jej się nie zaszkliły. Co wtedy pomyślał? A, że to kolejna sprzeczka. I że pewnie jest zmęczona. Musiała być zmęczona, bo tylko tyle emocji z siebie wykrzesała. Tego dnia w kolejnym sporze tak niewiele potrafiła z siebie dać.

– Jutro wyjeżdżam. Wiesz, że mam do kogo wrócić – rzuciła mu w twarz.

– Kocham cię – odpowiedział. Nie znał silniejszego argumentu.

Dopiero wtedy zobaczył na jej obliczu poruszenie. Zaśmiała się nerwowo.

– Ale ja ciebie nie kocham – odezwała się gniewnie, głośno. Potem zawahała się i dodała łagodniej: – Już cię nie kocham.

Uniosła przy tym lewą dłoń i przeczesała palcami opadające pasmo rudych włosów. Banalny gest, jednak Tomasza wzruszał, ilekroć go widział.

- Odchodzę od ciebie. I nie odchodzę do niego. Nie po to się z nim rozwiodłam, by wracać. Ale mam córkę. Do niej wrócę.

Milczał i wpatrywał się w nią uważnie. Zaciągnął się dymem z papierosa - zapomnianego, z przyzwyczajenia zapalonego, trzymanego między palcami wskazującym i środkowym.

Czekała, czy coś powie, ale chyba tak naprawdę nie ciekawiło jej co. Pewnie założyła, że oboje postąpią konwencjonalnie. Ona coś powie, potem on, potem znów ona, wreszcie on przyjmie do wiadomości to, co ona powiedziała i rozstaną się w zgodzie. Nie podejrzewała, że może być inaczej. Wydawało się jej, że dobrze zna tego mężczyznę.

Stał wtedy, przyglądając się jej uważnie, jak zawsze. Na jego twarzy widać było w takich chwilach uniesienie, zachwyt swoją kobietą i modelką dziesiątki razy uwiecznianą na płótnie. I wciąż patrzył na nią z zachwytem. I palił papierosa, jak zwykle. Milczał tylko z większym niż zazwyczaj uporem. Jednocześnie badał jej oblicze spojrzeniem.

Musiała być pewna jego miłości, ale od pewnego czasu chyba jej ciążyła. Już jej nie odwzajemniała, więc uczucie Marczyka stawiało ją w niezręcznej sytuacji. Czy czuła się winna? Przecież zdawała sobie sprawę z tego, że stanowi centralny punkt jego życia, że wszystko, co dla niego ważne, odnosi się do niej i od niej pochodzi. Czy to usytuowanie w centrum Marczykowego wszechświata ją przytłaczało? Czy czuła się jak zwierzę w sidłach? Czy czuła się osaczona?

Na pewno przecież pamiętała chwile, kiedy przytulał ją z pasją, i godziny, kiedy z równą pasją malował na płótnie jej twarz i nagie ciało. Tym chwilom, tym godzinom towarzyszyły zawsze te same zapachy - woń piżma rozgrzanych namiętnością ludzkich ciał albo opary olejów i rozpuszczalników. Wspomnienia wyzwoliły w Marczyku czułość. Zaraz jednak przypomniał sobie tamtą chwilę sprzed trzydziestu lat, kiedy w ułamku sekundy całe jej ciało usztywniło się, plecy wyprostowały, a dłonie zacisnęły w pięści, aż paznokcie zraniły skórę. Czy właśnie wtedy dotarło do niego, że to koniec? Że on nie jest już dla niej? Co czuła? Czy uważała, że ją omotał i wchłonął? Przecież zaopiekował się nią! Jeśli dawał jej zbyt mało powietrza, to tylko na skutek bezgranicznego uczucia. Nie miała prawa sądzić, że nic mu nie jest winna! Co wtedy powiedziała? Że została zniewolona i ta niewola jej ciąży jak nic i nigdy dotąd. I że musi odejść. Po prostu musi.

Patrzyła na niego, milczącego, bezwiednie zaciągającego się papierosem. Pewnie myślała, że go dobrze zna. Owszem, znała, ale tylko do pewnego stopnia. Nie wiedziała, że istnieje przycisk uwalniający bestię śpiącą w duszy Marczyka, w duszy mężczyzny przepełnionego miłością. Nie wiedziała, że ten tajny przycisk nacisnęła i że od tej chwili nic już nie mogło być takie jak dotąd.

Znów się zaciągnął. Nie doczekała się od niego słowa, wzruszyła więc ramionami i mijając przystrojoną na święta choinkę, poszła do kuchni. Nalała wody do czajnika, włączyła gaz.

Stał w pokoju, największym z trzech w tym mieszkaniu, w pomieszczeniu pełniącym funkcję salonu, którego ściany obwieszone były jej portretami. Twarz ukochanej kobiety, zwielokrotniona na kilkudziesięciu płótnach. Jej nagie, smukłe ciało, zastygłe w różnych pozach. Była tam i piękna, i groźna, pełna świętości i uwodzicielska. Zaciągnął się. I zamarł. Oderwał spojrzenie od obrazów. Tak, właśnie w tamtej chwili dotarło do niego, dotarło z opóźnieniem, że wszystko wypowiedziała tonem ostatecznym. Tym razem to nie była sprzeczka. To było oświadczenie!

Mieszkał z nią od sześciu miesięcy, a raczej to ona mieszkała u niego. Mieszkała tu, bo ją kochał. Dla niego inny powód nie istniał, innego nawet by nie zrozumiał. Kochał po raz drugi w życiu i miał pewność, że po raz ostatni. To przemożne uczucie zapisywał w portretach i aktach kobiety malowanych farbą olejną lub akrylową. Kilkanaście z nich sprzedał, ale szybko odkrył, że są dla niego zbyt ważne, by się z nimi rozstawać.

Dla uczucia, które żywił do tej kobiety, zmienił swój styl. Zaczął malować realistycznie, by dokumentować każdą emocję widoczną na jej twarzy, w ruchu ciała. By wszystko uwiecznić, a więc utrwalić na zawsze. Naprawdę na zawsze!

Kiedyś spytała, dlaczego nie fotografuje, zamiast malować, skoro tak mu zależy na wierności obrazu. Próbował wyjaśnić, że zdjęcie jest jak produkt fabryczny, bo można je kopiować w nieskończoność. Farba na płótnie to co innego. Obraz jest tylko jeden. Barwą, fakturą oraz swoimi rozmiarami ukazuje to, co artysta przedstawił we właściwej dla tematu technice i skali. W akcie namalowanym utrwalono emocje, a w akcie fotograficznym jest tylko zapis obrazu. Nie był pewien, czy zrozumiała jego intencje i potrzeby. A teraz modelka doskonała, centrum świata Marczyka, miała odjeść, zniknąć!

Zgasił papierosa, zapalił następnego. Czuł poruszenie w myślach i jeszcze głębiej, w duszy czy w czymś innym, niedookreślonym, bo nie miał pewności, co w sobie nosi i czy naprawdę jest to coś o metafizycznym pochodzeniu. Poszedł do kuchni, gdzie krzątała się kobieta.

– Nie możesz mnie zostawić – powiedział. – Kocham cię, a to jest najważniejsze.

– Daj spokój! – krzyknęła zdenerwowana. Nie spojrzała nawet na Tomasza, tylko wpatrywała się z uporem w czajnik z coraz gorętszą wodą. – Przecież tłumaczę, że cię nie kocham! Tak, coś do ciebie czułam. Kiedyś. Ale teraz koniec. Rozumiesz?! Koniec, *finito, ende*!

Przerwała. Zasłoniła dłonią usta.

– Przepraszam. Sama nie wiem już, co mówię – szepnęła. – Nie chciałam na ciebie krzyczeć. Przecież z ciebie dobry człowiek.

Patrzył na nią z czułością i gniewem, kiedy tak stała w bezruchu, nie odrywając spojrzenia od czajnika. Czekała, aż woda się zagotuje. Tego wieczoru przypominała wodę w tym czajniku – jej emocje dochodziły do temperatury wrzenia. Jak trafiła do tego punktu w życiu? Jak trafiła do tego mieszkania? Jak trafiła do jego, Marczyka, życia?

Pochodziła z parutysięcznego miasteczka położonego kilkanaście kilometrów od miasta, w którym urodził się i żył malarz. Początkowo nie wiedział o niej zbyt wiele, ale z czasem, trochę od samej kochanki, a w większości z opowieści znajomych, poznał koleje jej losu. Była kobietą z przeszłością. Może dlatego, że jej uroda przyciągała uwagę mężczyzn, ale może i dlatego, że na tę uwagę odpowiadała? Faceci ją interesowali. Tam gdzie się wychowała, byli ważniejsi od kobiet. Mieli pieniądze, mieli władzę. Ale ona, dzięki urodzie, miała władzę nad mężczyznami, miała więc wszystko.

Zaszła w ciążę i wyszła za mąż, gdy skończyła ledwie dwadzieścia lat. Mąż był kilkanaście lat starszy od niej, miał własną cukiernię, którą przejął po wiekowym krewnym. Już w tamtym czasie był ważną figurą w miasteczku. Początkowo właśnie to ją pociągało, jednak z czasem doszła do wniosku, że ważna figura w miasteczku to dla niej za mało. Przestała liczyć się z mężem i zaczęła go zdradzać. Zdradzała z przekory, ale też po prostu lubiła facetów. A oni? Mało który nie zachwycał się piękną cukiernikową!

Mąż okazał się innym człowiekiem, niż zakładała. Przez jakiś czas przymykał oczy, to fakt. Ale pantoflarzem nie był. Moment krytyczny nadszedł, gdy zaczęła sypiać z nauczycielem plastyki, pracującym w miejscowej szkole podstawowej. Rozemocjonowany belfer rysował ołówkiem jej portrety i rozwieszał je w szkolnej pracowni. Nic więc dziwnego, że w małej społeczności ludzie szybko wzięli kochanków na języki. Plotki, ploteczki, znaczące uśmieszki. Mąż postanowił zareagować. Wziął do pomocy dwóch czeladników ze swej firmy, odwiedził nauczyciela i solidnie go obił. Plastyk natychmiast stracił zapał do miłostek. Przez dwa miesiące unikał ludzi, a gdy tylko skończył się rok szkolny, załatwił sobie etat w placówce na drugim krańcu województwa.

Po nauczycielu byli jednak inni. Minęły trzy lata małżeństwa i cukiernik zaproponował rozwód. Dał nawet żonie trochę pieniędzy na otarcie łez. Dla niego było to trochę, dla niej dużo. Postawił jeden warunek. Miała zniknąć z miasteczka i nigdy nie wracać. Nie dostała przestrzeni na negocjacje.

Sprawa przed sądem potoczyła się szybko. Sędzia w otoczeniu ławników przyznał ojcu wyłączne prawo do opieki nad dzieckiem. Wzburzyło ją to, ale wiedziała, że w świetle prawa niczego nie ugra. Sędzia był starszym bratem bliskiego kolegi cukiernika. Wiadomo, jak to bywa w miasteczkach, gdzie każdy zna każdego. Odebrano jej prawa rodzicielskie do córki. Sąd nie miał wątpliwości, a to ze względu na prowadzenie określonego trybu życia przez matkę nieszczęsnego dziecka. Był to żywot naganny, niemoralny, niemal kryminalny, co dowiodły fotografie i zeznania świadków. Nawet własna siostra zeznawała przeciwko niewiernej kobiecie! Cukiernik, wykorzystując prawo, wyrzucił byłą żonę ze swego życia i z życia córki. Wyrzucił ją też z miasteczka.

Przeprowadziła się więc z Koronowa do pobliskiego dużego miasta, Bydgoszczy. Nie miała tam znajomych ani krewnych. Miała za to trochę, a w jej mniemaniu nawet sporo, pieniędzy na rozpoczęcie nowego życia. Wynajęła mieszkanie, znalazła zatrudnienie jako ekspedientka w małym prywatnym sklepiku. Płacono jej niewiele, za to zbyt wiele wymagano, przynajmniej jak na jej gust. A było to jej pierwsze doświadczenie z pracą, bo zaraz po maturze związała się z cukiernikiem i na chleb nigdy harować nie musiała.

Szybko odkryła, że praca za ladą nie jest dla niej. Potrzebowała mężczyzny, który by zajął się nią i jej finansowymi potrzebami. Gdy tylko podjęła tę decyzję, zaczęła działać. Poznała taksówkarza w średnim wieku, emerytowanego milicjanta. Wówczas tacy ludzie należeli do klasy średniej i choć trudno było ich nazwać bogaczami, mieli się jak pączki w maśle. Rudowłosa owinęła sobie taksówkarza wokół palca. Wprowadziła się do niego, pomieszkała kilka miesięcy. Ale wciąż rozglądała się za kimś lepszym.

Postanowiła, że nie dopuści, by cukiernik zawsze patrzył na nią z góry. Marczyk znał te jej rozterki, bo mu się z nich zwierzyła. Miała nadzieję, że kiedyś, gdy zwiąże się z kimś odpowiednim, kto będzie miał wpływy, odzyska prawa do córki. Mówiąc o tym Tomaszowi, spoglądała na niego wymownie. Dawała do zrozumienia, że właśnie w nim widzi wybawcę. Nie był jednak pierwszym, którego wybrała do tej roli.

Zanim związała się z malarzem, rozglądała się za rycerzem w lśniącej zbroi, za wyzwolicielem na białym koniu. Rozglądała się i rozglądała, aż wypatrzyła dochodzącego wieku emerytalnego ogrodnika z hektarem uprawy kwiatów pod szkłem. Trochę trwało, zanim go usidliła. Sukces okazał się jednak wątpliwy, bo mężczyzna był skąpy i nieufny.

Szybko wymieniła ogrodnika na aktora z miejscowego teatru. Aktora prowincjonalnego, ale grywającego czasem drugoplanowe role w filmach. On też był od niej dużo starszy. Trochę trwało, zanim ustaliła, że nie jest tak zasobny, jak zakładała. I że niewiele może. Ot, komediant, którego znaczące osobistości dopuszczały do siebie, ale któremu mało co dawały. Wreszcie, dwa lata po wyjeździe z miasteczka, sprawy przyjęły nowy obrót. Spotkała Tomasza Marczyka. Jak go zapewniała, zakochała się po raz pierwszy w życiu.

Tego wieczoru wybrała się z aktorem na wernisaż, gdzie poznała młodego malarza, swojego rówieśnika. Oboje byli szczupli i piękni. Zwracali uwagę wszystkich. Jednych zachwycali, inni ich pożądali, pozostali nienawidzili lub im zazdrościli. Tomasz zdawał sobie sprawę, iż on i jego kobieta mieli w sobie coś, co sprawiało, że nikogo nie pozostawiali obojętnym.

Pamiętał chwilę ich spotkania. Wszystko trwało zaledwie sekundy, lecz ile w tym było emocji! Spojrzał na nią i natychmiast podszedł. Powiedział wprost, że się w niej zakochał. Powiedział to w taki sposób, tak na nią patrzył i tak wyglądał, że nie mogła mieć wątpliwości. Spojrzała mu w oczy i odparła, że zakochała się w nim od ręki. Pamiętał, że użyła właśnie tych słów. Z wernisażu wyszła z Marczykiem. Do aktora zajrzała następnego dnia tylko na chwilę, by zabrać swoje sukienki i kosmetyki.

Malarz pamiętał pierwsze dni uniesień. Oboje byli młodzi i piękni. O nim mówiono „młody zdolny", o niej - „muza artysty". On jasnowłosy, ona ruda. Oboje znaleźli się w centrum uwagi kręgów, które najwięcej znaczyły w mieście. Urzędnicy miejscy, wojewódzcy i partyjni. Dyrektorzy tego i owego, artyści różnych dziedzin. Zakochani żyli w uniesieniu.

Tomasz tworzył jej portrety, jeden za drugim. Kupowano je na pniu, szczególnie akty naturalnej wielkości. Mówiła wtedy kochankowi, że czuje się piękna, pożądana i wiele warta. Miłość do malarza stała się dla niej terapią po przegranym małżeństwie i utraconym rodzicielstwie, po tułaniu się od jednego mężczyzny do drugiego. Tak, to musiała być miłość. Może nie kłamała, gdy twierdziła, że miłość wielka i pierwsza w jej życiu?

Marczyk przypominał sobie kolejne szczegóły. Kiedyś była najpiękniejszą dziewczyną w miasteczku, potem pożądaną przez wielu żoną miejscowego notabla, a wreszcie istotą na poły erotyczną, na poły metafizyczną, czyli muzą artysty. W tej jednak chwili, dwa dni przed wigilią Bożego Narodzenia, stała się, jak woda w czajniku, bliska wrzenia. Czy dlatego, że przestała być podziwianą muzą?

Faktycznie, od trzech miesięcy nigdzie nie bywali. Wychodzili tylko, żeby kupić coś do jedzenia, papierosy i alkohol. Tomasz przestał odbierać telefony, a z odwiedzającymi go znajomymi rozmawiał przez zamknięte drzwi. Przez te prawie sto dni i nocy malarz oraz jego modelka tylko pili i uprawiali seks, a po każdym orgazmie młodzieniec chwytał za pędzel i przenosił swe emocje na płótno.

Czy przesadził wtedy ze zmysłowością? Nie dostrzegł, że była zmęczona, obolała, wciąż na pół pijana? On trwał w stanie euforii, tworzył. Ale dla niej godziny i miesiące stapiały się w nużący ciąg podobnych zdarzeń. Chyba nawet mu o tym powiedziała... Tak, raz wspomniała, że nie wie już, jaki jest dzień tygodnia. Włączyli wtedy telewizor i dowiedzieli się, że idą święta. Jakże śmiali się oboje, gdy odkryli, że Gwiazdka tuż-tuż! Postanowili to uczcić. Poszli kupić choinkę, a potem przez całą noc pili i stroili drzewko. Po co to zrobili? Nie miał pojęcia. Przecież nie z powodu tradycji. Nie mieli nawet dla siebie prezentów pod choinkę.

Kochał ją tak bardzo! Najpierw pokazywał ją wszystkim – z radości, że uczucie do niej jest tak potężne. Odwzorowywał na płótnie jej twarz i ciało z niezwykłą dbałością o szczegóły. Ludziom to się podobało. Chcieli muzy artysty, kupowali obrazy za pokaźne kwoty. Po trzech miesiącach malarz odkrył jednak, że sprzedając portrety kochanki, zamienia swoje wielkie i dobre emocje na pożywkę dla cudzych erotycznych pragnień.

Kiedy to zrozumiał? W jednej paskudnej chwili. Usłyszał, jak jeden z wysoko postawionych urzędników powiedział do drugiego: „Ale dupa z tej dupy". Obaj patrzyli na akt jego kobiety, przez niego stworzony, i uśmiechali się obleśnie. Od tamtego dnia nie sprzedał żadnego jej portretu. Malował, wciąż ją malował, lecz wszystkie obrazy wieszał na ścianach swego mieszkania. Nowych dzieł nawet nie podpisywał, nie datował. Po co? Były tylko dla niego, a on doskonale wiedział, kiedy powstały i jakie emocje sprowokowały go do namalowania każdego.

– Kocham cię – szepnął, patrząc ukochanej w oczy. – Nie możesz ode mnie odejść. Nie pozwolę na to.

Pamiętał najdrobniejsze szczegóły tamtego dnia. Stali oboje w kuchni. Woda zagotowała się w czajniku. Gwizdek zapiszczał, wypluwając cienką strużkę pary. Ruda muza zamierzała zalać wrzątkiem listki herbaty w szklance ustawionej na kuchennym stole, jednak w tej właśnie chwili zrozumiała sens słów Tomasza i zamarła w pół ruchu.

– Nie możesz mnie zatrzymać. A ja mam do czego wracać – powiedziała i gwałtownie zestawiła czajnik z gazu. Denerwujący gwizd ucichł.

– Nie mogę? Ja mogę wszystko! A gdzie ty możesz wrócić? Do czego? – Jego głos wydawał się spokojny, ale był nienaturalnie bezbarwny, beznamiętny. – Twój cukiernik ma cię za kurwę. Dziecku pewnie już to wyjaśnił. Ile czasu nie widziałaś małej? Prawie trzy lata! Twoi rodzice nie żyją, starsza siostra ma cię w dupie, bo jej wstydu w miasteczku narobiłaś. Co ty mi tu pieprzysz, że masz do czego wrócić?! Masz tylko mnie!

Zamilkł. Zaciągnął się papierosem, nie patrząc na kobietę, bo jej twarz i tak miał w pamięci, gdzie stanowiła centrum wszystkiego. Wpatrywał się w wieczorne grudniowe niebo. Wypełniało białe ramy okna asfaltową czernią.

Kochanka zadrżała i charakterystycznym gestem poprawiła włosy. Spojrzała uważnie na Marczyka. Czy dostrzegła coś, czego nigdy wcześniej w nim nie widziała? Czy poczuła zimno, które niczym wbijany w ciało stalowy drut pełzło wzdłuż kręgosłupa, od miednicy ku podstawie czaszki? Czy ogarnął ją strach?

Pospiesznie wyszła z kuchni, zostawiając tam milczącego Tomasza. Minęła choinkę, otworzyła szafę i wyjęła walizkę. Zabrała się do pakowanie sukienek, spodni, żakietów, płaszcza i kurtki. Z szuflady komody wygarnęła bieliznę, kilka par rajstop. I buty, wszystkiego pięć par. Wiele tego nie było, w sam raz, by wypełnić jedną dużą walizkę i typową torbę podróżną.

– Co robisz? – spytał.

Zadrżała zaskoczona. Widać było, że nie dosłyszała jego kroków, gdy szedł za nią z kuchni.

– Odchodzę od ciebie. Przecież mówiłam! – krzyknęła.

– Nie możesz. Kocham cię. Zostaniesz ze mną.

Wzruszyła ramionami. Czy w tamtej chwili się go bała? Ruchy miała nerwowe. Jej zachowanie wskazywało, że ani myśli zostać w mieszkaniu dłużej niż to konieczne.

Co planowała? Wiedział, że nie miała w jego mieście nikogo bliskiego, zaledwie kilkoro znajomych. Pozostało jej jednak trochę pieniędzy z sumy wypłaconej przez cukiernika. Pozwalała przecież utrzymywać się Marczykowi i mężczyznom, z którymi była wcześniej. Może chciała zatrzymać się w hotelu i tam przemyśleć, co robić dalej? A może planowała pojechać na drugi koniec kraju, zgubić się gdzieś, gdzie nikt jej nie zna?

– Zostaniesz ze mną – powtórzył.

Podszedł, pochylił się nad ukochaną. Chciał ją objąć. Zajęta układaniem sukienek w walizce, nie dostrzegła na czas jego gestu. Gdy poczuła dłonie mężczyzny na swoich ramionach, gwałtownie drgnęła. Oparła się ręką o krzesło, ale mebel się przewrócił, także ona straciła równowagę. Upadła na podłogę.

– Zostaw mnie! – syknęła rozwścieczona. – Z nami koniec!

Wstała niezdarnie. Po zderzeniu z deskami bolało ją kolano.

Ruchy Marczyka stały się szybkie. Chwycił kobietę za ramiona. Pchnął. Znów upadła, tym razem uderzając głową o podłogę. Straciła przytomność.

– Przecież cię kocham – szepnął.

Podniósł bezwładne ciało. Trzymał kochankę w ramionach, jak dziecko. Ruszył z nią do kuchni, położył na podłodze przy zlewozmywaku. Odkręcił kran, chłodną wodą zwilżył twarz nieprzytomnej. Otworzyła oczy.

– Zostaniesz ze mną – powiedział, uśmiechając się i łagodnie sunąc wzrokiem po jej obliczu, po całym ciele skulonym na kuchennej podłodze. – Chcę się z tobą kochać. Zawsze. Teraz. Tutaj.

Sięgnął do jej bluzki, zaczął rozpinać guziki. Potrząsnęła głową. Jęknęła. Wyrwała się z jego objęć i oparła plecami o szafkę zlewozmywaka.

– Jesteś nienormalny – odparła z trudem.

Co wtedy o nim myślała? Jak się czuła? Czy bolała ją głowa? Straciła przytomność, więc pewnie doznała wstrząsu mózgu. Tomasz pamiętał, że próbowała wstać, ale nie udało się jej utrzymać równowagi.

– Boję się ciebie – szepnęła. – Nie zostanę tutaj.

Przypomniał sobie, że słysząc jej słowa i widząc determinację, poczuł gniew. Złapał kochankę za długie włosy i szarpnął w górę, aż poderwała się na kolana. Uderzył jej głową o krawędź zlewu. Żeliwo pokryte białą emalią wydało głuchy odgłos. Uderzył jeszcze raz, potem trzeci i czwarty.

Stracił rachubę. Także teraz, prawie trzydzieści lat później, nie wiedział, ile ciosów zadał. Pamiętał jednak, że kiedy odzyskał świadomość, ręce miał uwalane krwią i lepką mazią sączącą się z roztrzaskanej czaszki ofiary.

Wciąż trzymał ją za włosy. Dłoń miał okręconą długimi, delikatnymi pasmami zlepionymi gęstym czerwonym płynem. Poderwał rękę, wyplątał palce z makabrycznych splotów i upuścił zwłoki na podłogę.

Przetarł oczy zakrwawionymi palcami. Sięgnął po papierosy, wargami wyjął jednego z paczki. Potrzebował kojącego uderzenia dymu. Chciał poczuć zapach palącego się tytoniu, jednak wilgotny kciuk odmawiał posłuszeństwa, ślizgał się na kółku zapalniczki. Wreszcie strzelił płomyczek i Marczyk zaciągnął się papierosem, który smakował dziwnie, metalicznie. Pewnie dlatego, że bibułka zdążyła nasiąknąć krwią.

Tomasz palił i krążył wokół kuchennego stołu. Mechanicznie, jak dziecięca kolejka pędząca po ustalonej trasie na blaszanych szynach. „O nie, nie odejdziesz ode mnie - myślał wtedy - zawsze będziesz ze mną".

Syknął z bólu. Tytoń w papierosie już się wypalił i płonący ustnik oparzył palce. Malarz cisnął niedopałek na podłogę. W kałużę krwi. Potem spojrzał z czułością na swoją muzę. Przesunął dłońmi po stygnących zwłokach. Zdjął z zabitej bluzkę, spódnicę i bieliznę. Wstał, cofnął się kilka kroków i przyglądał się ciału o doskonałych proporcjach.

„Tak wielu rozważa, skąd bierze się potrzeba tworzenia - pomyślał - a przecież odpowiedź jest prosta. To stąd właśnie, z takiej doskonałości się rodzi". Znów poczuł przypływ emocji. Był artystą! Zaraz stworzy dzieło absolutne, ostateczne!

Podekscytowany, wyszedł z mieszkania, swej enklawy. Dwa lata wcześniej stowarzyszenie artystyczne załatwiło mu przydział tego dużego komunalnego lokalu na pracownię.

Zamknął drzwi na klucz. Stał na klatce schodowej starej kamienicy. Zszedł do piwnicy zastawionej rowerami i zepsutymi pralkami sąsiadów. Zabrał narzędzia murarskie, przecinak, łom i worek cementu. Nikt nie zwrócił na niego uwagi. Noc była czarna, środek tygodnia, wokół wszyscy spali lub byli martwi.

W mieszkaniu zaniósł narzędzia i cement do największego pokoju. Tam gdzie stały wielka szafa i ozdobiona świecidełkami choinka, a ściany obwieszone były namalowanymi przez niego portretami kobiety, którą kochał.

Zatrzymał się przed ścianą kominową, grubą prawie na metr. Nawet się nie zastanawiał. Twórczy plan pojawił się samoistnie i samoczynnie rozwijał.

Włączył żyrandol z sześcioma silnymi żarówkami. Zdjął z haków kilkanaście płócien bez oprawy. Potem sięgnął po murarski młotek i przecinak. Starając się nie hałasować, zaczął odłupywać tynk. Mury kamienicy były stare i grube, z czerwonej przedwojennej cegły, tłumiły więc dźwięki.

Po dwóch godzinach, gdy usunął dwa metry kwadratowe wierzchniej warstwy, zabrał się do wykuwania cegieł. Pracował powoli. Żadnych głośnych stukotów, trzasków. Wyłupywał starą, kruszącą się między palcami zaprawę i wyjmował cegły jedną po drugiej, jak klocki.

Wybrał dwa nieużywane kanały kominowe. Połączył je w niszę szeroką i głęboką na pół metra, wysoką na metr. Potem poszedł do kuchni, chwycił martwą kobietę pod ramiona i zaciągnął do pokoju. Z wysiłkiem podniósł nagie, śliskie zwłoki, wcisnął je w niszę. Niemal wszystko poszło tak jak powinno. Jak zaplanował w chwili olśnienia. Prawie wszystko, bo jednak lewa noga kobiety wystawała z ceglanego sarkofagu! Minęło tyle czasu, że zwłoki zaczęły sztywnieć. Nacisnął niesforną kończynę, nacisnął jeszcze raz, znacznie silniej, ale nie chciała się zgiąć w kolanie.

Zdenerwował go opór materii. Nic nie może rozpraszać artysty, gdy tworzy! Rozejrzał się. Obok worka z cementem leżał łom przyniesiony z piwnicy i dotąd nie użyty przy pracach murarskich. Marczyk sięgnął po dziesięciokilogramowy pręt ze stali. Odsunął się od zrujnowanej ściany i wziął szeroki zamach. Narzędzie trafiło tam, gdzie wycelował. Staw kolanowy zamordowanej pękł z trzaskiem.

Malarz odłożył łom, po czym wcisnął do niszy niestawiającą już oporu nogę. Cofnął się i stojąc na środku pokoju ocenił efekt pracy. Nagie, zakrwawione zwłoki stapiały się w jaskrawą plamę z czerwonymi cegłami muru.

Cofnął się jeszcze bardziej, aż pod przeciwległą ścianę, i ponownie ocenił swoje dzieło.

„Sztuka jest uniwersalna, nosi wiele imion - myślał, patrząc na upozowane zwłoki kobiety, którą kochał. - Tutaj nie ma spekulacji, bo kontekst uwierzytelnia pasję artysty. Tak, to dzieło wizjonera. Miłość ostateczna nie znajdzie większego oddania!".

Poszedł do łazienki. W starej blaszanej balii wymieszał cement z wodą. Potem zamurował niszę, wstawiając na miejsce wykute wcześniej cegły. Nie przejmując się zasadami obowiązującymi w budownictwie, przygotował płynną zaprawę, by służyła za tynk, i ochlapał nią ścianę.

„Tak jest dobrze - przekonywał sam siebie. - Tak wielkie dzieło, dzieło ostateczne, musi być ukryte przed profanami. Dzieło ukryte istnieje ponad osądem i potwierdza geniusz artysty w kategoriach uniwersalnych".

Cement szybko wiązał. O istnieniu grobowca mówiła już tylko świeża plama niechlujnie położonego szarego tynku.

Dziś przypomniał sobie, co myślał w tamtej odległej chwili. Rozważał, czy ktoś będzie jej u niego szukał. O czym jeszcze myślał? A, o tym, że mógłby chichotać w duchu, odpowiadając temu komuś słowami bohatera jednego z opowiadań Edgara Allana Poe. Jak to było, jak było? A, tak! „Otóż te mury są mocno spojone. Tak, te mury są mocno spojone". Tylko że nikt nie będzie jej szukał. Nikt się o nią nie upomni. Bo ona ma przecież tylko jego, Tomasza.

I rzeczywiście, nikt nigdy jej nie szukał. Nikt się o nią nie upomniał.

Wtedy, prawie trzydzieści lat temu, Marczyk wbił w świeży mur kilka haków - w tych samych miejscach, gdzie znajdowały się wcześniej. Potem poumieszczał akty tam, gdzie wisiały przed trzema godzinami. Wyłączył światło i zapalił wszystkie świeczki na choince. Na środek pokoju przeciągnął fotel stojący w rogu. Usiadł.

Wygodnie rozparty palił papierosa. W migotliwym świetle kilkanaście wizerunków pięknej nagiej kobiety w rozmaitych pozach drżało tuż przed nim na ścianie. Pod tą budzącą emocje zasłoną kryło się w głębinach muru dzieło ostateczne. Na powierzchni ściany w blasku świec poruszał się zwielokrotniony obraz tej, którą kochał, obraz taki, jaki chciał na zawsze zachować w pamięci. Pod ulotną wizją kryło się coś nie tylko pięknego, ale i wiecznego.

Palił, patrząc na obrazy. Po zrywie gniewu i twórczej ekspresji ogarnął go spokój. Jego twarz z zastygłym półuśmiechem wyglądała niczym maska z cementu połyskująca warstewką potu. Świat się skończył, miłość się skończyła. Marczyk pomyślał, że mógłby teraz się zabić, że samounicestwienie miałoby sens w odróżnieniu od dalszego życia bez ukochanej. Tylko kto by wtedy pamiętał o jego miłości, o kobiecie, którą tak wiele razy malował?

„Przecież ona ma tylko mnie". Zgasił papierosa. Na dłoniach miał warstwę zaschniętej krwi wymieszanej z cementem. Siedział w fotelu i patrzył na nagie ciało kobiety utrwalone na obrazach, aż nadszedł późny zimowy świt. Dopiero wtedy zasnął.

Przez minione dziesiątki lata nikt się o nią nie upomniał. Dopiero teraz, gdy ukradziono jej portrety, jej emocjonujące akty, nadszedł czas rozrachunku. Odezwała się do niego z tamtej strony, tajemnej, niepoznanej.

Przez te wszystkie lata Tomasz trzymał się z dala od życia. Dosłownie. Nie szukał przyjaźni, nie szukał związków, seksu nie uprawiał nawet z samym sobą. Zarobku z kolei szukał tylko po to, by móc utrzymać mieszkanie, gdzie doszło do tak istotnych zdarzeń. Nie skupiał uwagi na drobiazgach, pił najtańsze alkohole, palił i jadł byle co.

Jego głównym zajęciem było siedzenie na podłodze w salonie i wpatrywanie się w obrazy, na których uwiecznił kochankę. Ostatnie trzydzieści lat tak właśnie przesiedział i przepatrzył. Jakby zamarzł albo zamarynował się we wspomnieniach.

Teraz jednak wszystko uległo zmianie. Tomasz Marczyk siedział na podłodze w salonie, a obok niego unosiło się krwawe widmo.

– Chcę ciała! – domagała się kobieta koloru posoki. – Chcę być piękna. Zrób, co trzeba. Musisz to zrobić!

Słyszał jej głos w swojej głowie. Wciąż go słyszał. Opuchlizna stwardniała i pulsowała bólem. „Kiedy wreszcie przyjedzie ten Kwiatkowski?" – powtarzał w myślach zirytowany malarz.

Rozdział 32

Wirski wyszedł z mieszkania. Zbiegł po kilkudziesięciu stopniach. Znalazł się na ulicy, w centrum osiedla. Otaczały go szczyty wielopiętrowych bloków i doliny dziecięcych piaskownic. Zapadał zmierzch, siąpił deszcz. „W taką pogodę powinno się siedzieć przed telewizorem albo kochać z kobietą w łóżku, albo w innym miejscu, a nie łazić w podejrzane kąty" - stwierdził w duchu restaurator.

Zanim wyszedł, przez myśl mu przemknęło, że powinien wziąć ze sobą broń. Poręczny pistolet hiszpańskiej marki Astra trzymał w szafce przy łóżku, tak na wszelki wypadek. Skarcił się jednak w myślach, że zaczyna przesadzać. To nie była dawna robota, w której zdarzało się ryzykować głowę. „To prosta sprawa, Janku - napominał samego siebie. - Co najwyżej mały szantażyk. Co najwyżej da się komuś w mordę".

Nie wiedział, czego się spodziewać po wizycie u tajemniczego rozmówcy, więc nie zabrał większej gotówki. Postanowił też nie rzucać się w oczy. Włożył granatową nieprzemakalną kurtkę o banalnym kroju, kupioną kiedyś w supermarkecie z myślą o wyjazdach do lasu na grzyby. Do tego ciemne dżinsy i buty sportowe. Pogoda była pod psem. Albo jeszcze gorsza. Nim doszedł do samochodu, jego krótko przystrzyżone szpakowate włosy były wilgotne od deszczu.

Pojechał do centrum. Wieczór powoli nasączał mrokiem arterie miasta. Ciasno stłoczone samochody, a wśród nich wóz Jana, sunęły powoli ulicami. Światła latarni i witryn sklepowych wytyczały szlak pojazdom. Wirski dojechał do Gdańskiej. W tej okolicy mieszkał tajemniczy rozmówca.

Jan cudem znalazł miejsce do parkowania przy sklejonym z Gdańską niewielkim placu Wolności. Wystarczyło teraz przejść przez jezdnię i minąć kilka okazałych secesyjnych kamienic, by znaleźć się na początku ulicy Pomorskiej.

Deszcz przestał padać. Wirski lubił tę część miasta. Dominowała tu autentyczna secesja, z rzadka tylko przetykana nowymi plombami. Bydgoszcz niezbyt ucierpiała w wojnach światowych, więc Śródmieście z okalającymi je starymi dzielnicami zachowało wiekową zabudowę.

Szedł wolnym krokiem i przyglądał się budynkom, zarówno dla przyjemności, ale też po to, by nie przegapić właściwego.

– Młody człowieku! Hej, młody człowieku! – Usłyszał kobiecy głos za plecami.

Nie był już młody, ale nikogo innego w pobliżu nie widział, więc zatrzymał się i odwrócił.

Przygarbiona kobieta zbliżała się w wieczornej szarówce. Była krępa, niewysoka, pchała dziecięcy wózek.

Zatrzymała się przed Janem. Spojrzał na jej widoczną w świetle latarni twarz. Trudno było ocenić wiek nieznajomej, równie dobrze mogła przekroczyć trzydziestkę, jak i pięćdziesiątkę. Cerę miała poszarzałą, wargi wąskie i zaciśnięte, a kąciki ust opadały w dół, naznaczając oblicze grymasem ustawicznego niezadowolenia. Na zadartym, kartoflowatym nosie ciężkie okulary z grubymi szkłami odcisnęły różowy łuk. Oczy duże, rozmazane, wpatrywały się w mężczyznę z uwagą.

- Młody człowieku, czy wie pan, gdzie jest Wiązowa?

Byli sami na opustoszałej ulicy. W wózku spało dziecko.

- Tu niedaleko jest Lipowa i Kwiatowa. Ale co do Wiązowej, to nic nie wiem. Nie pomogę pani, też nie jestem z tej dzielnicy. - Wirski uśmiechnął się. Patrząc na tę wyczerpaną zmaganiami z życiem, nieładną kobietę, znów poczuł, że jest zmęczony.

Niemowlę się obudziło. Popatrzyło na Jana oczami okrągłymi jak u lalki. Przypominały kulki ze szkła. Dziecko nie mrugało. Wpatrywało się w mężczyznę uporczywie, jakby chciało go zapamiętać na resztę życia.

Nieznajoma stała i milczała. Niemowlę też. Jan uznał wymianę zdań za skończoną, odwrócił się i ruszył chodnikiem. Pomyślał, że sytuacja ta była jak żywcem wyjęta z filmów Lyncha.

Szedł powoli, wypatrując domu z żółtą elewacją. Poruszyło go spotkanie z dziwną parą. Kobieta była ponura, aseksualna, a jednak urodziła dziecko. Stanowiło ono dowód, że jego matka zauroczyła jakiegoś mężczyznę na tyle, że doszło między nimi do porywu zmysłów. Podczas zbliżenia chyba nie była tak smutna? Pewnie tryskała energią, a orgazm doprowadził ją do spazmów. Wtedy właścicielowi restauracji przyszła na myśl Baśka. Też była dla niego tajemnicą niczym nieodkryty ląd - nie tylko odległy, ale zaledwie hipotetycznie istniejący, niczym fantastyczne krainy z obrzeży świata zaznaczane na średniowiecznych mapach.

„Jak by to było zanurzyć twarz pomiędzy jej duże piersi?" - zastanawiał się leniwie. Nigdy jeszcze nie miał do czynienia z kobietą o tak pełnych kształtach. Co sprawia Baśce erotyczną przyjemność? Ciekawe, czy zgodnie z modą, zmieniającą kobiety w dziewczynki, depiluje całe ciało? Może jednak jest tradycjonalistką i zostawia owłosienie na podbrzuszu? Wirski wolał tę drugą ewentualność. Przyjemniej było wtulać się w miękkie, wilgotne futerko, niż ślizgać po nagiej, mokrej skórze.

„Niby mam doświadczenie - drążył temat - ale nie wiem, czy kobiety o bujniejszych kształtach potrzebują silniejszej stymulacji niż te szczupłe? Nigdy nie posuwałem tak dużego tyłka". Zaśmiał się, próbując wulgaryzowaniem zbagatelizować nowo odkryte emocje. Chciał uzyskać dystans, przeanalizować sytuację na zimno. Nie wyszło. Tego, co poczuł do Baśki, nie udało mu się ani zracjonalizować, ani pomniejszyć.

A może jego wcześniejsze doświadczenia okażą się tu zbyteczne, bo wspólniczka traktuje seks jako oddawanie się kobiety mężczyźnie z miłości? Może dla niej życie erotyczne polega na sporadycznych aktach odbywanych w ciemności i w pozycji misjonarskiej? Niby tak wiele wiedział o Barbarze, ale akurat jej nawyki i pragnienia seksualne stanowiły dla niego tajemnicę.

Zdał sobie sprawę, że jest pobudzony. „Ale mnie poniosło - stwierdził ze zdziwieniem. - To nie miejsce ani czas na takie zachowania". Umówił się przecież z nieznajomym w szemranej sprawie.

Zaczął uważniej się rozglądać. Szukał adresu, pod którym był umówiony. Wkrótce go znalazł.

Otworzył drzwi prowadzące na klatkę schodową. Stara farba na ścianach korytarza łuszczyła się, czuć było kotami i moczem. Nie znalazł spisu lokatorów, a skrzynka pocztowa o kilkunastu przegródkach wyglądała tak, jakby otwierano ją kopniakiem. „Brakuje tylko w tle dziwnej muzyczki granej na cytrze" - uśmiechnął się w myślach, bo sceneria przypominała czarno-białe obrazy z *Trzeciego człowieka*, klasycznego filmu Orsona Wellesa.

Ruszył schodami. Na drugim piętrze znalazł właściwe drzwi. Chwilę nasłuchiwał, sprawdzając czy z wnętrza mieszkania dobiegają jakieś odgłosy. Nie miał pewności, czy człowiek, z którym się umówił, jest na miejscu. W środku cisza, nic się nie działo. Jan pomyślał, że być może przyszedł na darmo, ale jeśli miś nie spróbuje, nie wyjmie miodu z barci. Nacisnął guzik dzwonka.

Usłyszał kroki i drzwi otworzył mężczyzna w średnim wieku. Trochę wyższy od restauratora, ale mocno wychudzony, jakby niedawno przeszedł ciężką chorobę. Twarz posiniaczona, lewą stronę głowy zniekształcało dziwne wybrzuszenie. Dłonie miał uwalane czymś czerwonym, pewnie farbą. Chyba sam dopiero teraz odkrył, że jest ubrudzony, bo szybkim ruchem wytarł ręce w spodnie.

Gospodarz przyjrzał się Janowi zastanawiająco uważnie.

- O co chodzi? - spytał. Głos miał matowy, słowa wymawiał niewyraźnie.

- Byliśmy umówieni. Jestem Kwiatkowski - powiedział Wirski. - Mogę wejść?

Mężczyzna odsunął się, robiąc miejsce. Gościowi nie spodobała się ta forma uprzejmości, ale się przecisnął. Znalazł się w wąskim przedpokoju. Usłyszał, jak nieznajomy zamyka drzwi i zbliża się do niego.

W mieszkaniu panował fetor, jakby śmieci nie wynoszono stamtąd od miesięcy. Jan zatrzymał się na środku korytarzyka. Dostrzegł pięcioro zamkniętych drzwi, kryjących dostęp do pięciu pomieszczeń. Odwrócił się w stronę gospodarza.

– Obrazy – powiedział Marczyk. – Gdzie one są?

– Zaraz, zaraz. To pan miał mi sprzedać obrazy – zdziwił się Wirski.

– Gdzie masz te obrazy?! – krzyknął Tomasz.

W ręce trzymał nóż.

Jan stwierdził, że żarty się skończyły. „Bez względu na to, o co mu chodzi, jest niebezpieczny".

– Dobrze, zdradzę, gdzie są – rzekł ugodowo. – Ale dlaczego chce je pan mieć?

– Bo to moje obrazy – mruknął malarz.

– Czyli to pan sprzedał je Kwaśniakowi? Teraz pan się rozmyślił i chce je odzyskać?

– To moje obrazy. Ja je malowałem.

Restaurator znieruchomiał. Co ten ponury typ ma wspólnego z jego bratanicą?

– To pan namalował akty Justyny? – wypalił zaskoczony.

– Jakiej Justyny? – zdziwił się Marczyk, szybko jednak zmienił ton. – Ty mi w głowie nie mieszaj! Oddawaj obrazy!

Uniósł rękę z nożem i zrobił krok w stronę gościa.

– Zaraz, zaraz. Spokojnie. – Jan też podniósł rękę, ale w obronnym geście. – To kto jest na tych obrazach?

– Mariola! To przecież Mariola – oświadczył malarz niespodziewanie spokojnie, ale przypomniał sobie w jakim celu zwabił Kwiatkowskiego do swojego mieszkania i krzyknął: – Adres! Gdzie są obrazy?!

Wirski zamarł zaskoczony. Mariola? Mariola zaginęła kilka lat po tym, jak Zygmunt się z nią rozwiódł. Teraz, gdy Jan o niej pomyślał, zdał sobie sprawę, że dorosła Justyna bardzo przypomina matkę. Rzeczywiście, były do siebie podobne jak dwie krople wody.

Otrząsnął się, uznając, że później przemyśli to, co powiedział mężczyzna z nożem. Odruchowo, zgodnie z tym, jak go kiedyś szkolono, zrobił unik. Chciał wyminąć napastnika, licząc na to, że dotrze przed nim do drzwi i wybiegnie na klatkę schodową. Właściciel mieszkania ubiegł Wirskiego. Jan poczuł ból w klatce piersiowej. Tomasz pchnął go nożem i odskoczył. Nadal blokował dostęp do wyjścia.

Restaurator zrozumiał, że sprawa, w którą się wplątał, jest poważniejsza, niż zakładał. Nieoczekiwanie przyszło mu walczyć o życie. Pożałował, że nie wziął pistoletu. Po co więc czyścił go co tydzień i trzymał przy łóżku? Chyba tylko dla złudnego poczucia bezpieczeństwa. „Trzeba było słuchać intuicji" - zwymyślał sam siebie.

Był ranny, ale nie wiedział jak dotkliwie, bo nie miał czasu na oględziny. Musiał się spieszyć, musiał przypomnieć sobie wszystko, czego kiedyś go uczono. Wszystkich tych okrutnych i niehonorowych metod. Tylko tyle i aż tyle potrzebował, by przetrwać.

Marczyk znów ruszył. Jan kątem oka dostrzegł błysk noża. Odsunął się kilka centymetrów i wykorzystał przeciw napastnikowi siłę, z jaką ten zaatakował. Tomasz stracił równowagę, przeleciał przez biodro Wirskiego. Uderzył czołem o podłogę. Były agent szybko obrócił się wokół własnej osi, z całych sił kopnął przeciwnika w krocze. Malarz jęknął i zwinął się w kłębek. Został na podłodze.

Jan zgiął się wpół. Oparł dłonie na kolanach. Pomyślał, że nie dla niego już takie harce. Ciężko oddychał. Pod palcami czuł krew wypływającą z rany. Nie mógł jednak roztkliwiać się nad sobą. Musiał działać.

– Co tu tak śmierdzi? – spytał, choć nie oczekiwał odpowiedzi, bo gospodarz leżał bez ruchu. Chyba stracił przytomność.

Restaurator nie wiedział, czy nożownik jest sam, czy może znajduje się tu jeszcze ktoś stanowiący zagrożenie.

Otworzył drzwi najbliższego pomieszczenia. Dostrzegł szafę i łóżko ze skotłowaną pościelą. Nikogo. Szarpnął za klamkę drzwi usytuowanych po przeciwnej stronie korytarza. Uchyliły się, właśnie stamtąd bił fetor.

– Chryste – jęknął Wirski.

Przed nim widniał salon. W ścianie ziała wielka dziura, cegły i płaty tynku walały się na podłodze. Pomiędzy nimi leżały zwłoki dwóch nagich kobiet i zmumifikowane ludzkie szczątki. Krajobraz po bitwie, której nie mogli stoczyć ludzie, tylko demony.

Wszedł do pokoju. Zobaczył oparte o ścianę portrety, z których spoglądała Justyna. Nie, nie Justyna. Mariola. Wówczas w jego głowie wszystkie informacje, niczym kawałki puzzli, ułożyły się w całość. Zrozumiał, że w całej tej sprawie nie chodziło o bratanicę, tylko o jej matkę, byłą żonę Zygmunta. „Że też nigdy wcześniej nie zwróciłem uwagi na to, jak są do siebie podobne" – zganił się ponuro.

Mariolę spotkał zaledwie kilkanaście razy. Nie przepadał za żoną brata. Co prawda fizycznie była w jego typie, i to bardzo, ale jej osobowość przypominała mu chmurę gazu. Nie można było przewidzieć, w którą stronę zbłądzą jej myśli, co i z jakiego powodu zrobi. Trudno też było mu lubić Mariolę, ponieważ jawnie zdradzała Zygmunta. Nie chodziło o jeden romans ani o to, że odkochała się w starszym Wirskim i zakochała w kim innym. Ta kobieta, niestety, zachowywała się jak kotka w marcu. Jan wiedział jednak, że brat ją kochał, a decyzję o rozwodzie podjął z ciężkim sercem. Potem Mariola wyjechała z Koronowa.

Bratowa była piękna, ale duszę miała mroczną niczym dzielnica portowa nocą, do tego wszyscy mężczyźni jej pożądali, a wszystkie kobiety nienawidziły. Gdy Justyna dorosła, postanowiła odszukać matkę. W tej akurat sprawie nie mogła liczyć na ojca, więc o pomoc poprosiła Jana. Zlecił poszukiwanie Marioli agencji detektywistycznej wyspecjalizowanej w takich śledztwach. Nie ustalono wiele, tyle tylko, że kobietę widywano w Bydgoszczy przez rok czy dwa w kręgu lokalnych notabli i artystów. Co potem z nią się stało, nie wiadomo. Nie wspominała o niej również urzędowa dokumentacja z późniejszego okresu. Trzeba jednak pamiętać, że działo się to w drugiej połowie lat osiemdziesiątych, kiedy wiele osób wyjeżdżało z kraju, jedne na swoich papierach, inne nielegalnie. Mariola mogła więc wyemigrować do Australii albo Kanady i żyć tam do dziś pod innym nazwiskiem. Restaurator wytłumaczył wtedy Justynie, że jeśli jej matka nie chce, by ją znaleziono, nikt jej nie znajdzie.

Teraz, patrząc na portrety rudowłosej piękności, na wielką dziurę w ścianie i na zmumifikowane szczątki walające się wśród gruzu, domyślił się losu bratowej. Wzdrygnął się, myśląc o tym, co wycierpiała. Nie była wiele warta, ale na pewno nie zasłużyła na taki koniec.

Wirski poczuł, że słabnie. Nogi się pod nim ugięły, mroczki pojawiły się przed oczami. Miał wrażenie, że nad zwłokami Marioli zamajaczyła kobieca sylwetka, jakby zjawa barwy krwi. Przetarł powieki, potrząsnął głową. Poczuł przypływ sił. Znów widział wyraźnie, a to, na co patrzył, budziło w nim gniew. W tamtej chwili poprzysiągł, że zrobi, co trzeba, by Mariola zaznała spokoju.

„Stałem się uczestnikiem tragedii pomyłek - ciągnął w myślach. - Nowy kochanek Justyny nie ma z tą sprawą nic wspólnego".

- Obrazy! Dawaj moje obrazy!

W tej samej chwili Jan poczuł ciężar napastnika na plecach. Upadł. Zapomniał o mordercy, a ten jakoś się pozbierał. I nie zamierzał odpuścić.

Ostrze noża znalazło się tuż przy twarzy Wirskiego, zmierzało do lewego oka. Były agent wytężył siły, choć niewiele mu ich zostało. Kopał i uderzał we wszystkie części ciała napastnika, do których mógł sięgnąć. Na szczęście Marczyk też nie był w szczytowej formie. Szybko uległ pod gradem ciosów. Zsunął się z przeciwnika, przetoczył na bok.

Jan wstał. Podszedł do leżącego, pochylił się nad nim.

- To jest Mariola? - spytał, wskazując spojrzeniem zmumifikowane szczątki na podłodze.

Tomasz jęknął i potwierdził skinieniem głowy.

- Zabiłeś ją? Zabiłeś Mariolę?

Malarz znów przytaknął.

– Tamte też zabiłeś? – dalej pytał dawny śledczy, wskazując świeże zwłoki.

Morderca nie odpowiedział. Zebrał siły na tyle, że udało mu się podkulić nogi i balansując ciałem, klęknąć. Z trudem utrzymywał tę pozycję, starał się jednak nie spuszczać wroga z oka. W ręce nadal trzymał nóż.

„Oszalał – zrozumiał Wirski. – Zamiast w pudle, zamkną go u czubków. Podleczą i, kto wie, może za parę lat wypuszczą. A wtedy tu wróci, wróci do tego miasta. Pewnie prędzej czy później na ulicy czy w jakimś sklepie zobaczy Justynę, wierną kopię Marioli. I co wtedy zrobi taki zwyrodnialec? – Jan rozważał stan rzeczy z coraz większym niepokojem. – Zostawić świra policji?".

– Dla takich jak ty sąd jest litościwy – powiedział, patrząc Marczykowi w oczy. – Ale ja nie.

„Zygmunt, Justysia to moja krew – pomyślał. – Ten gnój ich skrzywdził. Zabił Mariolę, a kto wie, jak by potoczyły się jej losy. Na żonę się nie nadawała, ale może byłaby dobrą matką dla Justysi, choćby tylko matką na przychodne?".

Wiedział, co musi zrobić, a zrobił to tak, jak go uczono. Jednym kopnięciem złamał mordercy kark.

Dopiero wtedy poczuł, jak jest z nim źle. Mroczki znów pojawiły się przed oczami. Z rany zadanej nożem cienką strużką wyciekało życie. Powoli, ostrożnie usiadł na podłodze. Zatrzymał spojrzenie na szczątkach byłej żony Zygmunta.

– Już dobrze, Mariolka, już po wszystkim – szepnął ni to do zmarłej, ni do siebie. – Pochowamy cię jak trzeba.

Znów potrząsnął głową. Przetarł oczy. Ostrość widzenia wróciła. „Straciłem zbyt wiele krwi. Zaczyna mi się mieszać w głowie. Muszę działać, i to szybko".

Powlókł się do łazienki, znalazł w miarę czysty ręcznik i wcisnął go pod koszulę, by zatamować upływ krwi. Potem wziął ścierkę i powoli ruszył z nią przez mieszkanie. Wytarł klamki i inne miejsca, których dotykał. Na końcu wszedł do salonu. Usunął z podłogi niewielką czerwoną plamę, powstałą w miejscu, w którym upadł. „Nie mogę zostawić żadnego śladu swojej obecności". Zbliżył się do ściany umazanej przez szaleńca krwią wielu kobiet. Starł trochę zakrzepłej substancji czystym kawałkiem ścierki. Następnie naznaczył skrzepem parkiet tam, gdzie nadal mogły się znajdować pozostałości jego, Jana, DNA. Tym prostym zabiegiem sprawił, że analitycy z kryminalnej nie dadzą rady określić, do kogo należy zostawiony w tym miejscu materiał genetyczny.

Ostrożnie wyjął z kieszeni kurtki komórkę kupioną na potrzeby śledztwa. Czuł, jakby miał dłoń ze szkła, tak krucha i śliska mu się wydawała. Z trudem utrzymywał aparat. Wreszcie zdołał zadzwonić do Drwęckiego.

– To ja, Józiu. W innej sprawie, bo tamta skończona – powiedział, gdy komendant odebrał. – Mam tu martwego mordercę i ciała zabitych przez niego trzech kobiet. Pewnie to nie wszystkie ofiary, pewnie ta dziewczyna spod muzeum to też jego sprawka. Józiu, dwa świeże trupy z poderżniętymi gardłami i jeden sprzed trzydziestu lat. Przyślij ludzi. Dużo ludzi i techników. Tu jest jak po bitwie.

Podał adres i kilka szczegółów mogących przydać się w śledztwie.

– Jeszcze jedno, Józek – dorzucił na koniec. – Mnie tu nie było.

Rozłączył się, nie czekając, co powie policjant. Wyjął prywatną komórkę. Zadzwonił do Zygmunta.

– Sprawa obrazów załatwiona – oświadczył. – Inna sprawa też. Znalazłem Mariolę.

– Na cholerę jej szukałeś?! Prosiłem o to? – odburknął brat.

– Tak wyszło, Zyga. Tak pewnie być miało. Ona nie żyje. Jeden świr ją zamordował. Dawno temu. Te akty... To nie Justysia na nich była, tylko Mariola. Mówię ci, żebyś wiedział. Policja może przyjść do ciebie w tej sprawie. Nie przeze mnie, o mnie nic nie wiedzą. – Przerwał, bo brakowało mu powietrza. Wziął głęboki oddech, potem dodał szeptem – Zygmuś, zadbaj o Mariolę. Miała straszną śmierć. Pochowaj ją, dobrze?

– Pochowam – odparł ponurym tonem starszy Wirski.

– I ostatnia sprawa. – Jan znów wziął głęboki oddech. Był taki zmęczony. – Zyga, potrzebuję lekarza. Chirurga. Już, zaraz. I to takiego, co o nic nie pyta. Ty też nie pytaj. Po prostu go załatw. Będę w moim samochodzie. Zaparkowałem przy placu Wolności, wiesz przy Gdańskiej. Mogę być nieprzytomny, więc trzeba mnie znaleźć.

Zygmunt coś jeszcze mówił, ale ranny przerwał połączenie. Wiedział, że musi się spieszyć. Zebrał resztkę sił. Wstał. Zataczając się, wyszedł z mieszkania. Czuł, jak ręcznik wciśnięty pod koszulę puchnie od krwi sączącej się z rany.

Pokonywał schody powoli, ostrożnie. Już nie tylko rękę miał jak ze szkła. Szklane miał nogi, kręgosłup. „Zaczynam też mieć szklaną głowę" - pomyślał, gdy uporał się z kolejnym stopniem. Stwierdził, że musi skupiać całą uwagę, by właściwie postawić stopę na schodku. Potem kolejna stopa i kolejny stopień. Kiedy jedna stopa jest wyżej, druga musi być niżej. I następny schodek. I znów jedna stopa wyżej, a druga niżej.

„Idziesz, Wirski, idziesz" - komenderował sobą. Już był na pierwszym piętrze, już na parterze. Kiedy otworzył drzwi prowadzące na ulicę, do środka wbiegło trzech rosłych młodych mężczyzn. Miał szczęście, że go nie staranowali. Pobiegli po schodach, on wyszedł na ulicę.

Pokonywał chodnik mechanicznym krokiem. Skupił uwagę, rozejrzał się, jednak mało co widział - albo przez wieczorny mrok, albo przez mroczki przed oczami. Ustalił wreszcie, gdzie się znajduje. Było dobrze, nie pomylił kierunków. Już widział róg Pomorskiej i Gdańskiej. Z oddali niosło się wycie syren radiowozów.

„Idziesz, idziesz - napominał sam siebie. - Staniesz, to upadniesz. Jak upadniesz, umrzesz. Idziesz, Wirski, idziesz".

Rozdział 33

Jechali szybko, Górek nie przejmował się przepisami. „Wypadałoby gościa odstrzelić, tak dla przykładu" - myślał Cezary o zabójcy Kwaśniakowej. Z drugiej jednak strony dla Kwaśniaka, dla Klimów, a nawet dla pana Kazimierza byłoby lepiej, gdyby oddać gościa psom. Starszy z braci traktował zabójstwo w kategoriach biznesowych - czy się opłaca, czy nie. W tej kwestii nie ulegał emocjom. „Może z jednym wyjątkiem" - doszedł do wniosku, bo właśnie przypomniał mu się Ryszard. A z nim czasy, kiedy przez wiele miesięcy był cieniem Moniki i jej narzeczonego.

Wtedy, prawie trzy lata wcześniej, odkrył, że potrafi być cierpliwy jak drapieżnik osaczający ofiarę. Cezary pływał w morzu miasta, polując to tu, to tam, aby zaspokoić bieżący głód pieniędzy i władzy. Jednak by schwytać największy, najcenniejszy łup, nie mógł spłoszyć ofiary. Dotąd Monika, podczas kilku ich niby przypadkowych spotkań, dawała mu jasno do zrozumienia, że nie jest zainteresowana. Miała plany na przyszłość, miała narzeczonego. Klim musiał to znosić. Ale tylko do czasu. Ten czas nadszedł po drugim pożarze.

Starzy Jesionowie zrozumieli, że znaleźli się w opałach. Skoro nie mieli fabryki ani środków na rozkręcenie innego biznesu, kredyty stają się brzemieniem ponad ich możliwości. Odziedziczyłaby je ich córka, a może nawet jej dzieci. Cezary jeszcze czekał ze złożeniem oferty Jesionowi, ale wiedział, że oto nadszedł właściwy moment, by rozprawić się z Ryszardem.

Długo szukał rozwiązania problemu, jaki stanowił narzeczony Moniki. Początkowo rozważał, czy istnieje sposób skompromitowania dyrektora w oczach dziewczyny. Tylko czy wystarczyłoby przypisanie Ryszardowi wymyślonych nieuczciwych postępków? Przecież z jakiegoś powodu Jesionówna związała się z tym mężczyzną, a skoro tak, istniało ryzyko, że wybaczy mu najgorsze łajdactwo, w tym i to spreparowane przez Cezarego. Klim dobrze wiedział, że zakochana kobieta gotowa jest odpuścić wiele grzechów obiektowi swej miłości. „Co tu dużo gadać, gnojek jak miał Monikę, tak wciąż ją ma - złościł się w myślach bandyta. - A przecież Monika jest moja! I tylko ja mogę ją mieć!". Niestety, nie wchodził w rachubę najprostszy sposób, czyli postraszenie Ryszarda, a potem, na osłodę, odpalenie mu gotówki za to, że usunie się z życia Jesionówny. Zbyt ryzykowne posunięcie. Dyrektor stracił już przecież pieniądze zainwestowane w fabrykę, ale została mu Monika. Mógł chłop się postawić, po czym opowiedzieć narzeczonej i teściowi o ofercie złożonej mu przez Klima. Wtedy cały plan by runął.

Oczywiście Cezary mógłby po prostu wziąć giwerę i przestrzelić rywalowi łeb. Mógł też zlecić chłopakom porwanie Ryszarda i skopanie go na śmierć w ciemnym zaułku. Zważywszy jednak na plany Klima dotyczące firmy obuwniczej, śmierć dyrektora w wyniku zabójstwa wskazywałaby właśnie na Cezarego jako mordercę lub inspiratora zbrodni. Jesion nie był głupi, Monika tym bardziej. Bandyta był więc zmuszony znaleźć niekonwencjonalny sposób pozbycia się rywala. Myślał, myślał i wreszcie uknuł diaboliczny plan.

Odziedziczywszy niewielki majątek, Ryszard postawił na jedną kartę, na Jesionów. Zainwestował w ich firmę spadek i drugie tyle z kredytu hipotecznego. Stał się udziałowcem fabryki, ale nie miał żadnych odłożonych pieniędzy, więc nadal żył w bloku. I choć jego apartamencik był spory, czteropokojowy i dobrze wyposażony, to jednak pozostawał tylko mieszkadłem na blokowisku. Cezary dobrze poznał to miejsce. Kiedy dyrektor przebywał w pracy, młody bandyta przeglądał książki na jego półkach. Słuchał egzotycznie brzmiącej muzyki, jaką lubiła Monika. I Ryszard chyba też. Mahler, Strawiński, Wagner, Musorgski – Klim odczytywał nieznane mu dotąd nazwiska z okładek płyt. Z czasem zaczął rozróżniać utwory. W końcu nawet wziął się do książek, i tych Moniki, i tych Ryszarda, pierwsze przeczytane przez niego od czasów obowiązkowych lektur szkolnych.

Zarzucanie sieci na Jesionównę trwało około pół roku. Chwilami Klim niemal żałował, że kazał założyć podsłuchy. Co prawda dzięki nagraniom dowiedział się, że seks tej pary był konwencjonalny i niezbyt częsty, ale aż go skręcało, gdy zapoznając się z cyfrowo utrwalonym materiałem trafiał na fragmenty z jękami Moniki i posapywaniem jej narzeczonego. Ataki zazdrości były ceną za zerwanie owocu z drzewa wiedzy. Zebranie tak szczegółowych informacji niosło jednak również długofalowe korzyści.

Poznawanie potrzeb oraz nawyków wymarzonej kobiety zmieniło bandytę. Wiedział teraz więcej i więcej rozumiał, odkrył w sobie zdolność do autorefleksji. Nie oznaczało to jednak, że stał się lepszym człowiekiem. Stał się człowiekiem groźniejszym. Właśnie ten nowy Cezary znalazł taki sposób usunięcia Ryszarda, by Monika nie nosiła po nim żałoby, a jej ojciec jeszcze dobitniej odczuł upadek swej firmy.

Drugiego dnia po tym, jak Górek ze Szczypiorem obrócili w popiół ostatnie nadzieje Jesionów, Klim wyszedł rano z domu w stroju nierzucającym się w oczy. Umówił się z bratem kilka ulic dalej, zostawił mu swój telefon komórkowy i zapowiedział, że odbierze go wieczorem, a może wcześniej. Górek nie zadawał pytań. Cezary zawsze wiedział, co robi.

Starszy Klim nie wsiadł do swojego wozu, nie użył samochodu brata, nie wziął też taksówki. Wtopił się w tłum i pojechał tramwajem, potem przesiadł się do autobusu.

Na blokowisku upewnił się, że Ryszarda nie ma w domu - dyrektor był pewnie teraz u Jesiona i wspólnie szukali wyjścia z beznadziejnej sytuacji. Bandyta uśmiechnął się do swych myśli i ruszył na górę. Nie chciał, by ktokolwiek z lokatorów go zapamiętał, więc dał sobie spokój z windą i wszedł na szóste piętro po schodach. Szybko otworzył drzwi dorobionym kluczem. Rozejrzał się po mieszkaniu. Żadnych zmian. Już wcześniej upatrzył sobie za kryjówkę sypialnię, a konkretnie - niewidoczne od strony drzwi miejsce za dużą szafą na pościel.

W kieszeniach miał wszystko, czego potrzebował, by załatwić sprawę. Pozostało mu tylko czekać na Ryszarda. Stanął przy przeszklonych drzwiach balkonowych, spojrzał w dal. Z poziomu szóstego piętra miasto wygląda inaczej, nie potrafił jednak wysłowić zaobserwowanej „inności".

Tego dnia wykazał się jeszcze większą cierpliwością niż w ostatnich miesiącach. Czekał wiele godzin w niemal idealnym bezruchu. By nie zdradzić swej obecności i nie pozostawić śladów, nie palił, nie pił, nie chodził po mieszkaniu. Założył lateksowe rękawiczki i usiadł w kącie na podłodze. Pozostał sam ze swymi myślami.

Zmierzchało, gdy w zamku szczęknął klucz. Drzwi się otworzyły. Cezary nawet nie drgnął. Czekał.

Ryszard włączył światło w przedpokoju. Zdjął płaszcz i zawiesił go, sprawdzając, czy łuk wieszaka usytuowany jest pod właściwym kątem, by tkanina okrycia nie zmieniła kształtu na wysokości torsu i ramion. Klim tego nie widział, ale miał pewność, że właściciel mieszkania wykonuje te właśnie czynności. Narzeczony Moniki dbał o swoją odzież, dbał też o miejsce, w którym żył. W ogóle dbał o szczegóły na każdym polu. Zapewne ta cecha sprawiała, że świetnie dawał sobie radę jako dyrektor ekonomiczny przedsiębiorstwa.

Gospodarz wyłączył światło w przedpokoju, włączył za to centralne oświetlenie w salonie. Wszedł do aneksu kuchennego, uruchomił ekspres do kawy, z lodówki wyjął mrożony zestaw obiadowy, który włożył do kuchenki mikrofalowej. W ciągu kilku minut miał gotowy posiłek. Wtedy włączył ogromny, płaski jak wafel telewizor. Usiadł przy drewnianym stole i jedząc plastykowymi sztućcami odgrzane danie, przełączał pilotem kanały, szukając najświeższych wiadomości. Kiedy stwierdził, że tacka jest już pusta, wyrzucił ją i sztućce do kosza na śmieci.

Cezary z uwagą nasłuchiwał, wyczekując właściwego momentu.

Ryszard przeszedł do kuchni, zrobił kawę z ekspresu, wrócił z parującą filiżanką do salonu i usiadł w fotelu przed telewizorem. Skupił uwagę na jednym z kanałów informacyjnych.

Ukryty intruz uznał, że właściwy moment właśnie nadszedł. Wstał, ruszył powoli z sypialni. Poruszał się bezszelestnie, jednak Ryszard wyczuł czyjąś obecność we własnym mieszkaniu. Odwrócił się gwałtownie w stronę intruza. Klim był na to przygotowany. Wyjął pistolet z kieszeni kurtki i wycelował w głowę zaskoczonego mężczyzny.

– Bądź cicho, to nic ci nie zrobię – skłamał.

– Ale o co chodzi? – trzydziestoparolatek z trudem wykrztusił pytanie. Potem, przypatrując się napastnikowi, dodał: – Ja chyba cię znam...

Bandyta, wciąż celując w głowę dyrektora, wyłączył światło w salonie. Potem podszedł do przeszklonych drzwi prowadzących na balkon i je otworzył.

– Chodź – powiedział zdecydowanym tonem, wskazując spojrzeniem, gdzie Ryszard ma się udać. – Musimy porozmawiać.

Cezary działał sprawnie. Wiedział, że jeśli akcja potrwa nie dłużej niż minutę lub dwie, zakończy się sukcesem. Nie chciał dopuścić do tego, by gospodarz ochłonął i zaczął coś kombinować.

Minęło ledwie trzydzieści sekund, a już obaj stali na balkonie. Klim sięgnął lewą ręką do drugiej kieszeni kurtki. Wyjął z niej kartkę.

– To chyba twoje – powiedział.

Dyrektor wciąż był skołowany, więc odruchowo chwycił papier. Chciał zapoznać się z jego treścią, ale Cezary mu na to nie pozwolił. Ryszard zrobił już to, czego bandyta potrzebował. Młodszy z mężczyzn wyjął z rąk starszego kartkę i wcisnął ją do kieszeni spodni właściciela mieszkania.

- To wszystko - spokojnie powiedział intruz, po czym schował pistolet do kieszeni kurtki.

Takim zachowaniem jeszcze bardziej zmylił i tak zdezorientowaną ofiarę. Ryszard, widząc, że już nie grozi mu się bronią, głęboko odetchnął. Rozluźnił mięśnie, dotychczas spięte od stresu. Klim na to właśnie czekał. Gwałtownym ruchem pchnął rywala na murek osłaniający balkon. Ryszard uderzył tyłem w przegrodę, która sięgała mu niewiele ponad biodra. Odruchowo zaparł się o ściankę, jednak bandyta miał przemyślane wszystkie działania. Następnym szybkim ruchem chwycił ofiarę za pasek od spodni, uniósł i po raz kolejny pchnął, jednocześnie odskakując na bok. Nogi dyrektora uniosły się, stopy przeleciały blisko twarzy Cezarego. Ciało przekroczyło punkt krytyczny. Ryszard runął w dół. Zdążył jeszcze krzyknąć. Raz, i to niezbyt głośno.

Klim nie zamierzał przyglądać się śmierci największego wroga, który sypiał z jego - i tylko jego - kobietą. To nie była odpowiednia chwila, by napawać się tryumfem.

Natychmiast wyszedł z mieszkania, cicho zamykając za sobą drzwi. Także tym razem nie skorzystał z windy. Zbiegł po schodach i znów miał szczęście, bo nie spotkał nikogo po drodze. Wychodząc z klatki, zwolnił, aby nie zwracać na siebie uwagi. Układ budynku działał na jego korzyść, ponieważ balkony znajdowały się po drugiej stronie bloku.

Nie sprawdzając, czy już ktoś znalazł zwłoki Ryszarda, poszedł na najbliższy przystanek autobusowy. Uśmiechał się do swoich myśli, bo udało mu się zrealizować kolejną część planu. W kieszeni martwego dyrektora policja znajdzie list o znaczącej treści. List napisany na prywatnym komputerze zmarłego i utrwalony w postaci materialnej za pomocą jego drukarki. Cezary spreparował ten „dowód" dzień wcześniej, już po drugim pożarze, kiedy zajrzał na chwilę do mieszkania ofiary. Dowód tym wiarygodniejszy, że widniały na nim odciski palców Ryszarda.

„Straciłem wszystko, nie mam już po co żyć", głosił list samobójcy. Było pewne, że te słowa nie spodobają się Monice. Dadzą też do wiwatu jej ojcu. No bo jak to? Prawa ręka szefa upadłej fabryki woli się zabić, niż dzielić trudny los Jesionów? Dezerter!

Najważniejsze jednak, jak samobójstwo narzeczonego oceni Monika. Klim miał niemal stuprocentową pewność, że poznawszy treść listu, Jesionówna nie będzie nosić żałoby. Może nawet znienawidzi Ryszarda, nabrawszy przekonania, że stanowiła dla niego tylko przepustkę do zamożności, do zysków z rodzinnego biznesu.

Morderca jechał autobusem i uśmiechał się do swych myśli. Miał pewność, że w takich okolicznościach ukochana kobieta pozwoli mu zbliżyć się do siebie. I nie pomylił się w rachubach. Kilka miesięcy później zdobył Monikę Jesion. Potem wydarzenia biegły swym rytmem, a każde z nich wciągało Cezarego głębiej w jego nowe drugie życie.

Najpierw zademonstrował, że romantyczne porywy nie są mu obce, choć na co dzień skrywa je pod maską twardziela. Zabrał ukochaną do Wenecji i tam, wsuwając na jej smukły palec pierścionek z ogromnym brylantem, poprosił Monikę o rękę. Przyjęła oświadczyny. Stary Jesion wspierał zabiegi Cezarego. Tak jak zaplanował Klim, teść uznał, że lepszy zięć nieuczciwy wobec fiskusa, za to lojalny wobec żony. No i twardy, w przeciwieństwie do wcześniejszego kandydata, który wolał się zabić, niż zmierzyć z przeciwnościami losu.

Jesion przyłożył się do swojej roli. Zapraszał Monikę na kolacyjki w modnym lokalu „Kino Cafe", gdzie można było nie tylko smacznie zjeść, ale też obcować z kulturą. Zawsze tak się składało, że w tym samym czasie w restauracji pojawiał się Cezary. Po kilku tygodniach fabrykant z żoną zaczęli organizować rodzinne obiadki, na które zapraszano też Klima. Monice już wytłumaczono, jak ważny dla firmy i przyszłości Jesionów jest młodzieniec, zaczęła więc zwracać na niego uwagę. Może kierowała się pragmatyzmem, a może intrygował ją surowy urok Cezarego? Kto zgadnie, co kryje serce kobiety?

Po którymś z rodzinnych spotkań bandyta odwiózł Monikę do jej mieszkania. Zaprosiła go na górę, mówiąc, że przecież jeszcze u niej nie był. Nie zamierzał jej wyjaśniać, że zna każdy szczegół jej apartamentu.

- Może zaparzyć kawę? - spytała takim tonem, jakby nie oczekiwała odpowiedzi.

Zatrzymała się w szeroko otwartych drzwiach pomiędzy przedpokojem i kuchnią. Oparła się ramieniem o futrynę. Cezary pomyślał, że nadeszła ta chwila. Stanął za kobietą, wtulił twarz w jej włosy. Drgnęła.

Pragnął jej, ale nie wiedział, jak ona zareaguje na awanse. Poczuł jednak, że jej ciało jest przychylne, że Monika też pragnie seksu, że odpowiada na jego pożądanie.

Musnął językiem płatek jej ucha, potem zaczął go ssać. Ukochana wyprężyła się, przylgnęła do niego tylną częścią ciała. Zaczął całować jej kark tuż poniżej linii włosów. Przesuwał dłonie w dół, od ramion, przez piersi do podbrzusza. Nagle chwycił skraj sukienki, uniósł. Wsunął palce w majtki kobiety, szarpnięciem ściągnął bieliznę, a ta opadła, zatrzymując się na wysokości kostek u nóg. Monika zachęcająco wypięła pośladki, a on nerwowymi ruchami rozpiął pasek, guziki rozporka, wreszcie opuścił spodnie i bokserki.

Jesionówna spojrzała w dół, otaksowała anatomię Klima.

– Jaka miła niespodzianka – szepnęła, uśmiechając się zmysłowo.

Sięgnęła po penis Cezarego, spróbowała objąć go palcami, ale okazał się zbyt gruby. Długość też chyba uznała za atrakcyjną, bo zachłannym gestem chwyciła członka w obie dłonie. Tym ruchem przesunęła napletek, odsłaniając żołądź, która wystawała teraz poza granicę wyznaczoną rękami Moniki. Pochyliła się, oblizała czubek penisa.

– Jesteś proporcjonalnie zbudowany – mruknęła, otaczając członek ustami. – Bardzo proporcjonalnie.

Zaraz jednak go uwolniła, wzięła w dłoń i pokierowała nim tak, że wniknął pomiędzy jej wargi sromowe, podążył w głąb wilgotnej pochwy. Klim miał wrażenie, że to nie on bierze kobietę, tylko ona wsysa go do swego wnętrza. Poczuł ulgę, odkrywając, że wybranka jest tak zbudowana, iż mieści się w niej cały jego penis. W przeszłości różnie z tym bywało. Dla wielu partnerek był zbyt duży, co zubożało życie seksualne do dwóch, trzech pozycji.

Zachwycony ich fizyczną kompatybilnością, objął Monikę jedną ręką na wysokości piersi, drugą dłoń przycisnął do jej podbrzusza. Trzymając kochankę jak w kleszczach, nadał rytm ich wspólnym ruchom. Kobieta chwyciła się futryny, zaparła. Poddając się narastającemu tempu, zaczęła coraz szybciej zaciskać i rozluźniać mięśnie pochwy. Była uwięziona pomiędzy Cezarym a futryną. Dyszała coraz głośniej, on też zaczął ciężko oddychać.

Wytrysnął, a jego członek zmiękł i wysunął się z dziewczyny, ale ta doszła tuż po Klimie. Jęknęła, jej nogi zadrżały tak mocno, że gdyby nie uścisk mężczyzny, straciłaby równowagę.

Wypuścił Monikę z objęć, a ta osunęła się po futrynie bezwładnie jak lalka. Opadła na parkiet od strony przedpokoju i zastygła w półsiedzącej pozycji, z rozrzuconymi nogami. Suknia znów ją okrywała. Kobieta, wciąż głośno oddychając, podniosła wzrok, spojrzała mężczyźnie w oczy. Z oddaniem, ale i z pasją. Znów czuł pożądanie, jego penis stwardniał, a ona to zauważyła. Nie zmieniając pozycji, sięgnęła w górę i palcami objęła członek. Zaczęła przesuwać dłoń wzdłuż prącia, ściskała coraz mocniej, sunęła coraz szybciej i gwałtownej. Cezary wytrysnął. Ona, nie dbając, gdzie pada nasienie, powtarzała wciąż te same ruchy ponad swoją głową. Rozsiewała wokół drobiny Klima, aż wycisnęła z mężczyzny wszystko, co miał w sobie. Wypuściła penis z ręki, dopiero gdy zmiękł, skurczył się i pomimo jej zabiegów nie chciał powstać.

Przez cały ten czas patrzyła partnerowi w oczy. On z kolei patrzył na nią, wędrując wzrokiem od twarzy po stopy w zgrabnych czółenkach. Mimo że targały nim emocje, uważnie obserwował kochankę. Swoją zdobycz, swoją nagrodę. Teraz roznamiętnioną. Choć zaspokojoną, to po części nienasyconą, mokrą od wilgoci jego i swojej, ze smagłą skórą poznaczoną białawymi śladami jego nasienia, w sukience poplamionej jego spermą.

– Jesteś moja i już cię nie puszczę – powiedział.

– Zawsze mocno mnie trzymaj – odparła, podnosząc się z podłogi.

Taki był ich pierwszy raz. Bez czułych wzdychań przy księżycu, bez kwiatów, bez kieliszka wina na rozluźnienie. Kochali się na trzeźwo, ale silniej od alkoholu odurzyły ich emocje. Odkryli, że łączy ich pożądanie. I tak miało pozostać.

Czasem zastanawiał się, czy ich wzajemne pożądanie faktycznie jest tak silne, że tylko ono trzyma przy nim żonę? Wciąż go pragnęła i nie szukała dodatkowych bodźców u innych mężczyzn. A czy decyduje o tym to, jak Cezary jest obdarzony przez naturę? Możliwe, przecież Monikę, ze względu na jej budowę wewnętrzną, nie każdy zdołałby zadowolić. I czy istotny jest też brak seksualnych zahamowań Klima? To również wchodziło w rachubę, bo żona wciąż pozostawała silnie rozbudzona, złakniona doznań, więc i na tym polu mało kto mógłby dostarczyć jej satysfakcji. A może chodzi jej przede wszystkim o gwarancję dostatniego życia? Za to też by się nie obraził, bo nie ma co kryć, że układając swój wielki plan, założył, iż wymarzona kobieta jest pragmatyczna. Czyli pieniądze i seks? Tylko te sprawy ich łączyły? A kogo to obchodzi? Ważny był jedynie fakt, że Monika należy do niego, Cezarego Klima.

Bandyta po raz pierwszy w życiu zaczął wówczas dążyć do sformalizowania związku. Ślub odbył się rok po tym, jak Cezary ujrzał Jesionównę wysiadającą z taksówki w centrum miasta. Zdaje się, że w terminie zbliżonym do uprzednio planowanego zawarcia małżeństwa z Ryszardem, ale Klim udawał, że nawet o tym nie wie. Przecież zgodnie z tym, co sam zaplanował, Monika miała mu nigdy nie wspomnieć o swym dawnym narzeczonym.

Krótko po ślubie, nawet nie konsultując tego z mężem, młoda żona odstawiła środki antykoncepcyjne i szybko zaszła w ciążę. Młodzieniec przyjął ten fakt z radością. Zdawał sobie sprawę, że jest emocjonalnie uzależniony od ukochanej kobiety. Uznał też, że skoro zdecydowała się mieć z nim dziecko, to znaczy, że odwzajemnia jego silne uczucia. „Jesteśmy związani na dobre i złe - dumał Klim - na śmierć i życie. Moja w tym głowa, by było tylko życie, i to dobre".

Górek ostro zahamował. Dotarli na miejscu, czyli tam, gdzie kilka dni wcześniej odwiedzili Ciotkę Lutkę.

Cezary odgonił wspomnienia, wysiadł z wozu jako pierwszy. W drzwiach kamienicy prawie zderzył się z jakimś zataczającym się gościem, pewnie miejscowym pijaczkiem, ale i tak pierwszy dobiegł do mieszkania Marczyka. Nawet nie musiał się wpraszać, bo drzwi były uchylone. Wyjął pistolet, odbezpieczył.

- No wyłaź, skurwielu! - krzyknął i wszedł do przedpokoju. Po kilku krokach gwałtownie się zatrzymał. Podążający za nim Górek i Szczypior prawie wpadli mu na plecy. Obaj wymachiwali bronią, więc szef bandy przestraszył się, że jeszcze któryś postrzeli jego lub siebie.

- Uważać mi z giwerami - warknął. Nie musiał dodawać nic więcej, bo zatrzymali się, dostrzegając to, co i on. Patrzyli zaskoczeni na trupy leżące w salonie zasłanym gruzem. Kobiety z poderżniętymi gardłami, jakaś mumia i ciało gościa, który zabił Kwaśniakową.

- Co jest?! - zdziwił się Górek.

- Spadamy. Nas tu nie było - warknął starszy Klim i zrobił w tył zwrot. Jego towarzysze postąpili tak samo.

- Co to było, Cezary? Wdepnęliśmy w jakieś gówno? - wciąż dopytywał się Górek. W tym czasie dotarli na parter. Szef bandy nie wiedział i wolał nie wiedzieć, więc zbył pytania milczeniem.

Wychodzili z budynku, gdy rozległy się syreny i przed kamienicą z piskiem opon zatrzymało się kilka radiowozów. Za nimi nadciągnęły wozy z kryminalnymi i dostawczak pełniący funkcję ruchomego laboratorium.

Cezary zmartwiał. Zdał sobie sprawę, że wciąż trzyma w ręce pistolet. Wolnym ruchem schował broń do kieszeni kurtki. Nie wiedział, czy policji chodzi o nich, czy o kogoś innego. Może już zgłoszono jatkę u mordercy Kwaśniakowej? „Wszystko jedno - pomyślał - w tej sytuacji rozsądniej nie wchodzić psom w drogę". Funkcjonariuszy było chyba z dziesięć razy tylu, co jego z Górkiem i Szczypiorem razem wziętych.

Starszy Klim zachował rozsądek. Górek, widząc mundurowych, też schował broń. Ale Szczypior był mocno zdenerwowany tym, co przed chwilą zobaczył w mieszkaniu. Do tego wypił więcej od nich alkoholu, upalił się trawką i cała ta chemia w nim buzowała.

- Psy! - krzyknął. - Psy pieprzone!

Uniósł pistolet.

- Żywcem mnie nie weźmiecie! - wydarł się na całe podwórko.

- Odwaliło ci? Chowaj giwerę! - zawołał Cezary, ale było już za późno.

Jeden z policjantów zwrócił na nich uwagę.

- Broń! Ten tam ma broń! - krzyknął, wskazując pozostałym funkcjonariuszom trzech mężczyzn w czarnych skórzanych marynarkach. Przykucnął obok radiowozu, chowając się za otwartymi drzwiami, i wyjął służbowy pistolet.

Szczypior strzelił w kierunku policjanta, który przed chwilą wskazał go palcem. Był zbyt pijany, by trafić. W odpowiedzi zaczęła się kanonada.

Klimowie odskoczyli od kolegi. Trzymali uniesione ręce i wykrzykiwali, żeby do nich nie strzelać, bo się poddają.

Policjanci rzucili się w ich kierunku, odebrali im broń i natychmiast skuli. Cezary, masując nadgarstki otarte kajdankami, dostrzegł, że kilku mundurowych pochyliło się nad Szczypiorem. Koleżka jeszcze z czasów zabaw w piaskownicy leżał bez ruchu w poprzek jezdni.

„Już po nim" - doszedł do wniosku młody przywódca bandytów. Te trzy słowa były namiastką epitafium. Musiały wystarczyć, bo starszy z braci Klimów nie miał teraz głowy i czasu, by boleć nad smutnym końcem Szczypiora. Zastanawiał się, czy policja będzie chciała przypisać mu to, co wydarzyło się w mieszkaniu zabójcy żony Kwaśniaka. W każdym razie funkcjonariusze zamkną go od ręki, bo przecież złapali go z nielegalną bronią.

„Monika - pomyślał z rozpaczą. - Nie wytrzymam bez niej!". Coś w nim, głęboko w środku, zakwiliło, zapłakało. Już tęsknił za żoną. I za drugim życiem, tym zwyczajnym, które tak go absorbowało. Teraz jednak musiał i żonę, i życie z nią odseparować od nieoczekiwanych konsekwencji pierwszego życia. Trzymać Monikę jak najdalej od policji, prokuratury, aresztu. A już najdalej od pana Kazimierza.

„Weź się w garść, kombinuj, jak się z tego wyplątać - napomniał się w duchu. - Taka wpadka, głupia wpadka!". Przecież niewiele brakowało, aby ziścił się jego wielki plan. Znalazł wreszcie sposób, jak zlikwidować swego zwierzchnika, aby nikt nie łączył Klimów z jego śmiercią. Uknuł też intrygę, dzięki której za jednym zamachem wyplątałby się z większości dawnych kryminalnych spraw. Ale teraz, przez jedną pochopną decyzję, runęła precyzyjna konstrukcja wznoszona od trzech lat. Co więcej, bracia nie mieli nawet wolnej gotówki na adwokata i łapówy, bo zapłacili za trawkę, której worek trzymali w kryjówce. Towar był bez wartości, dopóki suszu się nie podzieli i nie sprzeda. Będą więc musieli z Górkiem łasić się do pana Kazimierza, by ten wykupił ich od psów. Zwierzchnik może załatwi sprawę, ale możliwe też, że trzeba będzie coś odsiedzieć. W mieszkaniu mordercy Kwaśniakowej była przecież istna rzeźnia, a Klim nie miał pojęcia, o co w tej sprawie chodzi i jak to wszystko ocenią kryminalni. Przecież mieli go już na celowniku po znalezieniu zarżniętej Wici Wionczek. No i wiedzieli, że był zamieszany w inne wcześniejsze sprawki, na szczęście nie tak krwawe.

Cezarego wsadzono do jednego radiowozu, do drugiego trafił Górek. „Nie jesteśmy jak rekiny, tylko jak sardynki w puszce" - myślał ponuro starszy z Klimów, gdy na sygnale wieziono go przez miasto.

Rozdział 34

Śnił o przemocy i o kobietach. Kobietach żywych i martwych. Po tym, jak zaaplikowano mu potężną dawkę środków przeciwbólowych, te dwa tematy - w różnej kolejności i konfiguracji - zdominowały umysł Wirskiego. W niespokojnych snach pojawiała się Danusia, jego dawna rudowłosa kochanka, umierająca w tonącym wozie. Była też Mariola, niegdysiejsza żona Zygmunta. Najpierw piękna, młoda, tryskająca energią, jak ją zapamiętał przed trzydziestoma laty. Potem zmieniona w zmumifikowane zwłoki skąpane w krwi innej martwej kobiety. Do snów trafiła też Pani Doktorowa, rudowłosa Zuzanna. Siedziała gdzieś w oddali. Mówiła coś. Ale czy do niego? Nie słyszał słów. Jakoś go to nie zmartwiło.

Pamiętał, jak trafił na salę operacyjną. Ostatni widok? Anestezjolog wyglądający niczym kosmita z taniego horroru. Czepek, maska, fartuch, rękawice, do tego na drugim planie aparatura ze stali i syntetyków. Potem film mu się urwał. „Nie dali nawet napisów końcowych". Zaśmiał się w myślach i zdał sobie sprawę, że już nie śpi.

Otworzył oczy. Niewyraźnie widział przed sobą jakąś kobietę.

- Martwiłam się o ciebie, Janku.

Znał ten głos.

- Baśka?

Był oszołomiony. Nie do końca miał jasność, co jest realne, a co jeszcze stanowi obraz ze snu.

– Już się bałam, że będę musiała naszą knajpę sama prowadzić – powiedziała niby wesołym tonem, ale wyczuł troskę w jej głosie.

Wspólniczka w biznesie podeszła do łóżka Wirskiego i przysiadła na skraju.

– Tak się dać pokroić jakiemuś bandziorowi! Janek, jak mogłeś? Gdzieś ty się włóczył! Taki stary, a taki głupi – napominała go z troską.

– Pech – mruknął, nie wdając się w szczegóły.

– Tyle się wydarzyło, że jak teraz ci nie powiem, to zapomnę. Po pierwsze, zajrzała do ciebie Justyna – relacjonowała, wyrzucając słowa jak z broni szybkostrzelnej. – Z nowym facetem. Mówię ci, przystojniak. Pobyli trochę, ale że wciąż spałeś, to poszli. Potem wpadł twój brat. Był bardzo zmartwiony. Ordynatora obsztorcował, że hej. Wiesz, on tutaj wszystko załatwił, nawet palcem nie zdążyłam kiwnąć. Teraz skaczą koło ciebie, jakbyś był prezydentem.

– Baśka – wyszeptał. W głowie mu szumiało, a w ustach zaschło.

– Tak? – spytała, troskliwie pochylając się nad rannym.

– Nie mów tyle, bo łeb mi pęka. I daj mi coś do picia.

Bez słowa podała kubek z jakimś płynem. Wirski kątem oka dostrzegł plastikową rurkę wstawioną do naczynia, poszukał jej wargami. Zassał kwaskową ciecz. Sok pomarańczowy. Po paru łykach poczuł, że ciało ma obolałe, ale jednocześnie wróciła ostrość widzenia i umysł zaczął składniej działać.

Uniósł głowę, podciągnął się kilkanaście centymetrów, aż udało mu się oprzeć potylicę o wezgłowie łóżka. Wtedy ból przeszył prawą stronę klatki piersiowej. Skrzywił się, ale w duchu odetchnął z ulgą, lokalizując miejsce, gdzie go zraniono. Serce bezpieczne, płuca też nieuszkodzone. Ostrze trafiło pewnie na żebro i ześlizgnęło się w bok. Gdyby weszło trochę niżej, miałby dziurawy żołądek albo wątrobę, albo nerkę. Byłoby z nim źle.

Spojrzał na opatrunek i dotknął go lewą ręką.

- Lekarz mówi, że jest dobrze. Wyliżesz się - powiedziała Baśka, podążając wzrokiem za dłonią Wirskiego. - Zszyli cię. Przeprowadzili transfuzję, bo straciłeś dużo krwi. Jeszcze trochę tu poleżysz.

Starał się przypomnieć sobie, co wcześniej powiedziała... A tak, że Justyna go odwiedziła. I Zygmunt. Tak, mówiła, że Zygmunt też tu był i wszystko załatwił. „Wiadomo, krew nie woda - pomyślał restaurator. Potem uświadomił sobie, że właśnie brat wplątał go w tę sprawę. - Łatwo nie było, wypadki potoczyły się nie tak, jak zakładałem, ale misja została wypełniona".

- I znowu bym zapomniała. - Baśka roześmiała się. - Był jeszcze ktoś do ciebie, młody człowiek. Nie przedstawił się. W cywilu, ale wyglądał mi na mundurowego. List zostawił.

- Pokaż. - Ostrożnie wyciągnął rękę.

List znajdował się w zaklejonej kopercie, więc Jan poprosił spojrzeniem Barbarę, by ją otworzyła. Przyjaciółka rozdarła papier, wyjęła ze środka kartkę złożoną na czworo.

Wirski przeczytał notę dla prasy, sporządzoną przez rzecznika komendy miejskiej. Zwięzłym językiem podawano do wiadomości, że policja ujęła podejrzanych o zabójstwo niejakiego Tomasza Marczyka. Byli to dwaj młodzi przestępcy znani wymiarowi sprawiedliwości. Trzeci z podejrzanych zginął w trakcie wymiany ognia z funkcjonariuszami. Śledztwo już na wstępie wykazało, że denat Marczyk był odpowiedzialny za niedawne zabójstwa kilku kobiet.

To wszystko. Czarno na białym, prosto z drukarki komputerowej. Żadnych odręcznych dopisków, żadnego podpisu. Jan domyślił się, że w ten sposób komendant Drwęcki dawał mu znak, iż zachował w tajemnicy związek Wirskich ze sprawą.

„Obrazy. - Ranny jęknął w myślach. - Akty Marioli wciąż są w mojej piwnicy. Zygmunt ich nie weźmie, a ja nie ośmieliłbym się przekazać ich Justynie. Co zostaje? Tylko to, czego chciał mój szanowny starszy brat. Bo choć obrazy są piękne, świetne warsztatowo, trzeba je spalić".

Zgniótł w dłoni list od Drwęckiego.

- Wyrzuć to, Baśka - szepnął. - To nic ważnego.

- Wyrzucę, a potem sobie pójdę - oświadczyła. - Musisz wypoczywać. Przyjdę jutro. Pojutrze też.

Wstała, zmierzając do wyjścia.

- Baśka... Zostań jeszcze chwilę.

Wróciła, przysiadła na łóżku. Jan delikatnie sięgnął do dłoni wspólniczki, ścisnął jej palce. Uznał, że powinien zrobić to, o czym w ostatnich dniach tak intensywnie rozmyślał.

- Już dawno chciałem cię o to prosić - zaczął niepewnym tonem.

- Tak? - Spojrzała na niego z uwagą.

- Baśka... Umówisz się ze mną na randkę? Prawdziwą randkę?

Czekał, bojąc się, jak przyjaciółka zareaguje. Przecież nie będzie teraz składał deklaracji, nie powie jej, że to miłość, bo sam tego jeszcze nie wiedział.

Zaśmiała się w odpowiedzi, a potem pochyliła. Jej piersi przesunęły się przed jego twarzą, znikły, a w ich miejsce pojawiły się szeroko otwarte oczy Barbary. Przysunęła twarz do twarzy Wirskiego. Gęste, farbowane na brąz włosy opadły wokół jego głowy, jakby w ten sposób chciała osłonić Jana przed wszelkim złem świata. W tej chwili niewiele widział, za to dużo poczuł. Baśka bez słowa pocałowała go w usta.

Takiej reakcji się nie spodziewał, ale chyba jej pragnął. Krew zaczęła szybciej krążyć w jego żyłach. Właściwie była to krew obca, czyjaś, wtłoczona w niego przez ratujących mu życie lekarzy. Mimo to emocje wpłynęły na tę cudzą krew, przemieniły ją w krew Jana Wirskiego. Potwierdziła to reakcja jego własnego ciała, gdy Baśka pocałowała go po raz drugi.

- Przepraszam, czy można?

Zamarł. Nie spodziewał się Zuzanny w tym miejscu.

Wspólniczka odsunęła się od rannego, ale nadal siedziała na skraju szpitalnego łóżka. Spojrzała wrogo na Panią Doktorową, jakby chciała zaakcentować, że to jej teren i jej mężczyzna.

- Zdaję sobie sprawę, panie Janku, że ma pan teraz co innego na głowie - ciągnęła Zuzanna, niezrażona sytuacją - ale czy załatwił pan dla mnie to nagranie?

- Nie. Film przepadł - odparł.

- No wie pani?! - oburzyła się Baśka. - Zawracać choremu głowę w szpitalu jakimiś filmami? Kiedy pan Wirski wyzdrowieje, proszę umówić się z nim telefonicznie, a on panią poinformuje, kiedy będzie projekcja tego filmu w naszej restauracji. A teraz sio!

- Szkoda, panie Janie - powiedziała rudowłosa, posyłając leżącemu uwodzicielski uśmiech i wyraźnie ignorując patrzącą na nią wilkiem kobietę. - Ale i tak jestem pana dłużniczką.

Odwróciła się i wyszła z sali niespiesznym krokiem.

„Na cholerę jej ten film?! Kolekcjonuje nagrania własnych erotycznych przygód?". Właściciel restauracji już prawie wymazał z pamięci obejrzaną scenę z klubu, jednak przypomniał sobie o niej za sprawą wizyty Pani Doktorowej. I to przypomniał bardzo szczegółowo. Wtedy go olśniło! Powiedział Zuzannie, że może być spokojna? Chyba się mylił.

Odprowadzając wzrokiem rudowłosą, uzmysłowił sobie, co przez ostatnie dni nie dawało mu spokoju. Otóż oprócz Zuzanny i dwóch zajmujących się nią bramkarzy, dostrzegł na filmie parkę przypatrującą się tej trójce. Oglądając nagranie, Jan był wzburzony, więc nie skupił uwagi na szczegółach. Teraz jednak jego fotograficzna pamięć dała o sobie znać, wiernie odtwarzając scenę widzianą przez zaledwie kilka sekund.

Parę w rogu pomieszczenia ledwie uchwycił obiektyw kamery, ale zmieściła się w kadrze. Tyle że jej obraz był tylko odbiciem w wielkim lustrze zawieszonym na ścianie. Możliwe, że Pani Doktorowa i jej bramkarze nawet nie wiedzieli, że ktoś im towarzyszy i ich obserwuje. Dzięki wysokiej rozdzielczości nagrania lustrzane odbicie było jednak bardzo wyraźne. Ukazywało wnękę, w której stała bardzo młoda ciemnowłosa kobieta i siwy mężczyzna, dobrych kilka lat starszy od Jana. Dziewczyna była naga, a do tego wyprostowana jak struna, bo ręce miała uniesione, skute w nadgarstkach kajdankami i unieruchomione na haku wbitym wysoko w ścianie.

Ubrany w tradycyjny garnitur mężczyzna stał za kobietą, ale że był od niej znacznie wyższy, jego twarz pozostawała dobrze widoczna. Uważnie obserwował to, co bramkarze robili z Zuzanną. Zaciskał przy tym lewą dłoń na lewej piersi ciemnowłosej, a prawą rękę trzymał na wysokości podbrzusza swojej ofiary. Tak, ofiary, bo twarz dziewczyny wykrzywiał grymas przerażenia, łzy spływały jej po policzkach. Gdy ona i szpakowaty się poruszyli, Jan odkrył, że mężczyzna trzyma w prawej dłoni nóż.

Wirski nie miał wątpliwości. Znał tego człowieka. Nie widział go ze trzydzieści lat, jednak nie było mowy o pomyłce. Na jego lewym policzku widniała charakterystyczna jasna blizna. Przez kształt tej szramy nazywano go Kosą. Major ze Szczytna. Też gość z kontrwywiadu. Prowadził szkolenia na Syberii, w których Jan brał udział. Kursy przetrwania w skrajnych warunkach i dyskretnej likwidacji wroga.

Czy Zuzanna mogła być spokojna? Wirski zadrżał. Skąd Kosa wziął się tutaj, nie było teraz ważne. Ale skoro jest w mieście, a Pani Doktorowa dostarczyła mu rozrywki, dawny oficer służb specjalnych może chcieć poznać rudowłosą bliżej.

– Źle się poczułeś, Janku? – spytała Barbara z troską. – Blady jesteś jak ściana.

– Już dobrze, Baśka – odparł, a potem starając się uspokoić przyjaciółkę, niezręcznie zażartował: – Wychodzi na to, że nie jestem już nie do zdarcia. Byle kto w ciemnym zaułku może mnie zedrzeć.

– Nie urządzaj mi tu śmichów-chichów, sprawa jest poważna – skarciła go. – Ty teraz będziesz spać, a ja pójdę doglądać naszych interesów.

Posłusznie wtulił policzek w poduszkę. Starał się zachować kamienną twarz, lecz wewnątrz drżał. Nie wiedział, co major zrobił kobiecie z filmu, ale się domyślał. Dla tamtej było już za późno, jednak może Zuzannie zostało jeszcze trochę czasu.

Wirski martwił się o znajomą, bo pamiętał, w jaki sposób major lubił się zabawić. Właściwie wszyscy o tym wiedzieli, ale Kosa – z wielu powodów – był nie do ruszenia. Tego, że nie zmienił przyzwyczajeń, potwierdzało nagranie z klubu. Choć Jan skreślił Panią Doktorową z listy bliskich osób, uważał jednak, że żadna kobieta nie zasługuje, by mieć cokolwiek wspólnego z Kosą.

– Muszę zapalić, Baśka – powiedział.

Bez słowa podała mu tabletkę z dwoma miligramami nikotyny. Potem wyszła. Słaby jak dziecko restaurator Jan Wirski pozostał sam ze zwalczającą nałóg pastylką i ponurymi myślami.

Bydgoszcz 2010–2014

Spis treści

TADEUSZ OSZUBSKI

MŁODE

Znika trzyletnia córka wspólnika Jana Wirskiego. To kolejne dziecko, które ostatnio zaginęło bez śladu. Czy wyjaśnienie zagadki kryje się w miejskiej legendzie o wilkołakach z Londynka, podejrzanej dzielnicy Bydgoszczy? Jakie role w tej intrydze pełnią niepełnosprawny nastolatek i sfora zdziczałych psów? Wirski ze swoją bratanicą oraz policja ścigają się z czasem, bo każda miniona godzina zmniejsza szanse ocalenia dziecka.

Tadeusz Oszubski: (ur. 13 stycznia 1958 w Bydgoszczy) Zadebiutował zbiorem wierszy Zostawiliśmy skrzydła w szatni. Specjalizuje się w literaturze grozy oraz publikacjach dotyczących zjawisk niewyjaśnionych. Opublikował m.in. powieść Sfora, nominowaną do Nagrody im. Janusza A. Zajdla oraz zbiór opowiadań „Drapieżnik", za który otrzymał nagrodę Wydawnictw Bertelsmann Media - w II Konkursie na Polską Prozę Współczesną. Jest współautorem zbioru reportaży pt. Niewyjaśnione zjawiska w Polsce, który otrzymał nominację do nagrody dziennikarskiej Grand Press 2003.
Stale publikuje w Expressie Bydgoskim. Współpracował z wieloma czasopismami m.in. Czwarty wymiar, Nieznany Świat, publikował opowiadania w Feniksie i Nowej Fantastyce.

Przewrotna powieść obyczajowa pełna ironicznego humoru i nieoczekiwanych zwrotów akcji trzymających w napięciu od pierwszej do ostatniej strony

Najdanecka Lena

Rodzina Wenclów. Część pierwsza: Wspólnik

Warszawska kancelaria Wencel, Zagajewicz i Zybert dostaje intratne zlecenie. To świetny interes, pewna sprawa... – namawia Pawła Wencla jego wspólnik. – Bylibyśmy głupcami, gdybyśmy tego nie wzięli!
Jednak Pawła nie opuszcza uczucie niepokoju. Niby od lat prowadzi ze swoim przyjacielem dobrze prosperującą firmę prawniczą, powinien mieć do niego bezgraniczne zaufanie... Dlaczego więc intuicja podpowiada mu co innego? Czyżby fatalnie układające się ostatnio stosunki z żoną zaburzały jego jasność widzenia i zdolność rzeczowej oceny sytuacji?
I właściwie dlaczego stała się ona tak oziębła?
Rodzina Wenclów to doskonały, chwilami niezwykle zabawny obraz formującej się polskiej klasy średniej w jej naturalnym środowisku - kancelariach prawniczych, agencjach reklamowych i dużych korporacjach, wzbogacony celnymi obserwacjami jej komicznych zachowań, tragedii i budzących się miłości, nienawiści i zdrady.
Ta trzytomowa saga, opowiadająca o rodzinie, która sowicie dorobiła się na uwłaszczeniu nomenklatury, rozpoczyna się w 2006 roku, na tle rządów ówczesnej koalicji i specyficznej atmosfery tamtych czasów, swoistego „polowania na czarownice".

Zapraszamy na

www.tetraerica.pl